Les Éditions du Boréal
4447, rue Saint-Denis
Montréal (Québec) H2J 2L2
www.editionsboreal.qc.ca

MAI AU BAL
DES PRÉDATEURS

# ŒUVRES DE MARIE-CLAIRE BLAIS

## Romans

*La Belle Bête,* Boréal, coll. « Boréal compact », 1991.

*Tête blanche,* Boréal, coll. « Boréal compact », 1991.

*Le jour est noir* suivi de *L'Insoumise,* Boréal, coll. « Boréal compact », 1990.

*Une saison dans la vie d'Emmanuel,* Boréal, coll. « Boréal compact », 1991.

*David Sterne,* Boréal, coll. « Boréal compact », 1999.

*Manuscrits de Pauline Archange,* Boréal, coll. « Boréal compact », 1991.

*Vivre! Vivre!,* tome II des *Manuscrits de Pauline Archange,* Boréal, coll. « Boréal compact », 1991.

*Les Apparences,* tome III des *Manuscrits de Pauline Archange,* Éditions du Jour, 1970 ; Boréal, coll. « Boréal compact », 1991.

*Le Loup,* Boréal, coll. « Boréal compact », 1990.

*Un Joualonais sa Joualonie,* Boréal, coll. « Boréal compact », 1999.

*Une liaison parisienne,* Boréal, coll. « Boréal compact », 1991.

*Les Nuits de l'Underground,* Boréal, coll. « Boréal compact », 1990.

*Le Sourd dans la ville,* Boréal, coll. « Boréal compact », 1996.

*Visions d'Anna,* Boréal, coll. « Boréal compact », 1990.

*Pierre – La Guerre du printemps 81,* Boréal, coll. « Boréal compact », 1991.

*L'Ange de la solitude,* VLB éditeur, 1989.

*Soifs,* Boréal, 1995 ; coll. « Boréal compact », 1996.

*Dans la foudre et la lumière,* Boréal, 2001.

*Augustino et le chœur de la destruction,* Boréal, 2005.

*Naissance de Rebecca à l'ère des tourments,* Boréal, 2008.

## Textes radiophoniques

*Textes radiophoniques,* Boréal, coll. « Boréal compact », 1999.

## Théâtre

*Théâtre,* Boréal, coll. « Boréal compact », 1998.

*Noces à midi au-dessus de l'abîme et autres textes dramatiques,* Boréal, 2007.

## Récits

*Parcours d'un écrivain, notes américaines,* VLB éditeur, 1993.

*L'Exilé,* nouvelles, suivi de *Les Voyageurs sacrés,* BQ, 1992.

## Poésie

*Œuvre poétique, 1957-1996,* Boréal, coll. « Boréal compact », 1997.

Marie-Claire Blais

# MAI AU BAL
# DES PRÉDATEURS

*roman*

Boréal

© Les Éditions du Boréal 2010
Dépôt légal : 2ᵉ trimestre 2010
Bibliothèque et Archives nationales du Québec

Diffusion au Canada : Dimedia

*Catalogage avant publication de Bibliothèque et Archives nationales
du Québec et Bibliothèque et Archives Canada*

Blais, Marie-Claire, 1939-

    Mai au bal des prédateurs

    ISBN 978-2-7646-2031-1

    I. Titre.

PS8503.L33M34     2010     C843'.54     C2010-940642-7

PS9503.L33M34     2010

*À Francine Dumouchel, l'amie des bêtes*
*et femme de cœur et de conviction*

*Bien des remerciements à Sushi, remarquable artiste*
M.-C. B.

Qu'avait dit Dieudonné à Petites Cendres, aime, mon ami, aime, avant que sur toi ne sonnent tous les glas, et peut-être n'avait-il rien dit, l'ami haïtien était un homme, un médecin discret, qu'eût-il pu dire que Petites Cendres n'eût déjà compris, les cloches sonnaient l'allégresse de vivre de Petites Cendres, en toute impudeur, elles annonçaient que Petites Cendres allait connaître l'amour, l'extase de l'amour, que sonnent pour lui les cloches, pas les lugubres dont les sons tombaient aussi lourds que du plomb dans l'air, mais les jubilantes, celles des jouissances et des plaisirs de la terre, Petites Cendres serait toujours satisfait, content, car depuis l'arrivée de Yinn, qui était le nouveau patron du Saloon Porte du Baiser, Petites Cendres voguait dans ces braises du respect, de la protection de Yinn, de son mari Jason, jamais plus il ne serait humilié, rejeté, avili, un saint patronage veillait sur Petites Cendres, Yinn, fille et garçon, déesse des jours brillants, lorsque complète est la nuit, qui s'avance vers Petites Cendres, prince d'Asie de ses nuits de feu, qu'il prît un jour Yinn dans ses bras ou que cela ne fût qu'un vain rêve, ses nuits ne seraient-elles pas celles de ses attentes, dans l'étang vert du sauna, Yinn, Temple des Divinités obscures, le rêve était rassérénant, essoufflant, ne permettant à aucune cellule du corps de s'endormir, ne fallait-il pas combattre, disait Dieudonné, lequel des démons faut-il combattre le premier, avait demandé Petites Cendres, celui de la paresse, avait dit Dieudonné d'un ton évasif, car n'oubliait-il pas déjà Petites Cendres pour ses autres patients de l'infirmerie, pas une seule seconde à perdre, dit-il, si j'étais toi, mon ami, je cesserais tout, oui, haschisch, cocaïne, je cesserais ce soir, et Yinn passait entre les rangs en demandant qui avait vu Fatalité hier ou aujourd'hui, Fatalité la plus grande, tout en longueur et en maigreur, non, je ne l'ai pas vu depuis deux nuits, deux nuits, mais c'est trop long, avait dit Yinn, je ne l'ai pas vu depuis deux nuits, il allait de long en large sur le trottoir, annonçait le spectacle et l'on voyait toutes ses côtes sous le réverbère, on eût dit qu'il avait fondu dans les plis de sa robe, deux nuits, dit Yinn, c'est trop long, il vit tout près, est-ce que l'un d'entre vous ne peut pas aller voir, ne peut pas, lorsque je l'ai vu, il a pris cette direction, oui, vers ce deuxième étage, vers la véranda, la minceur de ses jambes si lentes à monter, à gravir ces marches, que l'un d'entre vous, oui, dit Yinn, j'ai dit à Yinn que je ne voulais pas aller, moi, non, pourquoi moi, non, Fatalité, non, je ne dois pas, et Yinn dit, alors ce sera Jason qui ira, deux nuits, c'est trop long, sommes-nous des frères, oui, nous le sommes, ai-je dit à Yinn, de ses yeux bleus bridés, de ce regard indéfinissable il me demandait si j'avais vu Fatalité, où et comment, où était Fatalité, c'était une anomalie qu'il ne vînt pas au Saloon depuis, oui, combien de · temps, je ne veux pas savoir même si je l'ai vu qui marchait, marchait, je me disais, où va-t-il donc de ce pas bizarre, il y avait sur la tête de Fatalité, se tenant haute vers le ciel de la nuit, cette couronne de plumes roses que l'on avait vue si souvent au sommet de son crâne, orné de mèches brunes, j'enverrai Jason, dit Yinn à Petites Cendres, il était drapé en lui-même, dans ce corps émacié comme dans un rideau noir, quand se balançait sur sa tête l'éventail de plumes, pensait Petites Cendres, qu'avait dit Dieudonné à Petites Cendres, aime, mon ami, aime, avant que, avant que ne sonnent, oh, tous les glas, il lui avait demandé aussi s'il avait revu son ami Timo, non, jamais, je ne l'ai jamais revu, car vois-tu, mon bon Dieudonné, comme le dit la révérende Ézéchielle, les mystères de Dieu ne sont-ils pas impénétrables, indéchiffrables aussi, mais son fantôme flâne dans mon esprit, sans relâche, aller du Saloon à sa porte, gravir les marches de la véranda une à une, quelle lenteur mesurée menait Fatalité vers son appartement où brillait une lumière crue, ainsi ce serait toujours allumé, le jour, la nuit, on dirait, tiens, voici notre perche de Fatalité qui passe, c'est Yinn qui avait dessiné le costume de Fatalité, toutes elles se promenaient dans les créations de Yinn, chaque soir, un honneur extravagant, les jambes fortes, sous des jarretières de velours, Yinn caressait d'une main leurs fesses rondes, là où se fendillait une robe, une bribe d'air à leur dos, il disait, il fait un peu froid mais sortez, une limousine vous attend pour vous exhiber à travers la ville, honneur extravagant, oui, que de se mouvoir dans ces lingeries, ingénieux costumes effleurant la peau pour mieux la découvrir, ces créations de Yinn, elles étaient assises sur les banquettes surélevées de la limousine, on se souvenait de Fatalité debout dans la limousine, une fleur géante, il saluait les passants en leur lançant des colliers, peut-être était-il trop indifférent, ailleurs, seule sa main s'agitait, aucun sourire, le gouffre de ses joues l'eût avalé, Yinn et Jason s'étaient enfin mariés, je pourrais faire de Yinn mon épouse

13

et personne ne l'apprendrait, pensait Petites Cendres, je volerais une bague, et, tu peux bien avoir deux hommes, ce n'est pas de trop, lui dirais-je, aucun haschisch, aucune cocaïne, si j'étais toi, Petites Cendres, avait dit Dieudonné, toi et tes amis feux follets, avait dit la révérende Ézéchielle, priez-vous parfois, dans vos saloons, vos bouges, prie pour ton frère Fatalité, cette bougie dans le vent, car à deux heures dans la nuit, on dit qu'il ne s'est plus réveillé, c'était la meilleure des filles, je t'assure, révérende, et c'est Jason qui nous avait dit à tous au Saloon, Fatalité, Fatalité, elle ne veut plus ouvrir les yeux, se réveiller, Fatalité s'en va, oh, mon Dieu, l'ambulance était là, et Fatalité qu'on allait emballer dans un sac, et Jason avait dit, non, c'était le mâle de Yinn, on l'avait écouté, lui qui chantait au Saloon, ces mots, oui, il les chantait, vous verrez, un coucher de soleil nous recouvrira tous, il fallait bien l'écouter, le mari de Yinn, son homme, une bougie et une autre, et nous voici sous le manteau d'or du soleil couchant, sages, bien sages et endormis, je dois vous le dire, à deux heures cette nuit, Fatalité, bien qu'il n'y eût plus de soleil, mais peu importe, Fatalité ne s'est plus réveillé. Et Mai pensait à ces pères et à leurs filles dans les salles de bal, quelle chance que son père ne fût pas parmi eux, ces feints prédateurs penchés sur les cous frais de leurs filles, chacune dans sa robe blanche, sa rose blanche à la main, écoutant la respiration de ce père dévot, étouffant de sa dévotion son hystérique rage contre toute culture moderne, libres, sauvages, les filles, non, il ne le fallait pas, la liberté de son enfant, on les appelait les bals de la pureté, les bals de l'abstinence, et de onze à seize ans, elles se retrouvaient là, sous l'effroyable tutelle, dans leurs robes aux épaules nues, la gorge naissante sous les lèvres gonflées du père, son exhalaison de chaste prédateur, car à eux ces trésors de vertu des petites filles, leur virginité dans un médaillon dont ils avaient seuls la clé, jusqu'au jour du mariage, en attendant la nuit nuptiale, n'était-elle pas à eux, chacun de ces petits corps bien opprimé sous la main du père, opprimé et intact, parmi eux, dans les salles de bal dont on ne comptait plus le nombre maintenant, des mères, des oncles, tous dans leur gracieuse conspiration qu'ici adolescentes et jeunes filles, dans leur valse avec le père, fussent demain la génération nette, nettoyée de la tête aux ovaires, de toute culture du chaos où, dans la détente de tous les tabous, les jeunes gens faisaient d'eux-mêmes de si misérables offrandes, ces mots, condoms, viagra, ils ne devaient pas les entendre de la bouche de ces pères eux-mêmes assujettis à d'inavouables désirs, dès la fin du dîner, leurs filles léchant encore leurs glaces, n'allaient-ils pas vers qui les soulagerait, ce serait après la cérémonie, les roses, les vœux que prononceraient leurs filles, papa, je serai toujours pure, papa, quelle chance, oui, un privilège que le père de Mai ne fût pas parmi eux, qu'il fût là pour dénoncer dans ses écrits ce stupéfiant contrôle, ces scandaleuses cérémonies des salles de bal de la pureté, ces clubs de l'abstinence forcée, menaçant la croissance de tant de jeunes filles, car ces enfants ne seraient-elles pas les premières, grandissant dans une mensongère fable de pureté inventée par des pères lâches, refusant de voir s'épanouir leurs enfants, qui seraient enceintes demain ou atteintes de maladies transmises sexuellement, et que disait-il encore à Mai, ce qu'il avait dit, autrefois, que chacun était dépositaire d'un destin particulier et que Mai l'était aussi, se souvenait-elle de Lola, dans le sac de couchage d'un clochard, même si son père ne voyait en Mai que Mai, pas ce qu'elle était vraiment, car il aimait trop ses enfants, il n'eût jamais été ce père d'une déviante prévoyance, de ces pères dans les salles de bal, les bals de la pureté, de l'abstinence, il en parlait avec dégoût, la vie de nos enfants ne nous appartient pas, disait-il, et voyez comme ils s'en vont et nous quittent, Samuel à New York, Vincent à Boston, entreprenant déjà des études de médecine, lui et toi, ma petite Mai, deux années de plus et tu seras dans un collège éloigné, déjà, oh non, la vie de nos enfants, qu'y pouvons-nous, ce serait bien un leurre de s'en approprier, Mai écoutait son père en pensant qu'il ne savait rien d'elle, pas plus que ces pères des salles de bal surveillant la vertu de leurs filles, contemplant les lignes pures de leurs visages, en se disant, non, que rien ne soit jamais modifié de cette progéniture figée, inexpressive, sous la raideur de leurs corsages, car le visage de Mai était aussi menteur que le visage de chacune de ces filles, dans son angélisme attardé, ils étaient sur la route, on entendait le ronronnement du moteur, papa, je veux ce jeans dont les poches sont brodées d'étoiles, papa, je veux, dit Mai, et elle se souvint des cauchemars de la nuit, c'était la nuit aussi dans le rêve et elle se demandait ce qu'elle faisait dans la maison de ses parents, quelqu'un avait frappé à la porte, c'était lui, l'homme des cimetières, son ombre immense frôlait les murs, il cachait sous sa cape une poule blanche, il dit à Mai, tu te souviens de moi, Celui qui ne dort jamais, cette poule, je peux la décapiter de mon pouce, et les pigeons blancs, c'est moi qui, et c'était dans le rêve, le murmure des pigeons et de la poule assassinée, et en se réveillant, Mai pensait qu'elle était seule dans la maison vide, et que faisait-elle dans la maison de ses parents, et où étaient-ils, toutefois c'était faux, elle n'était toujours pas éveillée, l'ombre de Celui qui ne dort jamais frôlait les murs sous son chapeau de paille, et à quinze ans une fille n'appelle plus son père, ne dit pas, je les hais tous, Marie-Sylvie de la Toussaint et son frère, pourquoi ne retournent-ils pas en Haïti, une fille, à cet âge, se tait, et Jason dit, j'ai téléphoné plusieurs fois, il y avait cet écho sur le portable de Fatalité, la sonnerie qui n'en finissait pas, et toujours cet écho, c'est moi, Fatalité, Fatalité, c'est moi, vous voulez passer la nuit avec moi, bonsoir, c'est moi, Fatalité, une nuit que vous n'oublierez pas, bonjour, vous parlez à Fatalité, Fatalité, le rire de Fatalité, musique grinçante, hé ! les amis, c'est moi, Fatalité, laissez-moi votre nom, Fatalité de l'amour, du destin, Fatalité et Jason, c'était sur son portable, ces mots, Fatalité, Fatalité, qui veut de moi ici, fille crémeuse et défoncée, j'irai t'entendre chanter, c'est moi, Fatalité, je t'ai vu poser ta main sur la hanche de Yinn, vous vous aimez, ce sera un cadavre fardé, de la crème partout, je t'ai vu, toi et Yinn, vous vous aimez, moi, Fatalité, plus je vous regarde, plus je suis seul, ce ne fut pas toujours ainsi, oh non, l'expérience use, tue, je laisse une seringue, tu verras, bonsoir, Jason, bonsoir, Yinn, pour le reste, ce qu'on fait, après, avec nous, vous devrez payer, je n'ai plus un sou, Yinn, tu m'as dit avoir toujours un peu d'argent de côté pour les imprévus, l'imprévu, c'est moi, Fatalité, je n'aime pas te demander cela, Yinn, laisseras-tu ma lampe allumée jour et nuit afin que l'on se souvienne de Fatalité, et tes économies, oui, il faudra piger dedans, je le regrette, Yinn, mon frère, je t'aime, adieu, Yinn, c'était là ce qu'on avait entendu sur le portable de Fatalité, ces mots en cascade, pas un sou, je n'ai plus rien, et la coupure quand il avait cessé d'être là, c'est moi, Fatalité, bonjour, et Dieudonné avait confirmé que c'était la fin, se confiant à son médecin, Fatalité n'avait-il pas dit, hier, l'épidémie est de retour et tous veulent l'ignorer, docteur, mais toi tu le sais,

Dieudonné, tu vois tes pestiférés tous les jours, à ton bureau de l'infirmerie, ils ne veulent pas savoir, docteur, il faudrait crier, hurler, mais ils refuseraient encore de nous entendre, je l'aimais bien, ce petit, avait dit Dieudonné à Petites Cendres, prends-tu tes médicaments, Petites Cendres, sur cette terre, ne l'oublie pas, nous sommes seuls à prendre soin de nous-mêmes, ne regarde pas autour, il n'y a toujours que toi, maître de ton navire, ça va, docteur, ne me dis rien de plus, ça va, ne te préoccupe pas de moi, avait répondu Petites Cendres, se sentant agressé de toute part, les derniers mots de Fatalité se gravant en lui, Dieudonné allait repartir, sa trousse à la main, je dois me lever tôt, dirait-il, reconduire mes filles à l'école, toi qui passes tes nuits debout, Petites Cendres, tu vois avec Fatalité où cela peut te mener, ça va, docteur, tu en as assez dit, avait dit Petites Cendres, mon travail se fait surtout la nuit, ainsi mes clients ne voient pas mes boutons, tu ferais mieux de dormir, mon ami, avait dit Dieudonné, tout sommeil est réparateur, et Petites Cendres avait tenté de distraire Dieudonné en se plaignant que Yinn eût à assumer le coût de tout cela, le coût de, mais il n'avait pas su exprimer davantage ce qu'il ressentait, sinon que Yinn fût si bon le tourmentait, beauté et bonté n'étaient-elles pas irréconciliables, ou Yinn n'était-il beau que de l'intérieur, nous inondant tous des fulgurances de son âme, de son regard bleu indéfinissable, et le lendemain Petites Cendres songeait qu'il avait vu Yinn agir comme un chef, lui qui avait été si féminin, dans son spectacle de la veille, dans un bikini rose pailleté sous un long manteau de fourrure synthétique bleu marine, comme s'il eût été en robe de chambre, sur des talons aiguilles, de reine majestueuse ne s'était-il pas trans-formé en garçon fonceur, presque batailleur, sur la scène de

18

son cabaret, disant à chacun comment procéder, répétant ce qu'avait dit Jason, sur le quai là-bas, lorsque nous y arriverons, le soleil sera couché, peu importe qu'il soit couché ou non, nous marcherons jusqu'à l'extrémité par groupes cérémonieux, nous marcherons, peu importe, oui, que le soleil se couche plus tôt en hiver, nous serons là, ensemble, ah, peu importe, car sa voix s'enrouait en prononçant le nom de Fatalité, et sa sœur sera avec nous, car il avait une sœur, elle sera avec nous, ils avanceraient ainsi ensemble dans les rues, pensait Petites Cendres, Yinn en tête du défilé, dans sa tenue sobre de garçon, un débardeur rouge, un bermuda contenant plusieurs poches, sur les côtés, pieds nus dans ses sandales, il dirait, parmi les orchidées qu'il tenait contre sa poitrine, des fleurs capiteuses, mais ce bouquet ne serait-il pas aussi pesant pour Yinn qu'une croix, nous irons jusqu'au bout de la jetée, voilà où nous irons, Yinn, et près de lui, la sœur de Fatalité quand personne d'entre nous ne savait qu'il avait une sœur, elle pleurait car elle avait perdu son grand frère, nul n'avait su pourtant entre nous, la croix sur la poitrine, oui, c'était ce bouquet d'orchidées, les cendres en dessous, marchez, disait Yinn, allons, marchez, sa voix était ferme, le spectacle doit recommencer à dix heures, Fatalité nous en voudrait de manquer à notre devoir, disait Yinn, se souvenait-il, Yinn, pensait Petites Cendres, qu'il avait baigné Fatalité ce jour-là, Fatalité ne lui avait-il pas dit en riant, tu verras, Yinn, je serai là ce soir pour la représentation, je ne te promets pas de rester jusqu'à l'aube, comme vous le faites tous, mais tu verras, Yinn, je serai là ce soir, tu as mis tes gants car tu soignes tes mains d'artiste, hein, pour me savonner le dos, hein, Yinn, vas-y, mon ami, je suis l'enfant infecté des contrées africaines, je m'appelle Rosinah Motshewwa, j'ai vingt-neuf ans, et toi qui appartiens à une association humanitaire de l'Afrique du Sud, tu me baignes, tu me laves, je m'appelle Rosinah, mes deux frères sont sans emploi, et j'ai un jeune enfant, c'est moi, vois-tu mes lésions sous mes yeux agrandis, tu soutiens ma tête afin que je ne cède pas à la panique, cette panique que tu peux lire dans mes yeux, sur mes lèvres qui tremblent et qui font mal, je l'ai vue, Rosinah, dans le journal, et j'ai pensé combien nous étions semblables, elle et moi, et ta main gantée de caoutchouc, tu me laves, tu me baignes, vas-y, mon ami, ne doute pas que je serai avec vous ce soir, Yinn en tête du défilé, sachant que le soleil était bien couché dans l'épaisseur des nuages de février, revoyait-il cette scène, celle du bain de Fatalité, des yeux agrandis par la panique pendant que Fatalité s'attribuait le nom de Rosinah Motshewwa, vingt-neuf ans, il faut te reposer car tu délires, lui avait dit Yinn, aidant Fatalité à s'étendre sur son lit, est-ce qu'une bière ne te ferait pas du bien, une bière glacée que t'apportera Jason, après tu n'auras plus qu'à dormir, oui, mais je serai avec vous, ce soir, avait dit Fatalité, je m'appelle Fatalité et j'ai vingt-neuf ans, Yinn, en tête du défilé, oui, à quoi pensait-il, allons, marchons, car le spectacle est annoncé pour dix heures, et ce soir nous ferons une collecte, qui aurait cru que Fatalité fût si dépossédé, comment le croire, ces orchidées sur la poitrine de Yinn, dans son débardeur rouge, aussi pesantes qu'une croix, pensait Petites Cendres, et Yinn a dit à tous en marchant, souvenez-vous de ces chansons qu'il aimait, et on entendit la voix de Yinn qui chantait, dans cet air de février venteux, *I want a perfect body, a perfect soul, I want*, et *I am loving angels instead*, oui, pourquoi l'heure serait-elle venue, pensait Petites Cendres, de n'aimer que les anges, et à quoi bon ce corps parfait pour être ainsi bousculé vers l'infini, *Yes, I want a perfect body, a perfect soul*, et il aimait chanter aussi, *Oh, baby, refrain from breaking my heart*, avait repris Petites Cendres, pendant que les passants saluaient respectueusement Yinn en tête du défilé, *Oh, baby*, et c'était lui, Fatalité, elle, dont le corps diminué maintenant retournait au berceau des ombres d'où nous venons tous, mais sur cette terre, ô sur cette terre ai-je trouvé un peu de paix, chantait Yinn, ou était-ce une lamentation, on ne savait plus, *Perfect body, perfect soul, I want, I want*, chantait Yinn, c'était au cabaret, quand Fatalité chantait, dansait toute la nuit, ses nuits burlesques de chansons, de danses, n'est-ce pas que l'on entendait ses rires effrontés, ses propos indécents au public qui était là, elle faisait la fête, ne trébuchait pas en montant à toutes jambes l'escalier abrupt du cabaret, *Love me, hug me, kiss me*, chantait-elle, notre clandestine qui disait tout ce qui ne devait pas être dit, ses drôleries injurieuses, sa vodka à la main, allons, faisons la fête, *Love me, hug me, kiss me*, quand l'amour vengeur se libère-t-il, nous rend-il libres, il aimait les chansons, les mélodies vides de sens, *Love me, hug me, kiss me*, un corps, une âme parfaits, atrophiés, méconnaissables, et maintenant il n'aimerait plus que les anges, pensait Petites Cendres, et Dieudonné ne cessait de dire à Petites Cendres, les yeux cernés, la mine triste, tu vois où cela vous mène tous de ne jamais dormir, de passer vos nuits debout sur les trottoirs ou dans le sauna du Saloon Porte du Baiser, Dieudonné avait regardé Petites Cendres en pensant qu'il ne savait plus que faire avec lui, sa candeur dans l'effondrement de tout, la destruction, que faire avec toi, tu ne veux rien comprendre, lui avait dit le médecin Dieudonné, bon, il faut que j'amène très tôt les filles à l'école pour leur gymnastique matinale, tu ne sais pas ce que c'est qu'être père, Petites Cendres, c'est une joie qui te sera toujours inconnue, n'est-ce pas, et le droit chemin non plus tu ne connais pas, il était écrit sur le maillot noir de Petites Cendres, Saloon Porte du Baiser, le lieu où viennent s'amuser les vrais hommes, en lettres blanches, si elle filait si vite dans les escaliers, Fatalité, je vais te dire, moi, c'était à cause du *speed*, et tous ces déchets, je te le dis, Petites Cendres, c'était à cause de cela, ta belle, maléfique Fatalité, *I want a perfect body, a perfect soul*, chantait Yinn, le vent claquait dans les drapeaux de la rue, salut à toi, Fatalité, disait Yinn, ton âme a franchi le cerceau de feu, sois en paix sur cette terre où nul ne l'est, Fatalité, nous t'aimons, t'embrassons, *Hug me, kiss me*, chantait Yinn, et Fatalité fut très aimée comme elle le méritait, pensait Petites Cendres, qui avait marché avec les autres, jusqu'au quai, de son épaule il touchait l'épaule de Robbie qui remplacerait Fatalité dans ses spectacles de nuit, Robbie qui était aussi métissé que Petites Cendres, mais vingt ans de moins, pensait Petites Cendres, une nouvelle recrue, et l'argent glisse tous les soirs sous les dentelles, fanfreluches à son sein, trop cruel à voir, ce tableau dégingandé de la jeunesse, avec de pareilles jambes tout lui sera permis, il aura le cœur de Yinn sans en demander l'aumône, trop cruel à voir, il avait même la désinvolture de dire, ce Robbie, et dire que les années s'ajoutent aux années et que c'est là ce qui nous attend tous, tais-toi, dit Petites Cendres, oh, tais-toi, tu as encore la goutte de lait au nez, Petites Cendres eût voulu demander à Robbie pourquoi il avait besoin de jouer avec des sexes en caoutchouc pendant qu'il dansait, cela attire les hommes, eût dit Robbie, et voilà que tu te fourres cet attirail partout, dirait Petites Cendres, toi, talentueuse comme tu es, sous ta robe trop courte, selon moi, avec ton talent, on se demande pourquoi, mais c'était sûr qu'avec vingt ans de moins Robbie avait tous les droits, la vulgarité, c'est aussi le show, dit Robbie, sous sa tignasse, ce soir il démêlerait ses cheveux, les friserait et les défriserait à sa guise, il serait longtemps cette bête impétueuse, désirable, exécrable des scènes nocturnes, non, trop cruel ce tableau, pensait Petites Cendres, n'était-ce pas insultant que ces recrues aient tant d'imagination, Yinn habillait Robbie des tenues les plus folles, le modelait à son goût, le prenant par la taille, le cajolant, tout va sur toi, ma Robbie, dirait-elle, sous les quais, on entendait le clapotement de barques que malmenaient des étudiants en vacances, il fallut leur crier de faire moins de bruit, Yinn était toujours en tête du défilé, ses orchidées sur la poitrine, comme si c'était un poids très lourd, Petites Cendres touchait de son épaule Robbie, cette épaule musclée de Robbie, même moulée dans ses robes, arpentant les trottoirs la nuit, on voyait, comme sur l'épaule de Jason, ce tatouage d'un scorpion, tout en muscles lui aussi, Jason, le mari de Yinn, qui avait dit, arrêtons-nous pour une prière, lorsque chacun vit que l'océan était là tout près, qu'on y était déjà, faut-il prier en plus, demanda Robbie, hein! pourquoi, après avoir tant marché déjà, faut-il prier en plus, je ruine mes pieds dans ces chaussures, si Fatalité savait qu'il y a tout ce théâtre autour d'elle, que dirait-elle, cette simple fille qui pensait trop au sexe, elle dirait que c'est bien honorable, dit Petites Cendres, et que tu es une coquette dans tes souliers du soir, c'est Yinn qui est un homme de théâtre, dit Robbie, regarde-le se mouvoir devant l'océan comme s'il dansait encore au cabaret, il a, avec l'errance, le drame dans le sang, il ne sait pas lui-même d'où il vient, le savons-nous au fait, toi et moi, aïe, mes pieds, que faire, faut-il vraiment prier en plus, Fatalité, elle est partie pour nous éviter à tous l'ennui, c'est moi qui te le dis, Petites Cendres, elle sait que sans drame, sans théâtre excessif, Yinn s'ennuie, il lui faut toute cette scène, un ciel nuageux, une foule près de la mer, un panier de pétales de roses, des orchidées à distribuer à chacun afin que Yinn cesse de s'ennuyer car lorsqu'elle s'ennuie, Yinn, elle fait des bêtises, soulève sa robe, dans la rue, tournoie sur elle-même comme une toupie, elle provoque, oui, et pourquoi, parce qu'elle ne tolère pas l'ennui, elle lui préfère l'obscène provocation, et pourquoi pas, aïe, mes pieds, heureusement je ne peux rien entendre de la prière de Jason, trop de vent par ici, car la mort est le plus grand drame qui puisse nous arriver, n'est-ce pas, et pas question de s'ennuyer quand il faut vivre ce drame, pendant ces bavardages de Robbie à ses côtés, Petites Cendres avait vu en un éclair d'images vives une cinquantaine de jeunes hommes ligotés sur une plage thaïlandaise, tous ressemblaient à Yinn, posant sur Petites Cendres un regard indéfinissable, avant qu'ils ne soient tous noyés, car avant la nuit ils retourneraient à la mer sur leur rafiot, d'où ils étaient venus, cherchant un asile qui leur avait été refusé, sur ces rives hostiles, où ils n'avaient reçu, fussent-ils aussi beaux et jeunes que Yinn, leur condamnation de mourir en mer, les mains liées à leur dos, ligotés, ficelés comme des paquets, il était désormais sûr qu'ils couleraient tous du rafiot prenant l'eau, et ce serait bien ainsi car les autorités du pays ne voulaient plus entendre parler d'eux, ces rejetons du Cambodge, du Laos, non, qu'on ne les voie plus, que les emporte dans ses abîmes le golfe de Siam, la mer d'Andaman, qu'ils descendent, ces migrants, ces furtifs illégaux, dans le silence boueux des vagues, qu'on ne les voie plus, et parmi eux, Yinn et sa mystérieuse naissance apparaissait à Petites Cendres comme si Yinn avait dit à Petites Cendres, me voici, je fus le seul à être sauvé, car j'ai pu briser mes liens, j'ai rompu la chaîne avec mes dents, la corde autour de mon torse, j'ai rompu toutes les servitudes de mon exil et me voici, Petites Cendres, car Fatalité a vécu un drame, lui aussi, le sien, poursuivait toujours Robbie, sa sœur est venue d'Arizona, elle ne nous avait jamais dit qu'elle avait une sœur, Fatalité, et près de l'eau Yinn rappela à tous qu'il faudrait être de retour avant dix heures, que ce serait une nuit comme une autre au Saloon, même si c'est un drame, le drame de Fatalité, disait Robbie à Petites Cendres, il faut maintenir l'ordre, car Yinn, c'est son idée, l'ordre, toujours, et Yinn ne nous le cache pas, il a une mère, Yinn, lui ne nous cache rien, il ne dit rien, dit Petites Cendres, le golfe de Siam, la mer d'Andaman, tous disparurent dans le silence des eaux, une mère coréenne, dit Robbie, un père soldat, deux frères là-bas en Californie, il dit si peu, dit Petites Cendres, c'est une déesse dans le Temple des Divinités obscures, pensait Petites Cendres, il n'allait pas se confier à ce Robbie bavard, pensa-t-il, dont le monologue l'étourdissait, il faut prier comme Jason le demande, que l'âme de notre Fatalité repose en paix, mais cela ne veut rien dire, dit Robbie, qu'en savons-nous, toi et moi, hein, c'est un bien grand drame pour Fatalité qui aimait les choses simples, manger, boire, un bien grand drame, dit Robbie, s'il avait su, il n'aurait jamais quitté l'Arizona, ah, si elle avait su, manger, boire et tout ce qu'il aimait faire, aussi, dans les saunas et ailleurs, toujours la patte levée pour séduire, plaire, tu te souviens, toi, Petites Cendres, et la mère de Yinn, nous l'appelons Mom ou bien Maman Yinn, elle dit, inclinez-vous quand vous parlez à une dame, soyez polis, et elle est bien contrariée par ce mariage, Jason, Yinn, un morceau de papier invalide malgré tout, mais n'est-ce pas contrariant, Yinn n'a-t-il pas eu le cœur brisé trois fois déjà, elle répète, trois garçons, trois peines, je ne veux pas qu'on le blesse encore, et Jason, n'est-il pas un peu dissolu, consommant trop le vendredi soir, le dimanche quand le repas est offert à tous, le soir, pauvres et moins pauvres, tous viennent, c'est l'idée de Yinn, l'ordre, la justice, oui, intempérant, mais pas tous les soirs, dit la mère de Yinn, l'amour, à quoi pense mon fils, l'amour n'est pas une raison pour se marier, pour avoir demain du chagrin parce que votre mari vous a trompé, est-ce une raison sensée, l'amour, c'est la question qu'elle pose parfois à son fils Yinn, il ne se souvient donc pas de son père le soldat qui m'a abandonnée avec trois fils sur les bras, maigre pitance, je cousais tous les vêtements des enfants, c'est ainsi que Yinn a appris à coudre, puis à dessiner des vêtements pour ses poupées, ses poupées, quand ses frères aînés se moquaient de lui, il dessinait si bien, il avait tout enfant, sous ses paupières allongées, les yeux bleus de son père, ni bleus ni verts ni gris, une couleur pour lui seul, ses yeux, mais des yeux qui enveloppaient bien son âme, la protégeant, la défendant contre tous pendant qu'il habillait et déshabillait ses poupées, les tissus, les étoffes, je les cherchais pour lui à bas prix dans les magasins, déjà artiste maquilleur, il lui fallait aussi poudrer, dorer les joues de ses poupées, marquer de lignes noires leurs longs cils, je lui disais de ne pas écouter ses frères, tu es le plus tendre, le plus délicat, ne les écoute pas, Prince Thaï, ne les écoute pas, tu as tous les dons, mais n'oublie pas, mon fils, que nous n'avons rien, que ta mère coud pour les riches, non, rien, nous n'avons rien, toujours ton travail et le mien nous aideront à survivre, et voilà qu'il se marie avec Jason, bien que l'amour ne soit pas une raison pour le faire, ainsi tu auras encore du chagrin, et que ferais-je, moi, dans ta peine, mon exilé, parfois nous avions faim, il ne s'en plaignait pas, silencieux il me regardait, avec ces yeux soudain soumis que vous lui connaissez, il n'était pas comme les autres fils, plus lointain, d'une si ancienne civilisation dont il ne restait rien, et voyez-le maintenant qui veut plaire à Jason dont il est la femme, femme fatale dans son jeans trop serré, écrasant tout ce que la nature lui a donné, des bottes hautes jusqu'aux genoux, un débardeur blanc sur un soutien-gorge noir, le débardeur noué sur son ventre, tout cela pour plaire à Jason, a-t-il oublié comment je l'habillais autrefois, un prince, je vous dis, même si nous n'avions rien, ne se souvient-il pas de son père, non, l'amour n'est pas une raison valable pour se marier, je ne cesse de le lui dire, ainsi parlait la mère de Yinn, participant aux travaux de couture de son fils pour le cabaret, enfilant les perles de ses colliers, le guidant encore comme autrefois dans le dessin de ses costumes, elle toute menue auprès du grand fils, une abeille auprès d'une biche, le piquant parfois, ce Jason, il va te faire l'une de ces blessures dont tu ne te remettras pas, crois en mon instinct de mère, qui va panser tes plaies, tu seras si seul, je ne serai pas toujours près de toi, c'est à peine si je peux voir, c'est que tu as besoin de lunettes, maman, répliquerait Yinn d'un ton pratique, lorsque je t'en achète, tu refuses de les porter, ah non, je ne vais pas commencer à me plaindre comme toutes ces vieilles dames qui s'amourachent de toi à tes spectacles, disait la mère de Yinn, si elles avaient un fils comme toi, elles seraient si préoccupées de son avenir qu'elles en oublieraient le temps qui passe, elles se diraient, que deviendra-t-il, cette pirouette, mon fils, que deviendra-t-il, qui va dans un sens et dans l'autre, une pirouette, un jour garçon, le lendemain fille à la belle chevelure noire sur les épaules, dédaignant toutes règles, oui, elles n'auraient de pensées que pour lui et oublieraient le temps qui passe, tu te laisses trop toucher, caresser par toutes ces femmes que tu ne connais pas, dirait la mère de Yinn, c'est que je suis toujours en combustion, dirait Yinn, et qu'elles viennent vers moi, les garçons, les hommes, je peux comprendre, mais toutes ces femmes, tu ne les connais que le soir, puis tu ne les revois plus, sois prudent, mon fils, la fissure par laquelle passe la passion est toujours ouverte, méfie-toi, en plus que tu penses à te marier avec ce Jason, la mère de Yinn se souvenait de ce fils, à peine un délinquant, s'éprenant d'une rutilante machine à coudre, dans une boutique, qu'elle ne pouvait lui offrir, soudain la machine à coudre serait là dans leur appartement modeste, mais, mon fils, ce bien n'est pas à nous, il faut le rapporter là où tu l'as pris, que tu m'accables de soucis, veux-tu qu'on nous chasse de ce pays, un délinquant, un voleur, dont le père n'est plus là pour le protéger, parti avec la première femme, la machine à coudre qui étincelait dans l'ombre, coudre, maman, maman, suturer, que les aiguilles ne te meurtrissent plus, tu rapporteras ce bien là où tu l'as pris, sinon tu iras en prison, avait dit la mère de Yinn, la machine à coudre étincelante dans l'ombre de leur misère, pour toi, maman, afin que ne saignent plus tes doigts, me disait cet enfant qui déjà pirouettait en tous sens et portait mes robes, mes bijoux, nous qui avions si peu, c'était d'un temps ancien, les bijoux, les robes, nous n'avions rien, je devais travailler chez les riches, l'amenant avec moi, le petit, le surveillant, afin qu'il ne s'empare de rien, les machines à coudre dans la maison des propriétaires, jamais ne cessait ma surveillance, tu remettras ce bien là où tu l'as saisi, ravi, veux-tu qu'on nous chasse de cette maison, de ce pays, que je me retrouve avec mes trois fils dans la rue, est-ce là ta volonté, Yinn, il avait toujours cet indomptable désir des machines à coudre, même dans la maison des maîtres, une femme sans homme élève seule ses enfants, je m'inquiétais de le voir grandir avec les mêmes désirs d'étoffes et de soies, quand seraient-ils assouvis, nous qui n'avions rien ou si peu, son père nous ayant quittés pour la première femme venue, ainsi parlait la mère de Yinn à Robbie, et sur le quai où le vent fouettait les visages, Robbie dit à Petites Cendres, tu te souviens que Fatalité aimait bien cette chanson, *You know I am no good,* tu sais que je ne vaux rien, mais aime-moi quand même, comment valoir quelque chose en ce monde, hein, demanda Robbie, je serai mignonne à voir ce soir avec les longs cheveux blonds que je vais aplatir sur les miens, je vais danser avant et après le spectacle, si bien que les gens de la rue me verront et s'arrêteront et l'argent va pleuvoir sur moi, surtout les vendredis et les dimanches, comment valoir quelque chose en ce monde où tout vaut si peu, hein ! Petites Cendres, qu'en penses-tu, c'était sa chanson favorite, il en raffolait, où nous tenons tous si peu de place, où nous sommes en orbite pour si peu de temps, comme Fatalité, je sais que je ne vaux rien, rien du tout, mais ma lumière est une flambée qui passe dessous, brûle un peu, voici le révérend, annonçait Yinn près de la mer, maintenant le révérend va parler, le révérend Stone, et un révérend en plus, d'où sort-il, demandait Robbie à Petites Cendres, Fatalité n'était pas croyante, un révérend en plus des prières, on se croirait dans une église, ou dans une assemblée religieuse avec tout ce monde qui encercle le révérend d'un air respectueux, ou bien s'il avait la foi, nous ne l'avons jamais su, hein ! Fatalité, quel mystère tout de même quand une vie disparaît,

Fatalité qui n'aimait que les choses simples, vivre, un peu de cannabis, et quoi encore, mes chers amis, disait le révérend Stone, prions pour l'âme de notre compagnon de route, Fatalité, de route d'ailleurs, il faut le dire, il n'a suivi que la sienne, Dieu, dans sa miséricorde, n'accueille-t-il pas les fantaisistes et les autres, la route, le chemin de Fatalité était ce qu'on peut appeler fantaisiste, chacune, chacun a ainsi un chemin, une route à parcourir, toute droite ou un peu tordue, selon les cas, mais dans sa miséricorde Dieu accueille vers lui, dans sa demeure, les uns et les autres, aussi, Fatalité, sois le bienvenu dans la demeure de Dieu, car vous le savez maintenant, mes amis, Fatalité était croyante, très croyante et fervente, me disant parfois, le Seigneur me conduira là où il voudra, je ne suis qu'une petite vague dans l'océan, mais il faut bien éprouver un peu de plaisir pendant le voyage, le passage, et le voyage était désormais arrêté, suspendu, le passage s'emmurait, ou le passage était la mer que l'on entendait si forte, avait dit Robbie à Petites Cendres, et tu sais que des machines à coudre, Yinn, quand il était enfant, a dû en receler quelques-unes, afin que sa mère ne se meurtrisse plus les doigts à faire les points avec des aiguilles, et il a fallu chaque fois que Maman Yinn les rapporte aux marchands, discute avec eux, leur prédisant que, bien qu'il fût obsédé par la couture, les machines à coudre brillant dans l'ombre dans la maison des maîtres, des propriétaires, dont la mère de Yinn fut longtemps la servante, malgré cette obsession, son fils serait un jour un costumier célèbre, oui, ce serait un artiste, qu'on le sache, discutant avec le marchand des boutiques, des magasins ou les maîtres de maison, la mère de Yinn avait subtilement expliqué que son fils n'était en rien ni un délinquant ni un voleur, il était un enfant fasciné, passionné, c'était tout, ainsi il avait échappé à la maison correctionnelle, même si sa mère ne cessait de le réprimander pour ses actions, comme elle le réprimandait encore pour avoir épousé Jason, un révérend parmi nous, non, cela ne se fait pas, disait Robbie à Petites Cendres, mais ce qu'il dit est bien dit, la route de Fatalité était bien la sienne, serons-nous à temps à la représentation de dix heures avec tous ces orateurs, un révérend, des prières, je ne m'attendais pas à cela avec Fatalité, dit Robbie, j'espère qu'on n'en fera pas autant lorsque ce sera mon tour, lorsque je serai centenaire, je veux dire, car je n'ai pas l'intention de partir demain, et maintenant les pétales de roses, les orchidées sont semées dans les vagues, il est tard et les coqs dorment, nous allons tous rentrer nous aussi, marcher en silence, oui, nous allons rentrer pour la représentation de dix heures, dit Robbie. Si papa me promène dans sa voiture quand notre visite de la semaine à la bibliothèque est terminée, quand d'habitude il écrit à cette heure-là, c'est pour une raison suspecte, c'est que papa veut me parler, et que veut-il me dire, pensait Mai, qu'il sait tout ce que maman a pu lui dire, oui, qu'il sait toujours tout, mais qu'il n'est pas de ces pères envahisseurs, non, qu'il n'est pas, lui non, donc que pour l'instant, il ne dira rien, il a pourtant osé me poser cette question, sur la route brumeuse, Manuel, tu le connais depuis longtemps, n'est-ce pas, il n'a pas dit, l'histoire de la Mercedes, et toi avec lui dans la voiture, c'était donc vrai, car il n'est pas de ces pères envahisseurs, lorsque tu n'avais que onze ans, est-ce vrai, cela, il n'a pas osé le dire, mais si je suis aux côtés de mon père, dans sa voiture, c'est pour une raison suspecte, je lui demande avec effronterie comment va son livre, il me dit, ce n'est pas un livre mais une histoire vraie, ce sont toujours des histoires vraies, dit-il fermement, c'est l'histoire de Nora, dit mon père, l'histoire d'une femme qui connaît de profonds changements, dans sa vie, les uns l'aident à progresser, les autres causent de la détérioration dans son âme, Nora, il ne pense qu'à elle et je ne parviens plus soudain à retenir son attention, je n'aime pas les héroïnes de mon père, elles m'éloignent de mon père, et si elles ont été inspirées par des êtres vivants, ces femmes, dans les livres de mon père, je ne les aime pas non plus, pour une raison suspecte qu'il n'admettra pas, mon père m'a invitée, à l'heure où d'habitude il écrit, à une promenade en voiture, peut-être parce qu'il ne veut pas, non, il ne veut surtout pas que j'aille danser, bien que je ne puisse le comparer à ces pères possessifs de leurs filles dans les clubs de l'abstinence, les clubs de la pureté, où après un dîner arrosé d'eau, dans les coupes, de petites ballerines dansent pour leurs pères dans leurs tutus, les plus grandes viennent faire valser les petites, et puis enfin les pères, les voici les dragons noirs dans leurs smokings, une valse avec papa, une musique suave a été écrite pour les danseurs, un chant monte des gorges adolescentes, et voici ce qu'il dit, ce chant, ton amour, papa, ta foi, sont mon armure, et papa, je serai toujours ton bébé, oui, toujours, papa, mon papa, elles sont si petites et confiantes qu'on peut leur faire chanter tout ce que l'on veut, même ces absurdités, il y a alors un échange de roses et de vœux entre pères et filles sous leurs diadèmes, les voici engagées à une pureté totale pour papa, c'est plus qu'un vœu, c'est un serment, je te serai toujours fidèle, papa, moi, ton bébé, et le bébé et le père s'enlaçant, on sent une montée de larmes futiles, toujours à jamais fidèle, mon papa, ainsi se déroulent ces bals de la pureté, même si mon père ne peut être comparé à ces pères, c'est pour une raison suspecte que je suis dans sa voiture pour une promenade, oui, tu le connais depuis de nombreuses années, je me souviens, Manuel, ces mots, il les prononce avec distraction, bien sûr, il ne veut pas que j'ouvre la portière subitement, la raison suspecte étant qu'il veut me parler, ou que je parle, ou que nous parlions, et alors ce serait comme un aveu entre nous, il promettrait de ne rien dire à maman, mais il ne pense plus à moi, mais à Nora, cette femme qui l'inspire, nous n'avons pas les chiens avec nous, c'est qu'il a l'intention de me parler, de savoir, car si nous avions les chiens avec nous, il dirait, encore ces pattes mouillées sur les banquettes de ma voiture, et nous pourrions sentir le poids de leurs grosses têtes, entre papa et moi, lorsque les chiens sautent sur moi, joyeux, et papa n'aurait aucune intention suspecte ou de parler ou que moi je lui parle, c'est que vois-tu, Mai, disait-il maintenant, c'est que Manuel et son père ont très mauvaise réputation, oui, eux et leurs discothèques où toi et tes amis vous réunissez pour danser, très mauvaise réputation, disait le père de Mai, puis il revint à Nora, la femme de son livre, il faut être plus nuancé, dit-il, je ne dirais pas détérioration, mais lente dégradation, ce qui peut nous arriver à tous, pour Nora c'est assez particulier, ce sera le contraire de la pièce d'Ibsen, tu comprends, tu es trop attaché à cette femme, dit Mai, implacable, et puis elle est mariée, je te parlais de mon livre, dit le père de Mai, c'est un danger pour des enfants comme vous, reprit-il sur un autre ton, mais je ne suis plus une enfant, dit Mai, Manuel, son père, ce sont des souteneurs, mais il n'avait rien dit, tout cela était dans la tête de Mai, tu es trop attaché à cette Nora, dit Mai, et toi tu as coupé seule tes cheveux et ils sont mal coupés, dit le père de Mai, il souriait, sans doute la conversation suspecte serait-elle interrompue par cette trêve du sourire du père de Mai, pendant qu'il pensait complaisamment à cette femme, Nora, son sujet d'écriture, bien qu'à cette heure-ci habituellement il fût déjà à sa table de travail, il y a beaucoup de brume soudain, dit-il, je ne savais pas que vous vous connaissiez depuis tant d'années, dit le père de Mai, je le répète, chérie, ce garçon a très mauvaise réputation, je sais, papa, tu l'as déjà dit, dit Mai, je ne savais pas, dit le père de Mai, qui ne souriait plus, il y a deux choses que je n'aime pas chez toi, dit Mai, la première est que tu écris des livres, la seconde est que tu joues au golf, comme si tu étais un vieillard, ce qu'elle voulait le plus, à cet instant, c'était que son père cessât d'être suspect, qu'elle ne fût pas auprès de lui, dans cet interrogatoire, qu'il cessât de l'épier de ses yeux charbonneux sous ses sourcils qui grisonnaient depuis quelque temps, et dans ces clubs de la pureté, les pères promettaient à leur tour, après le dîner, la valse, d'être toujours purs eux aussi dans leur vie d'homme, de mari et de père, d'appartenir toujours à leurs petites filles, et puis ils sortaient aux terrasses pour fumer une cigarette, n'en pouvant plus sans doute de tant de mensonges, d'impostures, l'un d'entre eux, qui portait un chapeau de cow-boy, se rappelait en fumant sa cigarette qu'il avait eu dix enfants de sept femmes différentes, mais le temps de la pureté des serments était venu, il avait dans la salle de la cérémonie trois filles, dont l'une, qui avait dix ans, avait juré à son père qu'elle serait vierge jusqu'à son mariage, elle ne savait trop ce que cela signifiait, sinon qu'elle avait vécu ce soir un conte avec son père, un joli conte mensonger, et puis le père, après avoir fumé sa cigarette, rentrait dans la salle de bal où il pouvait contempler les minois charmeurs de toutes ces fillettes, les siennes et celles des autres, son propre champ de fleurs, oui, les fillettes se souviendraient de cette nuit, du bal de la pureté où chacune avait offert le trésor de son cœur à papa, et quand naviguerons-nous jusqu'à Panama, demandait Lou à son père, au printemps, dit Ari, quand les vents seront plus cléments, le bateau de Lou ne s'appelait plus *Le Chausson de Lou* mais *Le Bateau de Lou*, car il eût été bien ridicule qu'on le nommât encore *Le Chausson de Lou* quand elle avait tellement grandi, le bateau de Lou était amarré au port du Club nautique, occupé à polir les flancs de son bateau, Ari écoutait le chant des vagues, pendant que Rosie et Lou jouaient ensemble sur le pont, les doigts graisseux de frites, que cela déplaisait à Ari que Lou ne fût pas végétarienne comme lui, mangeât des frites, comme lorsqu'elle était chez sa mère, Ingrid l'élevait si mal, pensait-il, parfois elles descendaient en riant dans la cabine, les doigts, les mains toujours graisseux, huileux de ces frites, et en plus vous mangez de ces repoussants chiens chauds, dit Ari aux filles qui remontaient sur le pont du bateau, soyez utiles, aidez-moi à polir ce bateau, et lavez d'abord vos mains graisseuses, pour aller jusqu'à Panama, il faut que le bateau puisse tenir la mer, disait Lou à Rosie qui dardait sur Lou des yeux admiratifs, c'est moi qui naviguerai comme Ari me l'a appris, car désormais, Lou savait combien elle irritait son père en ne l'appelant plus papa mais Ari, et ce désormais qu'elle entendait fréquemment dans la maison de sa mère, ce désormais, mot rond de menace, d'avertissement, désormais je ne parlerai plus à ton père, désormais tu n'iras plus le voir aussi souvent, désormais, ce désormais ne pouvait que l'agacer dans la bouche de sa fille, Lou ne sentait-elle pas le regard excédé de son père qui la couvrait, ce mot désormais, je ne l'aime pas, semblait-il dire, c'est Ingrid qui ne cesse de le prononcer, n'est-ce pas, Lou appelait aussi sa mère Ingrid, non plus maman, comme si ses parents n'étaient plus que des étrangers lorsqu'elle s'adressait à eux, dit Ari, s'attristant que sa fille ne fût plus la sienne, ni celle de sa mère, ni la sienne, comme si elle avait dit à ses parents, elle dont l'insolence n'était plus une qualité, vous n'êtes tous les deux que deux vieux adultes, Ingrid, Ari, deux vieux adultes dont j'aimerais ne pas avoir besoin, mais vous êtes là, ma croissance n'étant pas finie, il faut bien que je vous tolère, ai-je le choix, oui, disait Lou à Rosie admirative, c'est moi qui naviguerai, lorsque nous partirons pour Panama, car désormais, désormais c'est moi le maître du bateau, le bateau de Lou, est-ce vrai, demandait Rosie, que deux fois, chaque semaine, le mercredi et le samedi, on vient vous chercher en bus à l'école, vous, le groupe des filles surdouées, c'est ainsi qu'on vous appelle, le groupe des surdouées, et pourquoi ne pourrais-je pas en faire partie, demandait Rosie avec une modestie anxieuse, pourquoi, moi aussi j'aime beaucoup le dessin, la musique, on dit que vous apprenez tant de choses que nous n'apprenons pas, dans cette classe, oui, mais c'est pour les surdouées seulement, dit Lou, pourquoi pas moi aussi, demandait l'anxieuse petite voix de Rosie, ne se résignant pas à la sèche réponse de Lou, pour les surdouées seulement, et toi tu ne l'es pas, tu patauges encore dans ton livre de lecture, tu es même très en retard, comme ces petits Noirs de la rue Esmeralda, ceux qui traînent le plus à l'école, sachant que ses propos auraient offensé son père, Lou murmurait à l'oreille de Rosie, tout en tirant d'un doigt la pointe de ses cheveux, tirant, tirant jusqu'à ce que Rosie crie, tu m'arraches les cheveux, et que Lou se calme car les sentiments de pouvoir et d'exaspération qu'elle éprouvait auprès de sa cadette éveillaient en elle une irrésistible jouissance, ne lui fallait-il pas à tout prix dominer toutes ces têtes sottes des petites filles, elle qui savait tout, ils pourront se reprendre pendant les examens de l'été, et toi aussi, dit Lou, plus aimable, soudain, car il fallait aussi se faire aimer, pensait Lou qui sentait se poser sur elle le regard de son père, sois gentille pour Rosie, semblait dire ce regard, mais ce n'était pas à elle que son père pensait, non, ce regard était trop vague, rêveur, la certitude qu'Ari avait une femme dans sa vie s'imprimait de plus en plus dans le cœur de Lou, oui, il y a quelqu'un dans la vie de mon père, pensait Lou, ces départs si fréquents pour New York, il y a quelqu'un et il refuse de me le dire, il préfère me mentir, quel homme sournois, les regards de Lou et de son père se toisaient, au soleil, dans la clarté des après-midi sur l'eau, tu le sais, dirait Ari, j'ai des amis sculpteurs à New York, et toute une vie professionnelle, tu le sais, Lou, que dirait-il encore, afin qu'elle ne fût pas aussi fâchée, vindicative, devait-il toujours affronter la mère et la fille, lui qui était un homme, un homme libre, pensait Ari, tu verras, quand tu fréquenteras les garçons, comment sont les hommes, un jour tu comprendras, dirait-il, Lou aurait aimé tirer tous les cheveux de la tête de Rosie, un par un, jusqu'à ce qu'il n'y en ait plus, docile enfant qui se couchait encore à huit heures le soir, avec son petit frère, il aurait fallu la déplumer au complet tant Lou était en colère contre lui, Ari, l'homme qui ne disait plus la vérité, dont elle n'était plus l'amie, et ce regard vague, rêveur, n'était-ce pas honteux qu'il puisse désormais, oh, désormais regarder sa fille sans la voir, tout en ayant l'air de polir les flancs de son bateau d'acajou, *Le Bateau de Lou*, lui, Ari, l'absent, le père infidèle, pensait Lou, et chacune des petites filles qu'elle amènerait ici, sur ce bateau, ne serait-ce pas pour leur tirer les cheveux, comme cette Rosie, tant cette infidélité de son père la rongeait, qu'il eût souvent des maîtresses, un défilé de jeunes femmes, cela n'était rien, mais qu'une vraie personne fût aimée de lui, non, cela ne devait pas être, pensait Lou, car il avait déjà un foyer, une femme, Ingrid, une fille, Marie-Louise, qui était aussi Lou, aucune addition n'était permise, quelle étrangère viendrait encore tout usurper, lui enlever son père, comment cela s'était-il produit sans que Lou en fût soupçonneuse, et Rosie était là, la regardant avec cette admiration stupéfaite, le groupe des surdouées disposent des ordinateurs les plus avancés, pourquoi pas nous dans notre classe, dans notre école qui n'a pas été rénovée, dont craquent les murs, pourquoi pas nous, demandait Rosie, parce que ce n'est que pour nous, notre groupe, répondait Lou, les ordinateurs les plus perfectionnés, parce que tu es une petite, et moi une grande, et que l'éveil de l'esprit, c'est pour les grandes, pas les petites comme toi, Lou savait que ses paroles étaient toujours au bord de l'insulte, qu'il lui fallait endommager Rosie, comme toutes les autres qui viendraient sur le bateau, à qui elle offrirait en défiant son père des frites, des hot-dogs, leur tendant ce piège, puis tirant leurs cheveux, jusqu'à ce qu'elles s'écrient, assez, assez, et elle ne pouvait décrire cette sensation de toute-puissance, auprès d'elles toutes, ses préposées à la tyrannie, quand c'est son père qu'elle aurait voulu attaquer par ses paroles, par ses gestes, mais il possédait la force, elle n'en viendrait jamais à bout, voyez ses bras, sa stature, que pouvait-elle contre lui, lui qui en aimait maintenant une autre, qu'elle avait cru immunisé contre l'amour, car après tout, c'était un vieil adulte, et Robbie, s'étant lassé des dons oratoires du révérend Stone, marchait avec Petites Cendres vers

38

le Saloon Porte du Baiser, en pensant que la vie avec Fatalité, c'était bien divertissant, pas comme ce soir, des oraisons et des pleurs, des orchidées et des pétales de roses, dans la mer, la vie avec Fatalité était une farce, une comédie, rien de sinistre comme ce soir, qui avait déguisé par des prières, falsifié par des sermons, la réelle Fatalité, l'amie de Robbie, et qu'ils étaient délirants ensemble, Robbie, Fatalité, ouvrant toutes les portes du Saloon Porte du Baiser, afin que passants et touristes viennent danser, chanter avec eux, la nuit, se joignent à leurs divagations, leurs transes, *Kiss me, love me*, une femme très corpulente fonçait sur eux, eh ! mes petits, écoutez ma voix, disait-elle, et laissez-moi me tordre avec vous comme un serpent sur cette scène si proche des étoiles, dans la divine hystérie de cette nuit, et écoutez ma grasse voix qui monte de mes grasses entrailles, n'est-ce pas beau, déchirant, mon mari est là qui m'observe de la rue, qu'il ne vienne pas afin que je puisse chanter avec vous, mes belles écervelées, mes étourdies, et que ce soutien-gorge me pèse, cette carapace de la féminité, bah, que ça tombe et que je chante avec vous, mes *étournelles,* et voilà que nous enfoncions nos visages dans la vaste terre de ses seins nus, lesquels se balançaient sur nos nez, voyez combien je vous aime, mes voyous, *Kiss me, love me,* chantait notre généreuse madone, pendant que son mari soulignait d'un regard accablant qu'il fallait remettre le soutien-gorge, est-ce là une façon d'agir pour une femme, disait-il, bien qu'il fût si déconcerté par sa femme qu'il ne dit rien, elle chanta ainsi longtemps tout en nous tenant, visages et cheveux contre ses amples seins, oh, terre bénie, jusqu'à ce que son mari lui commande brutalement de sortir du bar, telle était la réelle Fatalité de Robbie, attirant à soi l'amour, le partage, ma sauvage dansant sur les planches, entre deux rideaux de velours pourpre, toute au banquet délectable du sexe, des sens, la mienne, Fatalité, la vie avec Fatalité, un risque, aucune fourberie, une frénésie délestée, peut-être l'aimais-je trop, dit Robbie à Petites Cendres, et dans notre vie il convient de ne pas s'attacher même si nous sommes une famille, de ne jamais enfreindre cette loi de l'attachement, sinon c'est le péril, crois-moi, Petites Cendres, un péril qui ravive autant qu'il tue, ne vois-tu pas comment elle est, ta désirable Yinn, inaccessible même dans nos bras, je t'embrasse et volette, mais n'appartiens qu'à lui, Jason, mon tatoué aux bras ronds qui ne porte que des débardeurs même par temps froid, parfois un chapeau de paille défoncé pendant qu'il chante, il échange avec Yinn le short long aux deux poches sur les côtés, il lui suffit d'entrevoir la coquetterie de Yinn, son panache orgueilleux, pour refuser tout ornement supplémentaire, il vit de la manifeste envergure de Yinn, du battement de ses cils, du mouvement de ses omoplates sous les bretelles orange de ses robes du soir, il dit, elle, ma princesse, ou il dit, elle est ainsi, elle est, mais ne sait plus rien dire, car c'est un homme, Jason, peu enclin à la parole, les paroles d'outrance et d'outrage, n'est-ce pas pour elle, Yinn, il dit, Jason, Yinn préfère dessiner des costumes pour descendre se montrer dans la rue, Yinn a tout du prince qui survolerait des abîmes, dans un voile de soie, en gravissant l'escalier de bois vers le cabaret, chaque soir, chaque nuit, voyez-la qui ne se pavane plus mais se redresse, retenant un pli de sa robe, faut-il perpétuer ces représentations, semble-t-elle se demander, on l'invite à New York, à Los Angeles, faut-il perpétuer nos gestes ainsi chaque soir, chaque nuit dans l'intensification d'un décor qui peut se briser comme le fut le décor autour de Fatalité, sa voix, ses rires, Fatalité hier si vivace, ma fleur, mais le jeu avec les hommes, qu'ils exercent des attraits ou pas, la voix de Jason, de Yinn, leurs danses sur la scène du cabaret, Yinn fût-elle indifférente ou donnée, ne fallait-il pas avant tout subsister, sordide est la misère pour tant d'animaux bizarres, d'espèces incongrues, dit Robbie à Petites Cendres, voilà ce que je pense, il nous faut nous éterniser et survoler tous les gouffres, tous les abîmes en longueur, comme le fait Yinn sans trop se demander ce qu'il fait, qui il touche sans toucher, courir entre les nuages et la terre, et que l'haleine ne nous manque pas, comme volent les aigles, planer droit comme Yinn à quelque dynastique hauteur, celle de sa race, peut-être, tu as vu ses yeux à la fois fixes et désorientés, ou bien c'est un regard qui dut apprendre tôt le durcissement, bien que si tendre parfois, tu as vu comment il nous regarde, cette flèche bleue du regard, tu as vu, Petites Cendres, dans ce visage oriental impassible, dis-toi, frère, que ce regard s'en va comme il est venu, Petites Cendres revit les réfugiés sur la plage thaïlandaise, tous ligotés, et Yinn parmi eux, avant qu'on ne les lance dans la mer, et quand vient de la rue le jeune pourvoyeur, le gangster des toxicomanes, quand il demande à Yinn, tu as du sel, c'est sa formule, tu as du sel, une courte injection, non, Yinn est alors formel, très brève, et un peu de sel, répète le pourvoyeur malhonnête, la flèche bleue de ce regard de Yinn transperce la peau du pourvoyeur qui n'a plus qu'à s'en aller sinon Jason le fera déguerpir plus vite encore, et péremptoire, Yinn dit, assez de ces saloperies, assez, et le ton de sa voix s'impose, Petites Cendres revit les ligotés sombrant dans les vagues, l'un après l'autre, et Yinn parmi eux qui le regardait, le temps de cette noyade brouillée par le bleu du ciel, tout était silencieux au fond des eaux peuplées de requins, et Robbie dit, je l'ai su par la mère

41

de Yinn, trois garçons l'ont déjà mise en pièces, Yinn, qui étaient ces trois garçons, le sais-tu, qui donc a pu franchir sa résistance soutenue, avant Jason, qui donc a fait cela, trois garçons, dit Maman Yinn, trois peines, trois lésions et ensuite, c'est trop, il se marie, quand Jason est déjà marié à une femme, a des enfants, voici l'autre femme, Yinn, dans sa céleste androgynie, dont s'éprend Jason, Jason court partout à la fois, vers sa première femme, ses filles, et Yinn, et Maman Yinn dit, Jason sera-t-il la cause de la quatrième lésion, peine de mon fils, non, je refuse et la voici reine de son prince, cousant pour lui ses costumes, l'éduquant à l'art de dessiner et de coudre, elle n'aime pas qu'il se confie à lui-même des tâches basses, lorsque après avoir nettoyé le Saloon, avec des seaux d'eau, le matin, car tous ces hommes et leurs sécrétions, tous ces hommes, au Saloon, dans le sauna, le jacuzzi, les salles encore chaudes de vapeur, il porte sur son dos la poche de lessive des autres, vers la laverie, le voici courbé, sous le poids de la poche noire, celle de l'humiliation devant laquelle ne doit pas se prosterner son fils, aucun poids, héritage atavique, non, cela ne doit pas être, dit-elle, et elle voit le visage penché de Yinn, et dit, non, pas toi, mon fils, sous ce courroux de saletés, pourquoi lui, et pas Jason, mais il va imperturbablement vers la rue, ainsi prostré, le regard fermé, qui le reconnaîtrait sous les traits de cet enfant esclave, dit la mère de Yinn, qui pourrait voir en lui le prince qu'il a vu la veille, dans les soieries de ses atours, qui donc, elle accourt afin de lui offrir son aide, non, dit-il, maman, non, dit Yinn, combien de fois as-tu été inclinée toi aussi sous des charges plus lourdes, quand nous n'avions rien à la maison, combien de fois, maman, et il va ainsi, prostré, trois lésions, trois peines, trois garçons, dit Robbie à Petites Cendres, je voudrais bien savoir qui ils sont, comment ils ont osé, oui, franchir une telle résistance, trois lésions qui le firent tomber, Yinn, dit Robbie, et Petites Cendres songea qu'il retirerait du dos de Yinn la poche noire, oui, il le ferait, et l'appliquerait contre son dos à lui, tous ces chiffons, ces dessous des filles de la nuit au cabaret, Petites Cendres soustrairait Yinn à ces servitudes, mais dignement, dans sa robe pailletée de sirène, la plus étincelante de ses robes, pensait Petites Cendres, la robe sirène du fond des mers, Yinn eût dit à Petites Cendres, tout en arpentant la rue avant la dernière représentation du soir, embrassant Petites Cendres sur la joue, pendant qu'il attirait les passants vers l'escalier de bois du cabaret, non, eût-il dit à Petites Cendres, cette tâche ennuyeuse est la mienne, car il y a toujours quelque lingerie à repriser, à recoudre, soigneuse, minutieuse était Yinn de toute parcelle recouvrant le corps de ses filles, Robbie, Cobra et les autres, sa mère y veillait aussi, afin que chacune fût consciencieusement traitée, vivre la nuit étant déjà un bien assez grand désordre, disait la mère de Yinn, dormir si peu, pauvres enfants quand certains ne semblent pas même avoir fini de grandir, et puis cette cohabitation à cinq dans une maison, comme si œuvrer ensemble la nuit ne leur eût pas suffi, la mère de Yinn y avait dans cette cohorte sa propre chambre, mais une dame comme elle partager la salle de bain de tous ces garçons, disait-elle, il y avait de quoi être irascible avec eux, bien qu'elle fît beaucoup d'efforts pour se dominer, bien que ce fût comique aussi, attendrissant tout ce capharnaüm, qu'ils fussent devenus avec le temps ses enfants, ses enfants dissipés, mais elle ne doutait pas qu'ils étaient vraiment les siens, car elle cousait pour eux tous, des épingles sur le bout des lèvres, que de gratifications d'amour, mais soudain elle en perdait un, ainsi Fatalité et combien d'autres avant lui, et c'était le bouleversement, dans la maison, la confusion de la douleur, providence de ces corps métamorphosés chaque nuit, elle ne savait plus qui consoler, apaiser, c'était un gâchis, oh, Fatalité, Fatalité, eux chantaient dans la maison, je te dis au revoir, Fatalité, au revoir, nous n'allons jamais éteindre la lumière dans ton appartement, nuit et jour, Fatalité, au revoir, Fatalité, et ce baiser vespéral de Yinn sur la joue de Petites Cendres sur le trottoir, bien que Yinn en distribuât à toutes et à tous, avec le sourire de ses lèvres rouges, Petites Cendres le prenait au vol, respirant la peau de Yinn, en posant la tête sur le bras de Yinn, transgressant ainsi, pensait Petites Cendres, les lois du malheur qui avaient réglé sa vie auprès de clients qui l'avaient mortifié, pendant le jour, ce baiser exprimant pour Petites Cendres autant le salut que l'espoir, ne subirait-il pas ensuite tout ce qu'il aurait à subir des uns et des autres, la raillerie, la méchanceté, lorsqu'il marchait seul dans la rue, ou rencontrait quelque ordure de client, fortifié par cet inattentif baiser de Yinn, pensait-il, dans ses états de manque comme dans la défaite de ses jours, si peu qu'il y en eût encore devant lui, il les devrait à Yinn, à Robbie, à Jason, mais ne fallait-il pas toujours désennuyer Yinn, l'égayer dans sa mélancolie, celle des ligotés sur une plage thaïlandaise coulant au fond des mers, le divertir d'un spleen profond dont sa mère seule avait l'explication en remontant vers leurs temps d'errance, sinon lassé soudain, désaliénant en lui l'homme et la femme, la fille et le garçon, il courait sur ses hauts talons ou les échasses de ses bottes, lorsqu'il n'était vêtu que de son jeans, le débardeur blanc noué sur son ventre, du Saloon Porte du Baiser au Vendredi Décadent, coursier affolé soudain, courant, la noire chevelure ondulant dans ce vent de février, captif ou captive se libérant sous le regard de Petites Cendres, bien que le cercle de sa capture demeurât avec lui, car combien il était attendu pour cette représentation de la nuit de deux heures à son cabaret à laquelle il ne faillirait pas, déjà l'escalier de bois se remplissait de ces corps avides de le voir, de l'entendre, des adolescentes venaient vers lui dans la rue exigeant qu'on les photographie avec Yinn, souriant, il prenait leurs tailles contre la sienne, ployait avec souplesse sous le fardeau de toute enfantine emprise, mais il eût fallu lire alors sur ses traits, pensait Petites Cendres, le neurasthénique ennui du prisonnier, et c'est là où, fantasque, Petites Cendres s'approchait de Yinn ou le laissait s'approcher de lui, et que le baiser sur la joue, parce qu'il divertissait Yinn, le délivrait un instant de ses chaînes, il arrivait aussi, pensait Petites Cendres, que, dans sa sobre tenue de garçon, sur ce même trottoir, devant la fenêtre ouverte du bar où les barreaux d'acier avaient la forme d'un oiseau, quand Yinn n'était reconnu de personne, fumant ses cigarettes pieds nus dans ses sandales, les cheveux tirés derrière la nuque, leur profusion domptée par un nœud coulant, il eût l'air d'un garçon tentant de maîtriser en lui-même des envies canailles, ou il sifflait entre les dents, ou il crachait par terre, qu'il devînt si frère du garçon à la poche noire sur son dos que sa mère vînt vers lui en disant, Prince Thaï, t'ai-je élevé ainsi, en petit voyou, et quand tu bâilles, couvre ta bouche, mon fils, où as-tu appris ces manières, c'était peut-être cet enfant à la poche noire, ou ce garçon des mauvais lieux, quand rien en Yinn n'était mauvais, qui attirait Petites Cendres, quand soudain, louant à Robbie les attraits de Jason, Yinn décrivait de ses mains à la fois masculines et gracieuses, et du frémissement de ses lèvres, toute la délectation qu'il éprouvait sur son corps, Petites Cendres l'écoutant alors, comme s'il eût été soudain l'incarnation du corps langoureux de Jason offert aux lèvres de Yinn, non plus Petites Cendres, que nul ne désirait avec une telle passion, mais un passant du désir, pour les hommes les plus vulgaires. Si je vais souvent sur ce parcours de golf, disait Daniel à sa fille, c'est pour y accompagner Adrien, afin qu'il ne soit pas seul, car depuis le départ de Suzanne pour la Suisse, ainsi parlait-il de départ, de séjour, pensait Mai, ainsi parlait son père, dans la voiture, sur la route brumeuse, faussant la vérité des mots, toujours ces mêmes duperies des adultes, leurs assertions contraignant toute vérité, véracité, quand le seul voyage qu'eût entrepris la femme du vieil écrivain, pensait Mai, était un périple vers ce que son père ne pouvait nommer, un déplacement sans retour, pourquoi ne pas le dire, papa, ce fut un suicide assisté, consenti, n'est-ce pas, c'est bien ce que voulait Suzanne, pourquoi ne pas le dire, papa, dit Mai à son père qui en conduisant plus vite ne tourna pas son visage vers sa fille, quelle brume, dit-il, et Mai s'assombrit de ne plus pouvoir entendre la voix de Suzanne, de ne plus sentir ses bras autour d'elle, où allaient, les uns après les autres, tous ces passagers de la terre qu'elle avait aimés, et surtout ces deux femmes, Caroline, Suzanne avec qui son père allait déjeuner très souvent, près de la mer, acceptant parfois que Mai toute petite fût avec eux, même elle ne comprenait rien à leur langage, vous me direz franchement, mon jeune ami, ce que vous pensez de ce poème, disait celle qui était toujours belle et radieuse, je n'ose pas le faire lire à Adrien, le critique en lui ne m'amoindrissait-il pas, mais auprès de vous, c'est différent, ce n'est presque rien, ce poème, comment dirait-on, un moment de solitude essentielle, la quintessence, oui, ce moment dans la vie d'une femme, lisez-le, mon cher ami, pour l'oublier aussitôt, ils se regardaient longuement, avant que le rire taquin de Suzanne ne scie l'air, ne croyez pas, Daniel, que je me prenne au sérieux comme mon mari qui écrit si bien, mais je crains toujours que sa poésie ne prenne une allure trop carrée, pontifiante, car c'est un homme qui a toujours raison, n'est-ce pas, et moi serais-je toujours dans le tort comme bien des femmes, et pourquoi Mai ne se souvenait-elle de ces paroles de Suzanne que maintenant, si tard, trop tard, quand elle ne reverrait plus Suzanne, ces mots avouant longtemps à l'avance le courage de ses actes, était-ce là ce qu'elle voulait dire par quintessence, solitude essentielle, vous savez, Daniel, je lis ces jours-ci la biographie d'un jeune écrivain qui s'est pendu à quarante-sept ans, il avait longtemps étudié la philosophie, les médicaments n'avaient plus d'effet sur sa détresse chronique, voyez ma force, maintenant, si ce même corps allait défaillir demain, me causer maux et humiliations de l'esprit, comme à ce jeune écrivain, le supporterais-je, mon ami, voilà ce qu'exprime ce poème que je vous confie, car je fus si gâtée, mon ami, consentirais-je, non, peut-être pas, et Mai avait entendu ces mots, si gâtée par la vie, l'amour, ne faut-il pas laisser les choses intactes comme elles le furent à leur épiphanie, et Adrien, surtout n'en dites rien à Adrien, c'est entre vous et moi, mon ami, ces sottises, ce jeune homme, je dois vous dire, possédait, comme l'a écrit Adrien, un nombre infini de mots, mais était-ce suffisant que leur nombre fût infini, si sa force était diminuée, et le père de Mai répéta, non, je ne veux pas que notre ami Adrien soit seul sur ce parcours de golf, car vois-tu, elle rôde, elle rôde, c'est toujours elle le chauffeur de la voiture noire de Caroline, et si Adrien montait une seule fois dans cette voiture, si, ces pensées, Daniel ne les exprimerait pas à sa fille, Charly, pensait-il, toujours ce même juvénile aspect, non, Adrien ne pouvait être laissé seul sur ce parcours, soudain elle serait là, le séduisant, avec ses mots faciles, ou peu de mots, lui disant, venez, je serai votre chauffeur, je vois bien que vous n'êtes plus le même sans votre femme Suzanne, ne puis-je vous rendre quelque service, souvenez-vous, quand ce fut le même crépuscule Caroline ne pouvait rien faire sans moi, souvenez-vous de moi, Charly, dès qu'elle sentit que son corps était corruptible, atteint, dans sa maturité, la décision de votre femme était déjà prise, elle écrirait à ses filles, son fils, souvenez-vous de ce dessin d'un lotus bleu sur le papier à lettres, Daleth, c'est un mot hébreu qui s'ouvre sur la lumière, ce lotus bleu représentait la philosophie bouddhiste chinoise, ainsi elle en a décidé d'elle-même, de son sort, et vous a laissé seul, Adrien, et ils étaient sur le parcours de golf, Daniel, Adrien, quand Adrien avait dit, n'y a-t-il pas quelqu'un dans ma voiture, n'y a-t-il pas quelqu'un, une jeune femme, qui m'attend au volant de ma voiture, par quel mirage Adrien l'avait-il aperçue, car c'était bien Charly dans son uniforme de chauffeur qui venait vers lui, sur ce tapis de verdure du terrain de golf, elle venait, tendant la main au vieil homme, en disant, venez, venez, Caroline a-t-elle jamais eu à se plaindre de moi, je fus toujours une excellente employée, je vous ramènerai chez vous et vous vous reposerez, une carafe d'eau fraîche sera déposée sur votre table de chevet, je ne vous quitterai plus, Caroline a-t-elle jamais eu raison de se plaindre de moi, et Daniel avait rassuré Adrien en disant qu'il n'y avait là aucun fantôme venant vers eux sur la verdure luisante, au soleil, rien, personne, avait dit Daniel, et pourtant il avait eu peur que ce fût

48

vrai, que Charly fût tout près, marchant vers eux, dans l'uniforme de chauffeur qu'elle empruntait depuis quelque temps, chez de nouveaux maîtres de maison, Daniel se demandait comment elle avait pu se lier à ces riches propriétaires de villas en si peu de temps, et qui étaient ces hommes, ces femmes retirés dans leurs domaines que nul ne voyait en ville, non, répéta le père de Mai, je ne veux pas que notre ami Adrien se retrouve seul sur ce parcours de golf, depuis le départ de Suzanne, commença-t-il, il ne put achever sa phrase car Mai interrompit son père en disant, papa, pourquoi ne pas le dire, ce n'était pas un départ, ni un véritable voyage en Suisse, pourquoi ne pas le dire, papa, sur le papier au lotus bleu, Suzanne l'avait depuis longtemps écrit à ses filles, affaiblie, défaillante, Suzanne n'accepterait plus la vie, pourquoi ne pas le dire, papa, et Robbie disait à Petites Cendres, je ne sais laquelle des perruques ce sera ce soir, la blonde ou la rousse, car Cobra me vole souvent la rose et son chapiteau de plumes, pour descendre le premier dans la rue, quant aux bottes de Yinn qu'un ami lui a rapportées de New York, elles ne chaussent que Yinn, leurs lacets de cuir contournant les cuisses, les talons sont si effilés, on dirait des lames, je ne sais comment il déambule ainsi la nuit, Yinn, sans tomber de si haut, toujours sa tête est au-dessus de nous, quand nous frôle son visage on peut sentir la caresse de ses cils enroulés, il dit de sa voix rauque, gutturale, ne sois pas en retard, Robbie, tu me remplaceras, Robbie, quand je serai à Los Angeles, et un peu moins de jeux avec les sexes en caoutchouc, Robbie, on déverse chez nous des cars de collégiennes, un peu de retenue, Robbie, oui, tout en me parlant ainsi, en me rabrouant, Yinn me laboure de ses mains habiles, de l'aphrodisiaque de ses yeux, il remonte mes seins d'apparat, il n'y a que des bulles là-dedans, dit-il, je sens qu'il n'aime pas que la chair des hommes, des femmes, éprouve le délaissement, voilà pourquoi sur chacun ce toucher réconfortant, appuyé, tant de vies solitaires, semble-t-il penser, c'est la réflexion de son regard, je m'y attarde, ou bien Yinn porte une robe nouvelle, l'une de ses dernières créations, je l'ai dessinée et confectionnée pendant la nuit, dit-il, la robe est aérienne, d'un textile ailé comme l'aile des papillons, ses motifs japonais bougent sur le corps de Yinn, avec son déhanchement, la robe est ouverte jusqu'à la taille sur les côtés, dévoilant les jambes de Yinn, ses jambes de femme, mais serait-il dans sa tenue de garçon que ces mêmes jambes seraient trop minces, elles seraient, ces jambes qui se cambrent, parfaites, entre les zébrures de la robe ailée, des jambes de gamin malingre, tant, tout pour Yinn est dans l'art de l'illusion, du rêve, ainsi il exulte en marchant dans la rue, pendant que la pleine lune frappe son visage de ses rayons blancs, détaché, il daigne appartenir à tous sans le vouloir, venez, dit-il aux passants, venez, les filles vous attendent, Robbie, Cobra, nous vous attendons là-haut, au cabaret, il n'a que du mépris pour les foules, l'injure à son âme qui pourrait en jaillir, mais il est là, intact et ennuyé, s'il n'était cette femme superbe divinisée sur ses talons de verre, ne cracherait-il pas par terre comme lorsqu'il était petit garçon, dit Robbie, mais l'immobilité s'impose et il se tient droit, lorsqu'il rejoindra Jason au bar, il se glissera un instant près de lui, comme en tout abandon, il remontera la bande de son étroit slip noir sur son ventre plat, presque creux, les filles sont-elles prêtes, demandera-t-il à Jason, ce string me serre, dira-t-il, quelle nuit qui n'en finit plus, quand irons-nous nous étendre sur une plage, toi et moi, chéri, si tout est prêt, que débute la représentation, tant de gens ce soir, que penses-tu de ma robe, Jason, celle-ci fut inspirée par les robes de ma mère, tu as remarqué que maman est toujours élégante, ne boude pas, maman est sévère avec toi, mais elle t'aime aussi, c'est l'emprisonnement, l'idée de cet emprisonnement à vie du mariage qui l'irrite, pas toi, mon père n'était pas un homme loyal comme toi, mon trésor, doucement, Yinn posait sa tête sur l'épaule de Jason, tu chantais à merveille, ce soir, amour, la vie domestique auprès de Jason était calmante, si seulement Jason avait lavé la vaisselle, il aurait moins déplu à la mère de Yinn, mais il disait toujours que ces tâches n'étaient pas pour lui, un musicien ne lave pas la vaisselle, disait-il, et il est vrai que la mère de Yinn aurait aimé que son gendre participe aux travaux de la maison, au moins, à en restaurer l'ordre, on vit ici comme dans un sous-marin, disait la mère de Yinn, et il est vrai, dit Robbie, que sans la méthodique propreté de Yinn et de sa mère notre équipage aurait sombré et que les filles auraient fait naufrage avec le vaisseau, les filles et leurs perruques posées sur les chaises, leur ménagerie, Cobra et ses petits chiens qu'il promenait dans un landau, la maison de Yinn étant une passerelle vers le cabaret dont chacune vivait, vivotait, selon les nuits, et la mère de Yinn ne tolérait pas la tricherie, comment allons-nous tous manger, demandait la mère de Yinn à son fils, si ces étudiants continuent de grimper par l'escalier de derrière sans billets, l'escalier de secours, car nous devons manger, mon fils, pour Yinn, les mets seraient exclusivement orien-taux, mais la mère de Yinn avait toujours bien nourri ses enfants, disait-elle, ainsi nous ne manquions de rien, oui, ce soir ce sera la perruque blonde, dit Robbie, je veux plaire à une naine de trente ans qui a la fragilité d'une petite fille, je pensais qu'elle avait huit ans lorsqu'elle est venue au cabaret pour la première fois, nous allions lui refuser l'entrée, elle aura son bichon dans ses bras, je la prendrai sur mes genoux et la laisserai jouer avec mes cheveux, et m'embrasser, dit Robbie, un ami gigantesque l'accompagne souvent, le colosse et l'enfant naine, je sais que du bas et du haut du monde on peut tout voir, et peut-être tout comprendre aussi, si la vie est parfois un conte d'horreurs, je circule avec eux comme parmi les lutins, dans un monde sans conflits, tout en indulgences et affabilité, près d'eux, tout est douillet comme est douillet le bichon qu'étreint l'apparente enfant, me voici dans l'innocence même de ces deux êtres sans calcul, aucune virtuosité de gestes trop sexuels avec eux, pendant que je chante et danse, ils n'aiment que moi, Robbie, que Yinn qu'ils regardent se maquiller, devant son miroir, voici l'arc des sourcils qui s'élance, les cils qui se gonflent, dit Yinn, je suis un acteur de kabuki, eux admirent, contemplent l'étrange visage qui se dessine peu à peu dans le miroir, ils ne sont plus affligés d'être ou trop colossaux ou trop petits, on les disculpe de leur taille, il faut manger ce soir ou demain, dit la mère de Yinn, car un étudiant dégourdi a encore franchi la passerelle, et c'est l'alerte, oui, ce sera la perruque blonde ce soir, dit Robbie à Petites Cendres, et quel air virginal tu as, dit Petites Cendres à Robbie, peu importe, ta vie serait-elle des bas-fonds, rien ne t'a encore abattu ni saigné comme moi, vierge papillonnante, tu gardes ta fraîcheur sous le déferlement de tes boucles ou de tes cheveux crêpés, on peut dire de toi, Robbie, que tu es croustillante, sois béni, dans cette virginale impudeur qui est la tienne, de ne jamais avoir connu le sadisme de l'humanité, car il nous dégoûte de tout, cet abominable abus que firent les autres de nous, toi,

qui ne t'aime pas, dit Petites Cendres à Robbie, hein ! dis-
moi, et où allons-nous, papa, demandait Mai à son père,
aussi loin que l'Archipel, dit le père de Mai, ne veux-tu pas
voir le parc des Faons et l'espèce de biches menues que nous
avons rescapées du dernier ouragan, mais il y a trop de
brume, dit Mai, nous ne verrons rien, les faons et leurs mères
ont failli être décimés, dit Daniel, quand ce n'est pas la dévastation des hommes, c'est celle de la nature, trop de brume,
papa, sur cette route, répéta Mai, et je veux aller danser ce
soir, mes amis m'attendent ce soir, dit Mai, et soudain ils
étaient là, et le père de Mai arrêta la voiture, ils étaient tous
dispersés sur la route, sortis de l'enclos du parc, et à travers
ces rideaux de brume Mai vit les faons égarés qui la regardaient, la brume dégageant une neigeuse ligne blanche
autour d'eux, ils semblaient tous trop visibles, pensa Mai, ces
petits sans leurs mères, sur leurs pattes grêles, immobiles et
hypnotisés, quand tout près roulaient les voitures, bien qu'ils
n'eussent aucune peur, et le père de Mai dit, ne t'avais-je pas
promis une surprise, les daims de nos brousses ne sont plus
très nombreux, dit-il, ils sont perdus, dit Mai, et le père de
Mai indiqua à sa fille que les faons n'étaient pas perdus, mais
libres, ne voyait-elle pas la clôture qui démarquait leur
domaine, dans le parc, ne voyait-elle pas qu'ils étaient à l'abri,
et Mai dit à son père qu'ils étaient tous trop visibles, dans
cette lumière tachetée de brume sur leurs dos roussâtres, que
lorsqu'on était trop visible, dit-elle, puis elle se tut, car son
père avait peut-être raison de dire que demain il y aurait ici
dans ce parc un nouveau troupeau de daims, car lui, Daniel,
préserverait la faune, lui son père, le père de Mai, pouvait
assurer Mai de son avenir, et des renards, nous en aurons
aussi, disait le père de Mai, mais cette fois de son père en l'ave-

nir, pensait Mai, était-elle imprudente ou trop hardie, ou n'était-il qu'un intellectuel crédule, un écologiste confirmé, se rassérénant seul à ses théories de ranimation d'une terre viciée et exploitée jusqu'à plus soif, ce parc, nous l'avons construit nous-mêmes, disait le père de Mai, et vois les bêtes qui courent librement, s'abreuvent aux étangs, et peut-être était-ce vrai que sous sa protection tout était beau et proportionné, les réserves, les parcs, il y aurait toujours autour du père de Mai un équilibre, une cohérence, quand dans le monde de Mai aucune précaution n'avait été prise pour sauver les uns et les autres tous trop visibles, visibles jusqu'au dénuement animal des faons que Mai reverrait en rêve, tous au bord d'une voie ferrée, dans un champ de neige où ils rechercheraient sous des flaques d'eau glacée leur nourriture dans les premières pousses de blé, là où il n'y aurait rien pour eux, sinon ce don candide de leur visibilité à tous, prêts à être fauchés, en cet instant où la faim les dénudait de toute défense, qu'ils soient seuls ou en troupeaux, fallait-il continuer de vivre ou démissionner comme l'avait fait Suzanne, pensait Mai, et Petites Cendres les revit s'aligner toutes dans la rue, tout contre la façade du bar dont les fenêtres ni la porte n'étaient jamais closes, Yinn, Cobra, Robbie, Santa Fe, en attente de la représentation finale de la nuit, comme si on allait les louer pour quelques heures, eux et leurs couvertures de fleurs et de plumes, pour des noces qui seraient célébrées en secret, noces féeriques, car ce serait l'alliage des sexes de même qu'un mélange de couleurs, mémorable moment de fusion dans les lueurs de la scène, vite oublié comme un film loué, si on ne voyait en Yinn, Cobra, Robbie, Santa Fe, ces filles alignées dans la rue, pensait Petites Cendres, que ce moment mélangé de l'amusement, rien d'autre que ces filles dans leur éphémère imbroglio, si visibles qu'à leurs cous, sous leurs yeux, les traces du maquillage étaient encore fraîches, et cette vulnérabilité était si explicite qu'un vieil homme vindicatif trébuchant dans sa digne soûlerie s'avançait dans la rue vers Robbie en disant, hé, vous, toutes les traîtresses, vous n'êtes tous que des traîtresses, que fais-tu là, vieil homme, toujours propret dans tes habits, menteur, répondait Robbie sur un ton tout aussi cynique, bien qu'il blaguât, pensait Petites Cendres, l'homme lui étant très familier, j'attends mon taxi, pour rentrer dans l'Archipel, auprès de mes alligators, de mes chiens, de ma femme et de mes cinq enfants, car sous la boursouflure de vos seins, il n'y a que traîtrises, vous m'avez toutes trahi, dit l'homme, et toi, Robbie, tu veux retourner mes sens à l'envers, mais je vais toujours à l'église le dimanche et je suis fidèle à ma femme, je t'ai déjà dit que je l'aimais bien et que tu n'y changeras rien, traîtresses, allez, traîtresses, toutes, et même Yinn et son pas valsant de la Porte du Baiser au Vendredi Décadent, une traîtresse sublime, elle aussi, heureusement que je ne viens vous voir toutes que le dimanche, fripouille, dit Robbie, menteur à la vie double, ta pauvre femme, je la plains, disait Robbie, ce n'est que pour moi que tu as ces yeux larmoyants, auprès d'elle ton cœur est de glace, oh non, reprenait l'homme de Robbie, l'un des siens, je l'aime autant que toi, mon fripon, ainsi va la vie, quand tu portes cette écharpe de gitan pour te ceindre le front, on te croquerait, traîtresse que tu es, adieu pudibonderie, je choisis la traîtresse Robbie et son lit de luxure et ce mécréant taxi qui vient de me filer sous le nez, traîtrises que cette vie, tous des traîtres, cet ivrogne sophistiqué peut bien raconter toutes ces bêtises, dit Robbie à Petites Cendres, c'est avec ses fantasmes qu'il passe ses nuits, pas avec moi, à l'aube, je marche presque toujours seul vers la maison commune où les autres filles traînent dans la cuisine, encore ébranlées par l'intoxication de la nuit sur une scène, on bavarde en grignotant des biscuits, avec les yorkshires de Cobra, on rit pendant que se défont nos pétales, que pâlissent nos visages, et enfin apparaît le jour qui nous saisit toutes comme un vent froid le long du dos, comment aller vers le sommeil où je retrouverai Fatalité dans les coulisses de la mort, car toutes, nous pensons à elle, Fatalité, et dans mes rêves je pense savoir où elle vit, dit Robbie, j'achète pour elle des robes et des maisons, elle me dit, peux-tu garder pour moi ce manteau blanc, je dois sortir quelques instants, je tiens le col du manteau entre mes doigts, j'attends mais elle ne revient pas, il y a ses cigarettes, dans la poche du manteau, je pense, elle ne peut sortir ainsi longtemps sans ses ciga-rettes, et j'attends encore, je suis dans une maison qui contient un lac à l'intérieur, et j'attends Fatalité qui viendra se baigner avec moi, c'est une maison qui est inhabitée, inha-bitable, un lieu neutre, mais il y a ces berges du lac où j'at-tends Fatalité, son manteau sur mes genoux, je l'attends, fumant toutes ses cigarettes puisqu'il me fait attendre si long-temps, en ce jour si long, neutre, et désespérant puisque je ne sais pas où je suis, ni où elle vit, Fatalité, lorsque je me secoue de mes torpeurs avec Fatalité, Yinn est assis près de moi, il me dit, dors maintenant, tu peux dormir, je vois ses sourcils des-sinés au crayon noir sur son visage nu, il me contemple dans une sollicitude irritée, car il est très las, las des représenta-tions, des parades dans la rue, las des filles, de tout, trop, semble-t-il dire, c'est trop pour moi seul, mais il ne dit rien, tu dois te réconcilier avec cette pensée que Fatalité ne revien-dra pas, dit-il enfin, tu m'excèdes avec Fatalité, je n'en sais rien où elle est, pas plus que toi, dors maintenant et tais-toi, et il repart, et je ferme les yeux, comme si je tenais encore contre moi le manteau de Fatalité, un manteau pour les nuits de février, le dernier manteau, dit Robbie à Petites Cendres, mais Fatalité, c'est le passé, et je chante ce soir, se reprit Robbie, en sombre décolleté, et un chapeau coquin sur la tempe, voilà comment je serai, et Yinn viendra corriger les plis du chapeau et agrafera le corsage avec l'un de ses bijoux, sans oublier l'hibiscus rouge sur le sein gauche, et tout sera bien, car ce sera le présent, le mien, le tien, la vague nous emportera loin de ces rivages d'aujourd'hui où nous avons tant pleuré, de ces rivages où l'une d'entre nous ne reviendra plus, elle, Fatalité, fille d'une prostituée, se prostituant à son tour, que Yinn sortit de prison, réhabilita, en fit la grande Fatalité que tous ont connue, sinon elle eût crevé là toxicomane, avec son dossier de pornographie et de prostitution juvéniles, mais Yinn vit en elle l'étincelle, la vie et une princesse méconnue, ignorée de tous, et c'est ainsi qu'il la vêtit afin qu'elle fût là, dans la rue, au cabaret, à briller, joyau trop tôt terni, tous alignés dans la rue, trop visibles d'un éclat outrageux, bruyants avec leurs voix d'hommes, pensait Petites Cendres touchant du bout des doigts sa joue boutonneuse, était-ce bien cette joue que de son baiser absent Yinn embrasserait, cette joue éraflée par les boutons, en disant à Petites Cendres, quelle journée, où t'en vas-tu encore, Petites Cendres, pourquoi ne pas rester avec nous ce soir, ce regard direct de Yinn plongerait dans le regard fuyant de Petites Cendres, comme si Yinn eût dit à Petites Cendres ce qu'il disait hier à Fatalité, pourquoi fréquentes-tu ceux qui ne peuvent respecter qui tu es, faut-il vivre dans l'opprobre, Petites Cendres, avec des clients qui te dépravent chaque jour davantage, rien n'était dit, Petites Cendres touchait sa joue boutonneuse, le baiser de Yinn, en effleurant sa peau, serait le baume de sa nuit d'errant, car en cet état de manque forcené, Petites Cendres pensa qu'il n'aurait pas d'autre choix sans doute que de suivre ses clients d'un hôtel à l'autre, mais n'avait-il pas l'espoir aussi que le baiser de Yinn le retiendrait encore quelques heures au bord de la chute, qu'il serait comme l'avait été Fatalité sous le farouche envoûtement de Yinn, aimé, sauvé, et Mai savait que si elle était maintenant sous l'affectueuse domination de son père, pendant que la brume les environnait, dans un parc isolé, c'est qu'il avait l'intention, même s'il ne l'eût jamais avoué, de percer ses secrets, c'était un enjôleur, ce père qui allumait en Mai le trouble de la parole, qui provoquerait ce qui ressemblerait pour Mai à un séisme intérieur, déjà il avait dit ce qu'il n'aurait pas dû dire en évoquant Manuel, la Mercedes, Mai à onze ans, tout un monde clandestin qu'il n'avait pas le droit d'évoquer, pensait-elle, et s'enfonçant davantage dans ce marécage des mots, des explications, il dit soudain, et je n'ai jamais rien su non plus, dit-il, de cette visite chez le médecin, avec ta mère, ta grand-mère, pour toi, ta grand-mère, pourquoi ne devrais-je pas savoir moi aussi, ne suis-je pas ton père, et Mai revit les pères auprès de leurs filles à ces banquets où ils protégeaient leur vertu dans ces clubs de l'abstinence et de la pureté, n'était-ce pas risible que son père agît comme eux, qu'il fût là, la rassurant jusqu'à l'étouffer, comme le faisaient ces pères dans ces salles de banquets où pendant qu'ils dansaient avec leurs filles, semblaient les amortir de leur présence sédative, afin que tout élan vers la liberté future fût amorti lui aussi, dans ce mariage figé avec le père où en réalité il n'y avait pas d'avenir, sinon l'égoïsme inouï de leurs géniteurs, mais le père de Mai était bienveillant, il cherchait davantage à comprendre sa fille qu'à la contrarier, pensait Mai, la mère de Mélanie, sa grand-mère, ces femmes alliées, n'avaient peut-être rien dit à Daniel de l'éprouvante visite chez le médecin, il y aurait ce jour-là arbitrage, jugement, Mélanie serait informée avec soulagement que Mai, non, Mai n'attendait pas un enfant, Mai qui était elle-même une enfant, quel apaisement de ce côté, quand de l'autre, elle serait chargée du verdict qui pèserait sur sa mère, Esther, sa mère, dans quelques mois ne marcherait plus, le tremblement de la main droite s'étendait, signalait jusqu'aux muscles du cœur le danger, et se sentant soudain classifiée pour une entrée vers le néant, Mère avait dit à Mélanie, ma chère fille, ne te laisse pas attrister par un médecin peut-être incompétent, je me sens très bien, et puis, il nous faut tous vivre avec la pensée que sur cette terre, tout ce qui vit est condamné, Mai avait écouté les paroles de sa grand-mère en les approuvant d'un mouvement de la tête, bien que sa grand-mère marchât avec une canne comme autrefois Jean-Mathieu et Caroline, et souvent aux côtés de Marie-Sylvie de la Toussaint, dont Mai se délivrait peu à peu, la gouvernante ayant désormais peu de temps pour elle, Mai, Mai que la servante haïtienne aimait si peu, ne tolérait pas, lui préférant toujours Vincent, même s'il n'était plus à la maison, mais au loin pour ses études de médecine, Marie-Sylvie continuait de prononcer le nom de Vincent avec un déférent amour, Vincent, son petit, quant à cette Mai, enfin elle n'avait plus à se soucier d'elle, qu'elle sorte tard, ne rentre plus, se dévergonde, Marie-Sylvie avait des occupations moins serviles que de veiller sur cette enfant, que cela fût vrai, pensait Mai, que sa grand-mère fût d'une santé plus précaire, elle n'en était pas moins vaillante, si brave que Mai ne pouvait percevoir ce que ressentait la vieille dame, plus gaie depuis quelque temps, si bien que Mai pensait, j'aime ma grand-mère, elle est près de moi, et le sera toujours, rien n'a changé, et je n'aurai pas de bébé comme maman l'a tellement craint, et maintenant son père attendait quelque confession, qu'elle avoue quand elle ne voulait rien dire, c'était une position incommode d'être avec lui dans cette voiture, ou de marcher avec lui dans le parc brumeux, quand disparaissaient peu à peu les dos roussâtres des faons vers leurs enclos, apeurés soudain par leurs pas, Mai, son père, ces envahisseurs dans l'harmonie des bêtes, pensait Mai, et songeant à cette visite chez le médecin, avec sa mère, sa grand-mère, à ce jour d'arbitrage, de jugement où tout était si impondérable, Mai revit les fillettes aux menottes, car c'étaient des fillettes qui avaient des menottes aux poignets, une tutrice semblable à une gardienne de prison les tirait vers elle et l'une contre l'autre elles se pelotonnaient, semblable à Marie-Sylvie de la Toussaint était la tutrice, avait pensé Mai, il y aurait après l'examen médical, jugement pour elles aussi, arbitrage, blotties l'une contre l'autre, leurs longs cheveux se mêlant, elles attendaient que finisse ce moment de disgrâce, vous croyez avoir devant vous des enfants innocentes, semblait dire la tutrice, mais attention, lorsque nous avons trouvé ces filles, elles avaient des armes, de la drogue et des armes, la tutrice observait sans rien dire, Mai au milieu de sa mère, de sa grand-mère, sans rien dire, hargneuse, acariâtre, telle Marie-Sylvie, avait pensé Mai, quelle serait leur infortune à toutes, Mai et les fillettes aux menottes, et Mai ne s'était calmée que lorsqu'elle avait senti la main de Mélanie sur la sienne, allons, chérie, ce ne sera rien, avait dit Mélanie, non, rien, ce ne serait rien, sans doute l'un des jours les plus accablants de son existence, pour Mélanie sa mère, quand elle apprendrait le sort réservé à sa mère, l'être qu'elle aimait sans doute le plus au monde, avait pensé Mai, mais ce n'était rien, ce ne serait rien, et où dormiraient ce soir les fillettes aux menottes, dans quel odieux réfectoire déjeuneraient-elles demain, toujours flanquées de leur tutrice, ainsi attachées les filles ne pouvaient partir, décamper, un court examen médical révélerait tout, et ce serait à jamais l'impasse, ne plus pouvoir partir, décamper, les fuir tous, jamais, et c'est à cet instant que Mai avait revu à travers l'enchaînement des fillettes la fiancée de juin, sur la plage, la grande fiancée aux dents noires et ses hommes attablés sur la grève, Mai se souvint de cette promenade sur la plage avec ses chiens quand les hommes avaient ri en la frôlant, une main malveillante avait touché sa hanche, hé, mignonnette, où vas-tu ainsi, criaient-ils dans un rire dément, et la grande fiancée de juin, parmi eux, celle dont la robe blanche, le bouquet de roses des fiançailles étaient souillés désormais, toute à son état de griserie, qu'avait-elle dit à Mai, oui, qu'un jour elle serait avec eux tous sur ces plages, ces grèves, elle aussi, Mai aurait ces galbes de saleté sur ses jambes, ses bras, elle ne serait plus là, enfant distincte attendant la voiture de son père écrivain et conférencier, courant avec ses chiens si distincte et distinguée, ah, cette Mai d'antan ne serait plus, dans son jeans blanc, sa camisole lavée par une domestique, car il avait fallu s'habiller pour le dîner avec sa grand-mère, ce jour-là, quand entendrait-elle klaxonner la voiture de son père, Mai les revit tous attablés sous les pins se versant à boire, tous crasseux, bien qu'elle fût attirée par eux, obscurément enchaînée à leurs groupes, leurs clans, va leur dire, avait crié la grande fiancée de juin, que je n'épouserai pas l'homme que mes parents ont choisi pour moi, cours leur annoncer la nouvelle, et souviens-toi qu'un jour, sans trop tarder, tu seras ici, ayant perdu comme moi l'émail de tes dents, tu t'affoleras de désir pour une drogue ou l'autre, on te violera sous ces pins nuit et jour, et Mai se souvint qu'en passant en voiture avec son père, qu'en longeant les mêmes plages, les mêmes grèves, les campements des groupes, des familles, des clans ne s'étaient-ils pas multipliés, tant de gens évincés de leurs maisons, de leurs foyers, campaient désormais partout, souvent dans leurs voitures avec leurs chiens et leurs chats, ou sous des tentes au bord des autoroutes, dans les parcs, la fiancée de juin n'avait-elle pas prédit dans ses mots de malédiction ces cantonnements massifs des uns et des autres, et qu'en ces temps fossoyeurs ceux qui comme Mai auraient un foyer seraient rares, et dans le parc brumeux, parfumé d'une odeur de pin et d'acacia, même s'il était injustifiable d'être une enfant aimée de son père, Mai se serra contre le sien, dans un mouvement d'imprévisible gratitude, bien qu'elle semblât pour Daniel toujours aussi renfrognée, mécontente de lui, sans doute parce qu'il voulait tout savoir de cette visite chez le médecin, avec sa mère, sa grand-mère, oui, tout savoir, pensait-il d'une enfant qui n'était déjà plus la sienne, que s'était-il passé pendant cette visite, osait-il demander encore, et Esther, oui, avec ta grand-mère pourquoi ce silence tacite entre vous, les femmes de ma maison, que se passe-t-il donc avec ta grand-mère, Mai, dis-moi la vérité, mais Daniel vit que le visage de Mai se fermait davantage, des gouttes de sueur perlant à son front, il pensa qu'il ne faudrait pas rentrer très tard avec toute cette brume sur la route. Montez tous dans ma loge, dit Yinn, l'espace ayant été réservé pour la salle de spectacle dont on avait déjà écarté les rideaux rouges,

Petites Cendres se demanda en suivant Robbie comment chacun s'habillerait, se déshabillerait, se maquillerait, se sécherait les cheveux dans une pièce aussi petite aménagée derrière les coulisses, l'atmosphère de la loge n'était-elle pas, bien que chaude, très allumée, nerveuse, d'une proximité contrariante en raison de tous ces corps se frôlant les uns les autres, Yinn ayant déjà oublié Petites Cendres pour ses filles, Cobra, Robbie, Santa Fe et quelques têtes inconnues surgissant des coulisses sous des plumes et des pendentifs, à qui Yinn s'adressait familièrement afin que l'un de ces garçons lui apporte des cigarettes du bar et son cocktail, une boisson rose noyée sous les glaçons, ce qu'avait fait Robbie en quelques pas, en descendant et gravissant l'escalier de bois, sous les affiches du spectacle, et Cobra avait dit, il faut briser la reine en Yinn, que veux-tu encore, Yinn, n'avais-tu pas dit que tu avais cessé de fumer, la moquerie était rieuse, tous s'aimaient, pensait Petites Cendres, dans une discordante tendresse, explosive, souvent contenant des mots, des gestes voyous, quand Petites Cendres pensait à son client, un homme qui serait un étranger, une brute, l'art de Yinn était de créer l'amour dénué d'appartenance, si bien qu'il semblait chérir Robbie autant que Cobra ou Santa Fe et un nouveau qui faisait son entrée par la coulisse de gauche, voici Robert le Martiniquais, dit Cobra, peut-il travailler ici, et tout en coiffant sa longue chevelure noire encore sur les épaules, Yinn dit au nouveau, approche d'abord, enlève-moi ce caleçon, je dois savoir comment tu es fait, le ton de la voix de Yinn à cet instant exprimait une vive compétence, aucune lascivité, pensait Petites Cendres, comment pouvait-il être aussi professionnel mais indifférent, car la beauté d'athlète de Robert n'était-elle pas à contempler, Yinn touchait de ses mains gracieuses, habiles, les fesses du garçon, c'est bien, dit-il, mais pour les danseurs de nuit du Vendredi Décadent, bouge tes fruits en avant, allez, remue un peu que je voie comment tu pourrais danser nu, c'est bien aussi, d'autres seront jaloux de toi, tu ne peux pas cacher toute cette abondance dans un short vert qui flotte autour de tes cuisses, tu seras le vainqueur du concours de masculinité au Vendredi Décadent, dès cette nuit, à quoi bon la pudeur, pour toi, laisse ça aux vieux, qu'en penses-tu, Cobra, n'est-ce pas qu'il est trop timide, à quoi bon la pudeur, quand on est comme toi, reste un peu avec nous, je vais t'apprendre comment on peut se dégager de cette mauvaise habitude, tu es comme ces chevaux qu'il faut caresser, ne te cabre pas, tu es très jeune, tu dois apprendre, Petites Cendres observait Yinn en pensant que cette prodigalité des séductions de Yinn, auprès d'inconnus comme Robert qu'il formerait à la performance érotique, pour les nuits du Vendredi Décadent où les jeunes gens découvraient à la danse de minuit la glorieuse vitalité de leurs sexes, rejetant tout ce qui aurait pu les camoufler pendant le jour, que dans cet enseignement spécialisé où, de ses doigts, de ses mains sur le corps de Robert, il savait aussi être tendre, Yinn débordait encore de cette quiète sensualité dont il était enduit avec Jason, qu'apaisé par un amour indéfectible il se sentait libre de répandre sur qui lui plaisait un peu de cette science d'aimer qu'on eût dite née avec lui, sa mère ayant peut-être remarqué, dès le plus jeune âge de Yinn, l'épanouissement de cette lente volupté dans le corps de son fils, dont elle n'eût pas voulu trop tôt déceler le mystère, l'étirement de cette fleur érotique en viendrait bien assez vite à son terme, l'existence de la mère de Yinn consistant d'abord à combattre la misère, la pauvreté qui pourrait atteindre ses enfants, pourquoi se serait-elle trop attardée à ce fils Yinn qui avait la singularité d'être aussi une fille, et une fille sur tous les plans, langoureuse, même lorsqu'il s'adonnait au gymnase de l'école aux exercices les plus virils, si Yinn était si féminin, elle lui apprendrait à coudre, ou plus tard, qui sait, il joindrait une compagnie de danse, car ils ne seraient pas toujours aussi pauvres, comme le lui répétait Yinn, et à penser à Yinn enfant, Petites Cendres songeait que, comme Yinn, il avait été un enfant des rues, presque réduit à la mendicité parfois, pourquoi n'avait-il fait que descendre plus bas quand Yinn s'était élevé à cette hauteur, pensait-il, cette hauteur était incompatible avec la petitesse du destin de Petites Cendres, pensait-il, et il aurait aimé que la main de Yinn coure sur sa peau, sur ses hanches comme sur celles de Robert, mais les fesses rebondies de Robert n'étaient-elles pas plus attirantes que les siennes presque aussi boutonneuses que son visage, oui, que la main, les doigts de Yinn soient là sur sa peau, aussi distraits qu'habiles, que n'aurait-il fait pour être à lui de plus près même s'il n'avait rien à offrir, à elle aussi, lorsque Yinn, cette dame en noir accoudée au comptoir du bar, était si courtisée le soir, la nuit, que Petites Cendres se demandait comment elle pourrait se lever soudain, et d'un pas discret marcher vers l'escalier du cabaret où elle retiendrait les pans de sa robe en montant chaque marche, une grâce suprême s'attachant à tous ses pas, même lorsqu'elle allait vers les toilettes des hommes ou celles des femmes, son poudrier à la main, Petites Cendres aurait aimé la suivre, la voir poser sur elle-même dans la glace un regard rieur, effronté, qu'elle soit indécente en même temps que fière, qu'elle tire la langue pour les hommes, aime s'amuser d'eux, renverse ses robes sur son string noir, du même air coquin, qu'elle veuille les décevoir avec une réalité crue, ou les combler dans leurs rêves, Petites Cendres admirait qu'elle sache les garder tous autour d'elle dans son énigmatique pureté, et Petites Cendres se souvint d'une scène de l'après-midi, quand Yinn bavardant au bar avec des amis, tous en débardeur blanc et pieds nus dans des sandales sans courroies, un orteil les retenant de tomber, assis sur leurs tabourets, les pieds flottant, Yinn, que Petites Cendres venait de voir si détendu, avait répudié un jeune garçon du bar en disant, pas d'héroïne ici, je sais que tu as commencé cette folie dans le bureau de psychiatre de ton père, en lui volant des médicaments, je ne t'accueillerai que lorsque tu seras guéri, ne devrais-tu pas être en désintoxication, n'as-tu pas honte de tant chagriner ton père, il ne sait plus quoi faire de toi, et un homme respecté, ton père, et depuis l'âge de onze ans, que fais-tu, tu déshonores ta famille, l'héroïne, et regarde ce que tu deviens, tout effaré, les gestes sans contrôle, et il est vrai que le garçon toxicomane avait peu de contrôle sur ses mouvements, que ses bras, ses mains s'agitaient en tous sens, sa tête frisée, celle d'un bel adolescent, se posait tristement sur l'épaule de Yinn, Yinn qui semblait soudain capable d'une dure autorité auprès de ce garçon, allons, dit-il plus doucement, rentre chez toi et sois sage, le garçon était à peine dehors que deux policiers survenaient pour le coller contre un mur, de leurs gants blancs ils se mirent à le fouiller, Yinn apparut dans la rue, il n'a rien sur lui, je vous assure, dit-il avec la même autorité, il faudrait le ramener chez ses parents, mais sans violence, ajouta-t-il, ce garçon est très fragile, les policiers semblaient eux aussi écouter Yinn, évitant de traiter le garçon avec force, ils le ramenèrent chez lui dans leur voiture hurlante, nous, nous connaissons son père, dit l'un d'eux, cela arrive dans les meilleures familles, quelle désolation, quand même, dans la lumière du jour, Yinn se tenait droit, une inquiétude barrant son front bombé, Petites Cendres voyait la couleur de ses yeux qui n'était pas bleue, comme sous les cils de la nuit, c'était la longueur des cils qui donnait l'illusion de cette couleur bleutée des yeux, la nuit, ses yeux, dans cette lumière, étaient brun doré, le visage aux pommettes saillantes était pâle, dans cette lumière, aussi, Yinn paraissait plus oriental, devant le garçon débilité par l'héroïne, pensait-il à ce Yinn d'autrefois, qui, disait-il parfois, avait tout vécu, tout expérimenté, tel ce garçon qu'il tentait maintenant de protéger, un de plus, avait pensé Petites Cendres, avait-il été victime des mêmes abus jadis, ou avait-il lui-même abusé de son corps comme l'avait fait depuis l'âge de onze ans l'adolescent effondré, déjà détruit, pendant cette scène qui avait été brève, Yinn ayant rejoint ses amis sur leurs tabourets dès le départ du garçon et, recouvrant son humeur joyeuse, avait levé son verre avec eux, ses pieds graciles flottant de nouveau sous le banc, dans ses sandales relâchées, Petites Cendres avait observé la marque de légères cicatrices sur le front de Yinn, ombres peu perceptibles, mais l'obsession de Petites Cendres pour sa peau, Petites Cendres, avec cette morbide progression du mal, imaginait sa peau abîmée, vérolée, qui lui faisait toujours envier la peau des autres, en voir aussi les ombres et les taches, mais ces cicatrices n'étaient-elles pas les vestiges sur la peau claire de Yinn de ses batailles d'enfant, car bien qu'il fût délicat, sa mère ne déplorait-elle pas qu'il eût tant aimé se battre, qu'il y eût en lui une force méconnaissable lorsqu'il se battait, il ne semblait pas avoir beaucoup changé et n'était-il pas toujours prêt, avec armure, son corps de danseur, à parer les coups, à sa façon à lui, qui était gracieuse et orientale, Robert le Martiniquais avait quitté la loge de Yinn, non sans que Yinn darde sur lui un clin d'œil complaisant que remarqua Petites Cendres, une seule de ces œillades n'eût-elle pas calmé les battements de cœur de Petites Cendres, adouci sa solitude, mais Yinn à quelques minutes de sa représentation sur scène avait d'autres préoccupations, il demandait à Cobra comment étaient ses cheveux, enfilait des bracelets aux poignets de Cobra, aspirait à la paille sa boisson rose, allez, les filles, nous serons en retard, disait-il à Robbie, vous savez que le linoléum sur ce plancher est dégoûtant, tout lézardé, Geisha, dépose tes chaussures de sport sous la chaise, je t'en prie, pas sur ma table, dites-vous que ce sont nos pieds qui ont fait cela, chaque nuit, notre sueur, un linoléum lézardé, vos talons hauts qui percent tout, et quelle chanson marmonnes-tu, Robbie, *I will be your inspiration Daddy, oh, Daddy,* dit Robbie, *but you have to get the best for me, yes, oh, Daddy,* un ton plus haut, commandait Yinn, n'oublie pas que c'est une femme qui chante, et une couronne sur les cheveux, ce serait bien aussi, disait Yinn à Cobra, quand vais-je briser la reine en toi, dit Cobra, oui, quand si en plus il te faut une couronne, ta somptueuse chevelure noire, c'est bien assez, *Oh, Daddy,* chantonnait Robbie, *Oh, Daddy,* alors oublions la couronne pour cette fois, disait Yinn, et cessant de chanter, sa feuille de musique à la main, Robbie revint à ses rêves de la nuit, c'était par une pluie diluvienne, dit Robbie, toujours dans cette maison étrange, où je dansais pour un auditoire confus, je ne savais pas qui étaient ces gens et ne savais plus danser non plus, ni chanter, j'étais obsédé par une seule pensée, j'avais oublié le manteau en peau de daim de Fatalité, je le revoyais sur son cintre, objet isolé dans la maison si étrange, je me disais, sous toute cette pluie, Fatalité n'aura pas de manteau, c'était un manteau de daim doublé d'une fine fourrure, si chaude, allons, dit Yinn, assez de ces histoires de manteau, Robbie, nous travaillons ce soir, la vie cesse-t-elle parce que la mort nous accompagne partout comme une sœur, assez de tes rêves, de ces histoires de manteau oublié, de toute façon Fatalité n'aurait jamais porté un tel manteau, doublé de fourrure, non, jamais, elle adorait les bêtes, oh, j'aime le bruit clinquant que font ces bracelets, Cobra, tu as vraiment beaucoup de sex-appeal, on ne verra que toi ce soir, reine ou pas je te présenterai comme un modèle de sex-appeal, en disant, la voici, jeune, mince et jolie, Cobra, notre Cobra, ne peux-tu pas mettre tes chaussures de sport ailleurs, ici je me maquille, je dois admettre que c'est sacré quand tu te maquilles, toi, Yinn, disait Cobra qui, dans l'espace étroit, ne savait où entreposer ses tennis délavées, ses chaussettes de laine, c'est mon attelage du jour, dit Cobra, je vais courir dès l'aube, me nettoyer de tous ces visages de la nuit, ce lieu empeste la sueur, Yinn, et c'est une misère, tu as raison, ce linoléum lézardé, *Oh, Daddy,* chantonnait Robbie, je ferai, oui, tout pour toi, *Daddy, oh, Daddy,* et Yinn surprit Petites Cendres car d'un geste subit il avait pris Robbie par la taille, avait abaissé jusqu'au bas de ses reins l'élastique ceinture qui affinait le ventre, la taille de Robbie, regarde, dit Yinn à Petites Cendres, les mots sont inscrits là sur le tatouage saillant du scorpion, ROBBIE EST LA PROPRIÉTÉ DE DADDY, et je ne peux plus effacer le tatouage, dit Robbie, je te le dis, Petites Cendres, il ne faut pas aimer, cet amour-là, Daddy m'a mis en charpie, il a fait de moi sa chose, et j'ai quitté la maison de Yinn, Cobra et les filles pour aller vivre avec lui, en charpie, corps et âme, c'est ce qui est arrivé, dit Robbie, mélancolique, soudain, sa chevelure punk sur la tempe, non, il ne faut jamais aimer, Petites Cendres, c'est l'horreur et le gouffre, toute passion est un martyre volontaire, ce que je te prédis, dit Yinn, c'est que tu recommenceras encore, Robbie, car tu es une nature impulsive, compulsive, aussi, oh non, dit Robbie, je ne repartirai plus avec aucun homme qui fera de moi sa chose, sa possession, non, jamais, répéta Robbie, et pourtant je crois que cela t'arrivera encore, dit Yinn, tout en posant le feutre du crayon noir sur l'arcade hautaine de ses sourcils de nuit, pendant que Robbie tirait sur sa ceinture, car tu es incorrigible, Robbie, dit Yinn, et Petites Cendres pensait qu'il aurait tant aimé que ces mots mémorables soient à jamais poinçonnés à travers le tatouage d'un scorpion, au bas de ses reins, Petites Cendres appartient à Yinn, Petites Cendres, comme Robbie jadis, est la propriété de, son rêve aussi fou que vain se volatilisait dans cet air saturé de délices, des parfums de tous ces corps, autour de lui, pensait Petites Cendres, de leurs sens à la fois excités et repus, comme les sens de Yinn, ou ceux de Robbie, certaines nuits, des émanations de ces corps sains, quand Petites Cendres pensait à son corps qui ne l'était pas, dont s'exhalait peut-être une odeur morne, terne, et qui sait, souffreteuse, mais saine et gratifiante était la passion qui l'avait conduit près de Yinn, dans sa loge, dans l'intimité de la garde-robe des filles, parmi leurs affublements, leurs frusques, c'était parmi toutes ces fringues soignées, ce débraillé des corps qu'il sentait son âme renaître, oh, il n'y aurait ni charpie ni dégâts, comme pour ce compulsif Robbie, car Petites Cendres n'aurait aucun temps à perdre, et maintenant Yinn s'était levée, et comme une reine couverte de diamants, elle disait à tous, allons sur scène, oui, le moment est venu, et Petites Cendres, dans les coulisses, verrait chacune d'elles, Robbie, Cobra, Geisha et toutes les autres, se joindre au cortège. Et Mai dit à son père qu'à cause de lui, parce qu'il lui avait interdit l'usage de son portable, pendant qu'ils seraient ensemble, ce ne serait qu'une promenade de quelques heures après tout, bien qu'il n'eût pas prévu la brume sur l'autoroute longeant la mer, oui, mais le portable était interdit lorsque Daniel sortait avec ses enfants, c'était l'une de ses règles, disait-il, et les lumières rouges des messages du téléphone s'étaient toutes éteintes, sous le commandement de son père, et ainsi pensait Mai, un père saccageait les élans de liberté de sa fille en lui coupant l'usage de son portable, interrompant ainsi le contact qui la liait à son monde, le monde de Mai qui n'était pas celui de ses parents, grands-parents, le prétexte de Daniel, c'était qu'il voyait si peu sa fille, si peu ses enfants, et que ce téléphone portable, dont le père de Mai était aussi dépendant que ses enfants, ne serait pas entre eux pendant leurs rares moments de dialogue, mais, se demandait-il, y avait-il seulement dialogue, ou ne faisait-il que parler seul, non, cet objet despotique ne serait pas toujours entre eux, telle une boîte à musique que chacun portait à son oreille, en répondant d'un air narcissique, oui, c'est moi, j'écoute, et s'écoulaient dans l'oreille quantité de messages, et de bavardages sans transcendance, pensait Daniel, bien qu'il ne sût pas encore qui téléphonait si souvent à Mai, ni quelles voix lui transmettaient les ondes, Daniel savait seulement que cet objet de sujétion, toujours annexé à la personne de Mai, à la poche de son jeans comme à la boucle de sa ceinture, connaissait de sa fille tous les mystères quand lui savait toujours si peu d'elle, et que dans certaines circonstances, comme lorsque Daniel se retrouvait seul avec sa fille, le détestable objet devait se

71

taire, qu'on ne puisse plus entendre le roulement précipité de ses sonneries, de ses urgences expéditives, car on aurait dit, lorsque Mai posait le téléphone sur le lobe de son oreille, que quelque alarme surviendrait, penchant la tête afin de préserver toute l'alerte du message reçu, elle s'éloignait brusquement de ses parents, afin qu'aucun son de l'appel ne soit divulgué, fuyant surtout la sagacité de l'écrivain chez son père, son air de tout voir et percevoir mieux que quiconque, puisque c'était son métier, disait-il, ne pouvait-il pas lire dans ses pensées, plus qu'un autre, seule auprès de son confident, le portable, toujours près d'elle, le jour comme la nuit, tout près de sa joue, sur son oreiller parmi ses chats, à lui seul Mai se sentait soumise, depuis qu'elle ne se soumettait plus à aucun de ses parents, mais aujourd'hui Daniel avait fait taire l'objet gênant, lequel, tout frêle et noir, avec son écran mat, se tenait bien docile suspendu à la ceinture du jeans de Mai, et parfois, ne pouvant y résister, Mai le frôlait de ses doigts comme pour en réveiller les sons assoupis, et sur le pont du bateau, à quelque distance de son père, Lou téléphonait à Rosie debout à quelques pas d'elle, tout en surveillant son père qui polissait les flancs du bateau d'acajou, elle le savait perdu dans ses pensées, pour cette femme qu'il aimait, car il avait le sourire singulier des hommes assurés de leurs conquêtes, elle et lui avaient déjà eu plusieurs conversations téléphoniques depuis le matin, comme s'il n'avait pu se priver de sa maîtresse, même auprès de sa fille, pensait Lou, c'était si offensant que Lou avait saisi son portable, imitant son père, le défiant, appela Rosie qui était tout près d'elle, bonjour Rosie, disait Lou, tu sais qu'une fille de l'école m'a prêté son serpent, elle l'a enroulé autour de mes épaules, un long serpent dont la peau était froide, dit Lou, non, mais c'est défendu, les serpents, à l'école, dit Rosie, toujours abasourdie par les propos de Lou, le serpent était au fond d'un sac à dos, personne ne l'a vu, c'est ainsi que cette fille le transporte partout, dit Lou, toi tu n'aurais jamais le courage de te promener avec un serpent autour du cou, je le sais, dit Lou, toi tu as peur de tout, et tu te couches à huit heures en même temps que ton petit frère, moi quand je vais chez ma mère, je peux me coucher à minuit si je veux, et qu'est-ce qu'on éprouve, demandait Rosie, effrayée, quand on a un serpent enroulé autour de son cou, moi je n'aimerais pas, dit Rosie, on éprouve que sa morsure pourrait être fatale, dit Lou, et on essaie de ne pas trop le déranger, si on est courageux, on n'éprouve aucune peur, parce que la peur, c'est pour les petits enfants, comme toi, Rosie, qui se couchent à huit heures en même temps que leur petit frère, et un serpent, c'est très beau, et très dangereux, dit Lou, j'ai senti sa peau écailleuse et froide autour de mon cou, mais les serpents, c'est défendu à l'école, répétait Rosie, ma maman me punirait si j'avais un serpent, dit Rosie, voilà pourquoi je n'en ai pas, maman me dirait que c'est défendu à l'école, mais pour les requins il est permis d'aller les voir, dit Rosie, les requins et les dauphins, pendant les visites à l'aquarium, le dimanche, mais on ne peut nager avec eux, car ils sont de l'autre côté de la paroi de verre, dit Rosie, nous, dans le groupe des surdouées, dit Lou, on peut faire tout ce qu'on veut, et pendant les cours de plongée, on peut voir les requins qui se rapprochent du rivage, dans l'eau calme, dit Lou, qui continuait d'épier son père, ce père absent, cruel, tout cela, c'était à cause de son art, de l'immense succès de sa rétrospective de sculptures à New York, de ses vastes spirales sous le ciel, n'avait-il pas dit, sous ces spirales aux souples mouvements, on viendra s'asseoir pour réfléchir, méditer, c'était à cause de ses œuvres *Corridor ouvert 1* et *2*, dépliant leurs ailes d'acier dans la verdure, qu'il avait attiré près de lui, de ses gigantesques sculptures ondulant dans le vent, la nuit, le jour, ces sculptures sans volume ni pesanteur, avait-il dit, qu'il les avait toutes attirées à lui, femmes artistes, critiques d'art, ses partenaires dans l'aventure, disait-il, n'était-il pas exaspérant, prétentieux, car il ne pouvait vivre sans une femme séduite par ses idées à ses côtés, pensait Lou, et voici qu'elle était là, jeune sculpteur, critique d'art dans un journal artistique, Noémie comme il l'appelait, Noémie, sous son agressive, phallique *Murale suspendue*, une charmante jeune femme au front volontaire, avait-il dit, au pied de la *Murale* dont Lou n'aimait pas la forme, n'était-ce pas trop lourd, trop puissant, quand son père se leurrait toujours de pensées bouddhistes, disait-il, quand il avait parlé de Noémie en ces termes de rencontre mystique, oui, disait-il, car bien qu'elle fût aussi sportive que Lou, Noémie était aussi une nature méditative, c'est bien ce qu'elle faisait là, sous la *Murale suspendue* d'Ari, elle méditait, pieds nus dans la verdure du parc, on aurait dit qu'elle était à peine plus grande que Lou, trop grande pour son âge, mais elle ressemblait de plus en plus à sa mère, disait-il, si Lou était trop grande, Noémie, elle, était de taille parfaite, et le père avait dit à sa fille meurtrie de n'être plus la seule amie de son père, tu verras, tu l'aimeras beaucoup, vous vous entendrez merveilleusement, et si tu étudies bien, tu viendras nous rendre visite à New York, dans l'appartement de Noémie, et nous t'emmènerons dans les musées, et, il avait ses conditions, marchandant Lou, la déposant chez sa mère et chez la mère de Rosie lorsqu'il devait partir vers Noémie, sous le coup de la passion la plus charnelle qui fût, mystique, lui, son père, il n'était qu'un amoureux commun, obéissant à son instinct, à ses envies primaires, il n'était plus l'homme prévoyant, attentif que Lou avait aimé, il l'avait trahie, la trahirait encore, comme il trahirait aussi Ingrid, la mère de Lou, et si elle était sur ce bateau, c'est qu'elle ne pouvait faire autrement, elle doutait maintenant que ce soit vrai, qu'ils naviguent bientôt ensemble jusqu'à Panama, elle serait assise sur ses genoux, apprendrait à naviguer, si loin jusqu'à Panama, Lou pensait que c'était encore assurément l'un des mensonges consolateurs de son père, l'une de ses feintes promesses, car sa vraie compagne désormais, désormais, se répétait-elle, pesant toute la douleur de ce mot, ne serait-elle pas elle, Noémie. Et si cette brume qui s'avançait tel un nuage noir sur le capot de la voiture, pensait Daniel, si ce n'était pas une brume de chaleur ni un brouillard de mer, si c'était quelque autre nocive substance contre laquelle Daniel demain n'aurait pas su comment protéger sa fille, cette fille, Mai, qui pour l'instant ne semblait pas avoir besoin de lui, l'affrontait de son silence rebelle, oui, si cette brume avait été cette bruine de carbone jetant son ombre âcre sur la ville polluée de Los Angeles, de Los Angeles jusqu'aux quartiers de taudis de Mumbai, causant la fonte des glaciers de l'Himalaya, de l'Arctique, si cette fumée industrielle avait déjà commencé à couvrir la mer, les océans, ces lieux enchanteurs où vivaient Mai et les siens, sur leur île, de son drap funèbre, causant déjà des millions de morts prématurées chaque année, par un étouffement des voies respiratoires, si déjà il était trop tard, que dire à Mai, sinon que cette dissipation d'une brume carbonique pourrait l'emporter demain, tels l'ours polaire, les poissons des océans, dans cette fonte et cette brûlure dont nul ne mesurait aujourd'hui les dimensions catastrophiques, c'est cette irrécupérable tragédie que sa fille si jeune ne pouvait concevoir, pensait Daniel, pas plus que ne le concevaient les troupeaux de daims, de renards dont, avec ses amis écologistes, Daniel avait sauvé l'enclave, car cette même brume de carbone ne les menacerait-elle pas, eux aussi, noircissant de ses invisibles particules l'eau de leurs étangs, de leurs rivières, les feuilles, les fruits des arbres dont ils se nourriraient, mais évitant de parler à sa fille de ce qui le troublait tant, et qui semblait rendre son travail si souvent inefficace, il dit, quand le brouillard se lève sur la mer, on ne peut savoir quand cela finira, mais ne t'inquiète pas, nous serons tôt à la maison, il voulait exprimer ainsi à Mai qu'elle ne serait pas en retard à ses rendez-vous du soir, qu'elle pourrait bientôt se servir de son portable, lequel causait une véritable démangeaison dans la main de Mai, sous ses doigts impatients, pensait son père, il ne lui avait pas encore parlé du vrai motif de cette promenade, de la décision de ses parents de sortir Mai de l'école publique où elle subissait de si mauvaises influences, de Mai qui serait bientôt dans une institution privée, il ne lui en parlerait pas tout de suite, mais ne pressentait-elle pas qu'une grave décision avait été prise par ses parents, à son insu, cette enfant n'était-elle pas aussi intuitive que son père, quels mots emploierait-il, elle était déjà si indocile, oui, mais cette école privée était située plus près de la maison, ah, quels mots, oui, emploierait-il qui puissent justifier une telle décision, elle lui dirait que la distance importait peu, qu'elle apprendrait bientôt à conduire, qu'ils avaient bien tort de voir en elle une enfant, toujours cette même enfant rétive, ils avaient bien tort, car qui sait où elle serait ce soir, demain, telle la grande fiancée de juin, elle camperait sur les plages, aurait pour compagnons ces hommes crasseux qu'elle avait vus sous les pins, ses pieds seraient écorchés par les débris de verre, elle n'aurait plus un toit, un foyer permanents, elle serait comme ces milliers de nouveaux itinérants, femmes, hommes, sans emploi, ceux que l'on appelait les nouveaux itinérants, dans leurs nouvelles cités de tentes, le long des rails, sous les ponts, elle aurait froid sous sa tente de nylon, à Fresno en Californie, elle serait hagarde telle la grande fiancée de juin, le regard fixe sur de gros nuages blancs, il vaut mieux une maison de nylon sur une plage que rien du tout, lui avait dit la grande fiancée de juin, ou l'un ou l'autre de ses compagnons, les détritus valent mieux que rien du tout, les chemins de fer le long du Pacifique, les ponts, chacun sa course aux abris, par familles entières, le nouvel exode des riches devenus pauvres en une seule journée, une seule nuit, laissant derrière eux la belle maison, les balançoires sur le terrain de jeu, et derrière les fenêtres deux, trois jeunes chiens qui aboient et qui ne mangeront pas ce soir, ni demain, qui seront abattus à la fourrière, laissant derrière eux leurs crimes, leurs rejets, leurs abandons, harcelés, en fuite, tels des criminels, ce qu'ils sont devenus aussi en une nuit, chargés des crimes de leurs abandons, harcelés et coupables, et s'alitant pour quelques heures, dans son pavillon, posant sa canne sur une chaise près du lit, Mère contemplait la représentation de la gravure d'Albrecht Dürer, cette gravure qu'elle avait longtemps gardée près d'elle au-dessus de sa table de chevet, serait-elle longtemps encore ce chevalier endurant, infatigable de la gravure, luttant pour sa vie, n'attendait-on pas autour d'elle qu'elle défaille, tombe de son cheval, tant de prévenances qui l'irritaient, elle avait noté, *Sonate pour violoncelle et piano, opus 40*, de Chostakovitch, qui lui rappelait l'âme tumultueuse d'Augustino, d'une écriture assez lisible, elle avait écrit, noté, comme tous les jours la musique qu'elle écoutait dans cet isolement de la chambre du pavillon, les prévenances, oui, de sa fille Mélanie, de la gouvernante de Mai, Marie-Sylvie de la Toussaint, l'avaient ennuyée, voici que l'on ne s'occupait plus que d'elle dans cette maison quand Mère pouvait se lever, marcher, même si elle s'épuisait vite à faire tous ces efforts, elle avait demandé à Mélanie que les persiennes soient entrouvertes afin que puisse pénétrer la lumière encore éclatante de l'après-midi, et puis un peu plus tard, se souvenait-elle, avant de s'endormir elle avait écouté les sonates pour piano et violon de Schubert, il y avait toujours eu depuis quelque temps ces siestes l'après-midi, cette musique, et souvent aussi la musique stridente des oiseaux, dans le jardin, et elle écrivant, notant tout, afin que sa main droite ne faiblisse plus autant, au pire, elle se servirait de sa main gauche, pensait-elle, la nuit le chant des crapauds, et c'est ainsi qu'en fermant les yeux elle avait vu Caroline qui semblait venir lui rendre visite dans ce lieu retiré du pavillon, il y avait une haute armoire contre laquelle Caroline, en robe de chambre d'été, s'était cognée, et Mère avait dit, attendez, je sais ce que vous cherchez, je vais vous aider, non, ne vous levez pas, avait dit Caroline, à quoi bon, car ce que je cherche, je ne puis le trouver, je ne vois rien, je me frappe partout, contre les meubles, car je ne puis plus voir, dormez, ma chère Esther, j'attendrai que la vue me revienne pour vous voir, demain, peut-être, et Caroline avait erré encore dans la chambre, se plaignant que l'armoire soit si haute et qu'elle ne puisse rien atteindre, mais, expliquait-elle à Mère, c'est qu'elle ne voyait rien, ne voyait plus, et si on la touchait, la frôlait d'un bras, d'une main, elle ne ressentait rien, et c'était

78

si dommage, disait-elle à Mère, cette interruption de tout contact, et Mère avait été excédée de ce que la silhouette aveugle de Caroline continue de se heurter partout dans la chambre, et qu'elle ait pour Mère, la grande amie de Caroline, ce regard atteint de cécité, que ces bras désincarnés de Caroline ne puissent plus l'étreindre, quand elle aurait tant aimé se confier à elle, oui, que cesse tout contact physique, n'était-ce pas la pire des privations, disait Caroline, du ton de l'absence, et Mère pensait, je vais me lever, dès qu'elle sentira le poids de ma main sur son épaule, il y aura ce mouvement venu du dehors qui froissera la robe de chambre d'été de Caroline, et la réveillera, mais Mère constatait qu'elle était alitée, que ses pieds, ses jambes avaient la lourdeur des pierres et qu'elle ne pouvait pas se lever pour accueillir Caroline, il y avait ce passage sonore, dans son esprit des sonates de Schubert, qu'aurait-elle fait si elle avait été incapable d'entendre cette musique qui la reliait à la vie, je reviendrai plus tard, disait Caroline, dans la robe de chambre vaporeuse, déjà Caroline s'en allait ailleurs, sans bruit, sans pas, et son départ réveillait Mère qui regrettait que Marie-Sylvie ne soit pas près d'elle pour lui verser un verre de la carafe d'eau glacée, mais ne lui avait-elle pas dit de la laisser seule de façon même impérieuse, peu polie, toujours ces pauvres servantes subissaient les humeurs de leurs maîtres, mais Marie-Sylvie de la Toussaint n'était ni pauvre ni au service de Mère, ne faisait-elle pas partie de la maison, comme Julio ou tout autre réfugié abrité ici depuis si longtemps, dans ce royaume de Mère qui s'effritait peu à peu, ce royaume du cœur qui quitterait bientôt ce monde, pensait-elle, mais pas ce soir ni demain, oh non, Mère était l'infatigable endurant chevalier de la gravure de Dürer, et pendant ce temps Franz était à ses répétitions, il dirigeait toujours son orchestre, n'était-ce pas l'heure où autrefois Samuel sautait de la haute véranda dans la piscine, et repassaient dans l'esprit de Mère les sonates de Schubert écoutées dès le matin, dont elle avait pris note, et l'évocation de Samuel, de son bain dans la piscine, et de Franz à son orchestre, homme déclinant mais solide, Mère n'aurait voulu rien perdre de ces scènes, pourtant il lui semblait que sa mémoire cédait à la paresse, ainsi cette œuvre symphonique de Franz qu'il avait écrite lorsqu'il était beaucoup plus jeune, inspirée par les psaumes, comment était-ce, une inspiration religieuse chez un homme aussi jouisseur, mais c'était bien Franz aussi, dans toutes ses contradictions, c'étaient précisément ces jouissances de la vie qui le retenaient si longtemps sur terre, pensait Mère, ce vieux mécréant viendrait-il la voir aujourd'hui, en courant vers sa porte, car il était comme autrefois toujours pressé, ses partitions sous le bras, secouerait-il de sa tête aux cheveux batailleurs la voûte des lys d'Afrique, leurs pesantes corolles, dans les sentiers du jardin, criant, c'est moi, Franz, je ne viens que pour quelques instants, ma chère Esther, le temps de vous embrasser, lui parlerait-il de ses femmes, de sa nombreuse progéniture, ou du dernier opéra qui n'était toujours pas terminé, plusieurs études biographiques venaient de paraître sur l'œuvre de Franz, la direction de son orchestre, dans l'une d'elles, illustrant sa carrière de photographies d'un temps plus ancien, on voyait Franz allongé sur un transatlantique auprès d'une femme, l'une de ses premières femmes dont il allait divorcer quelques mois plus tard, mais que dans l'encadrement ensoleillé de cette photographie, c'était pendant une tournée européenne de Franz, peu de temps avant qu'il ne rencontre Renata dans une université à

Chicago, pensait Mère, que dans cette brillance du succès et de la richesse momentanée qui l'accompagne parfois, qu'il semblait heureux, d'une beauté sombre, mais attrayante, et bien que ce ne fût qu'un mirage, la femme près de lui ne partageait-elle pas son rayonnant confort, ne semblaient-ils pas très unis, tous les deux, dans ce paysage méditerranéen, leurs corps bronzés à peine vêtus, ne pouvait-on pas sentir, même sur une photo en noir et blanc, les liens de plaisir qui rivaient ces deux corps l'un à l'autre, dans sa sauvagerie, Franz aurait déchiré cette image de lui-même en disant, c'est le passé, on veut toujours faire de nous des hommes du passé, et moi, ma chère Esther, je ne vis que dans le présent, je ne puis revoir cette photographie sans souffrir, sans penser au mal que j'ai fait à cette femme, et pourtant, voyez combien notre bonheur était alors fusionnel, d'une perfection qui ne pouvait être que celle du présent, avant que l'instinct ne me vienne de tout détruire, c'est ainsi que l'homme est fait, il lui faut toujours davantage, prendre plus que ce que la vie lui offre, vous qui êtes une femme, et une femme de devoir, Esther, vous ne pouvez pas comprendre cet élan destructeur qui nous mène, ou bien Franz regarderait-il cette photographie avec une inexprimable nostalgie, sans un mot, comme s'il avait pensé, devant l'abandon de ces deux corps sur leur transatlantique, environnés d'une mer couleur d'azur, oh, adieu, adieu jeunesse, car il se souviendrait de la couleur de l'eau, ce jour-là, des parfums de ce jour, de la fatigue bienfaisante de ses sens auprès de cette femme, et un long frémissement aurait parcouru son corps, à ce souvenir, Franz viendrait-il la voir aujourd'hui, pensait Mère, et accoudé au bar du cabaret, dans le doux éclairage de la scène où chantait maintenant Robbie, surgissant telle une fée des rideaux pourpres, ainsi l'avait présenté Yinn, voici Robbie notre splendide fée voyou, notre adorable Robbie, soyez généreux pour elle lorsqu'elle traversera les rangs de la salle avec son seau d'argent, Robbie, n'oublie pas le seau, avait murmuré Yinn à l'oreille de Robbie avant son apparition sur scène, le tirant par la manche, car Robbie, dans son désir de chanter, avait encore oublié le seau, comme si nous allions vivre de l'air seulement, Robbie, c'est alors que Petites Cendres avait cru entendre la voix de la révérende Ézéchielle se mêlant aux éclats de la foudre, dehors, lui demandant, qu'as-tu fait de ton ami Timo, mon fils, pourquoi la révérende venait-elle ainsi l'embarrasser de Timo, ne pouvait-il pas s'amuser un peu, Timo, je n'en sais rien, pensait Petites Cendres, oh, ma révérende, je n'en sais rien, en ce bas monde, chacun sa vie, je n'y peux rien, qu'as-tu fait de ton ami Timo, demandait encore la révérende à travers la foudre grondante au-dessus du toit du cabaret, ce qui embêtait Robbie dans sa mélodie si sentimentale, ah, toute cette foudre quand je chante, même si on en avait l'habitude, sous tant de bruit, sa voix ne vacille-rait-elle pas, je n'en sais rien de ce Timo, la délation est le plus laid des péchés, révérende, jamais je ne l'aurais dénoncé, oh, révérende Ézéchielle, jamais je n'aurais fait cela, mais la vision de Timo peut-être tué par des policiers était toujours là, sous les yeux de Petites Cendres, d'abord on vous aplatis-sait contre le sol, ils étaient trois à le faire, bien souvent, on vous rentrait la tête dans le sable ou la boue, c'était dans un marécage ou sur l'asphalte des routes où le ciment vous brû-lait le visage, ou contre la portière d'acier d'une voiture, la Sonata volée peut-être, ils vous labouraient l'échine avec leurs pistolets avant que les menottes ne vous capturent les poignets, je n'ai rien fait, se répétait Petites Cendres, pourquoi aurais-je dénoncé mon frère, ils avaient empoigné ses beaux cheveux, dans sa chute Timo s'était frappé la tête contre la portière d'acier, une portière tel un couperet, en un instant ses cheveux tout ensanglantés, lui si propre, Timo, mon ami, pensait Petites Cendres, mais rien de tout cela n'était vrai, Timo était toujours au volant de la Sonata, il avait su leur échapper encore une fois, par les sentiers marécageux des brousses, ou dévalant à pied les marais où croupissaient les alligators aux yeux glauques, nul ne pouvait assiéger Timo, pour quelques grammes de cocaïne, il serait toujours le plus fort, et la voix mélodieuse de Robbie qui chantait sur scène, dans son décolleté de velours noir, ses longs gants montés jusqu'à l'épaule, chaussé de ses bottes en peau de léopard, bien que tout ce que voyait Petites Cendres fût une illusion, l'étoffe malmenée des bottes, le chapeau, les gants si longs, enveloppants, eux aussi d'illusoires articles, pensait Petites Cendres, posés, interchangeables, sur le corps affriolant de Robbie, qui dans quelques heures serait quelqu'un d'autre, danserait et chanterait autrement, comme s'il pouvait changer de corps comme de costume, avec une aise extrême, presque coulante, serpentine, sans qu'on le remarque tant chez lui tout était naturel, cette voix qui chantait *I am your dream* n'amenait-elle pas Petites Cendres loin du tourment de Timo, qu'il fût mort ou vivant, pourquoi persécutait-il Petites Cendres avec ce drame continu, pourquoi, je suis ton rêve, Petites Cendres, chantait Robbie, mais Robbie se souvint du seau qu'il devait passer parmi les spectateurs, tout en chantant, dansant, que la réalité était un pénible contraste avec ces mots si prometteurs, pour chacun de vous, mesdames, messieurs, je suis votre rêve, un rêve, *I am your dream*, sous la fleur d'hibiscus rouge que Yinn avait épinglée à son corsage, l'argent pleuvait-il à flots lorsque Robbie se penchait d'un air alléchant vers ce chœur anonyme venu le voir danser et chanter, femmes et hommes, le touchant soudain, le léchant du regard, *a sinner or a saint, I am your dream*, avait chanté la voix suave, enchanteresse, et maintenant d'une main très masculine, Robbie s'emparait du seau d'argent, se rapprochant des clients au bar, quémandant et frondeur, vous avez aimé notre représentation, n'est-ce pas, pour adultes seulement, merci mesdames, merci messieurs, voulez-vous voir ce que je porte en dessous, je peux soulever ma robe comme le fait Yinn, Robbie avouerait plus tard à Petites Cendres que pendant qu'il dansait, chantait ce soir-là, il n'avait pensé qu'à Fatalité, s'éteignant seul dans sa chambre, petite bougie sous un vent froid dont la lueur ne tremblerait plus, aucun souffle dans le corps émacié étendu sous la robe des représentations de la nuit, telle une reine abandonnée sur un rivage, oh, Fatalité, avait-il pensé, Fatalité, il avait revu ces instants dans la loge de Yinn, l'entrée de Robert le Martiniquais, rongé d'une ombrageuse jalousie, Robbie n'avait pas aimé que Yinn s'entretienne si familièrement avec le garçon nouveau qui ne tarderait pas à danser nu au Vendredi Décadent, en vitrine dès minuit peut-être, avait dit Robbie à Petites Cendres, les passants le verraient de la rue, debout sur une table, qui, tout en descendant son caleçon sur ses cuisses, ferait languir les voyeurs avant de leur montrer ses grappes, ainsi parlait Robbie à Petites Cendres, ce sentiment de jalousie autour de Yinn, oui, c'était bien vilain, mais que faire si Robbie l'éprouvait, bien que Robbie eût remarqué aussi que Yinn n'avait pas été lascif dans son approche de Robert, à peine attendri, disait Robbie, par la rondeur de ses fesses, le palpant sans le voir, ce détachement de Yinn n'était-il pas parfois affolant, disait Robbie à Petites Cendres, et songeant que Fatalité n'était plus du groupe, de la famille des filles, Robbie avait pleuré dans les coulisses, oubliant le seau d'argent, et la routine de la nuit, car cela devenait une routine, disait-il à Petites Cendres, et Yinn avait dû le lui rappeler, le seau d'argent, le seau, Robbie, vivons-nous de l'air seulement, Robbie, ce sera pour Fatalité, les frais de ses funérailles, oui, Yinn avait tout payé, défrayé, pour Fatalité, sans aucune hésitation, si nous vivions et allions tous mourir sous le règne de la paternité de Dieu, dont chacun connaissait la domination écrasante, que Dieu existe ou pas, avait dit Robbie, il était bon d'avoir par prudence une mère comme Yinn, pour compenser, et selon le révérend Stone, Dieu existait et il était le Père de Fatalité, et on avait davantage besoin de Fatalité dans la maison de ce Père que parmi nous, voilà pourquoi il était parti, des bêtises tout cela, disait Robbie, un vrai père ne tue pas ses enfants l'un après l'autre, mais il fallait bien que le révérend Stone et ses oraisons soient là, expliquant ce qui ne pouvait être expliqué, il fallait bien dire ce qu'il a dit, Fatalité était attendue dans la maison de son Père, le Père très-haut, très-puissant, voilà pourquoi, mes amis, elle vous a été ravie, enlevée, c'était trop minable ici-bas pour elle, une princesse, ce n'est pas ce que disait le révérend Stone, qu'elle était une princesse, non, il disait, ce révérend, votre amie, cette honorable personne qui était si affligée, et désormais la bougie est éteinte même si nous laissons toujours la lumière dans son appartement, l'appartement de Fatalité, disait Robbie, oui, cette nuit-là, Robbie n'avait pensé qu'à elle, Fatalité, cela aurait pu être évité, avait dit le médecin Dieudonné en constatant le décès, cela était évitable, évitable ce sacrifice de Fatalité, par la prévention, la médication, à quoi cela servait-il maintenant de le dire, à quoi bon, hier c'était la tuberculose qui ravageait ainsi, qui ravageait toujours, avait dit le médecin Dieudonné, quand cela pouvait être empêché, prévenu, n'avait-on pas vu ces visages des grands tuberculeux couvrant d'un châle leur bouche infectée, en Inde, en Chine, en Russie, on ne voulait donc rien savoir, ni de Fatalité, de son cas et des autres cas, semblables au sien, qui se succéderaient, on ne pouvait oublier ces photographies du photographe James Nachtwey dénonçant la crise, la crise de l'oubli que les épidémies fussent toujours là, oubliées, ensevelies, mais de plus en plus dévastatrices, ce n'étaient que de misérables paysans, au Cambodge, ou en Inde dans la ville de Chennai, tordus par la souffrance, pourquoi penserait-on à eux dans les associations mondiales de préservation de la santé, souvent ces hommes, femmes, enfants déjà entrés en agonie luttaient en même temps contre la méningite, une autre épidémie méconnue, une mère tenait dans ses bras son enfant décharné, madone asiatique à l'enfant sur un petit lit de fer, qui parlait de cette mère et de cet enfant dans leur crucifixion, sur un petit lit de fer, cela qui aurait pu être évitable, avait dit Dieudonné, empêché, oui, mais qui voulait savoir et voir, ce n'était que des gens à jeter, eux et leurs bouches infectées sous des châles, leurs grands yeux noirs qu'alimentait la fièvre, oui, avait dit Dieudonné, cela aurait pu être empêché, évité, Fatalité, oui, nous n'étions ni au Cambodge ni en Chine, et voyez ce qui arrivait encore tous les jours, oui, à quoi bon, avait pensé Petites Cendres en écoutant le médecin bouleversé, choqué, à quoi bon dire tout cela aujourd'hui, rien n'avait été prévenu, empêché, même si nous n'étions ni en Chine ni au Cambodge, cette médication salvatrice, Fatalité n'avait pu se la procurer, sans moyens, pensait Petites Cendres, il avait toujours été sans moyens, et il s'en allait comme il était venu, il aurait fallu instruire Fatalité, mais désormais, oui, il était trop tard, et à quoi bon, pensait Petites Cendres, à quoi bon puisque la bougie s'était éteinte dans l'appartement toujours rempli de lumière de Fatalité, trop tard, désormais, pour la prévention, trop tard, oui, pour la médication, trop tard, sans doute aussi, pour les ravagés en Inde, en Chine, en Russie, pensait Petites Cendres, trop tard pour tout, mais à quoi bon le dire, le répéter, oui, pourquoi ce médecin Dieudonné devait-il parler ainsi, prophète des plus sombres calamités de l'humanité, répétant ce que l'on savait déjà, que partout il n'y avait que cela peut-être, l'oubli, l'ensevelissement du malheur dans une conscience mondiale souffrant d'atrophie, oui, c'était ce que disait Dieudonné le médecin, quand Petites Cendres aspirait à l'invincibilité de son corps, qu'il était presque déjà invincible, pensait-il, car que pouvait-il bien lui arriver lorsqu'il était aux côtés de Yinn, Robbie, dans la luminescence, l'effervescence de leurs nuits, ah, que se taise ce Dieudonné et que Petites Cendres connaisse enfin la joie de mieux vivre, étourdi, ébloui, et rescapé de toute épreuve, dans une enivrante succession de jours et de nuits, d'heures ou d'instants fébriles, vivant, oui, pensait-elle, cette courte vie qui était son seul bien. Et Petites Cendres revit l'une des représentations de Yinn, il avait assisté à ce moment déroutant de son jeu sur scène à un numéro dont il n'avait pas compris l'excès de liberté ou de provocation, c'est sans doute qu'il ne pouvait être lui-même, Petites Cendres, ni aussi libre ni aussi provocant que l'était Yinn, que si dans sa vie de tous les jours Petites Cendres était toujours en état d'infraction, Yinn violait tous les interdits, tous les tabous, même ceux qui auraient pu desservir sa beauté, sans que cela soit vraiment rigoureux pour lui de le faire, ainsi Petites Cendres l'avait vu bondir de ses jambes élancées sur la scène, dans une transfiguration en quelques secondes de la très belle femme qu'il était en une femme laide, d'une laideur si insensée, hystérique et folle, avec un ajout de dents monstrueuses et un chavirement des yeux, des poses injurieuses et sans attraits, qu'il se demandait si ce fil qui liait Yinn au spectateur n'était pas coupé, n'eût-on pas dit que Yinn, dans ces mouvements de la folie, avait égaré le drame de son déconcertant récit corporel, que la diva s'embourbait, tourbillonnant dans son délire, tel Nijinski que l'ampleur d'un bond ne retenait plus, lévitant vers le ciel, dans un rire foudroyé, Yinn, cette sylphide éhontée sur une scène de cabaret, soudain aussi impudique que d'une démence calculée, dérangeait toute perception que l'on avait pu avoir d'elle auparavant, comme si, sous ce déguisement, on n'était plus certain qu'elle fût vraiment déguisée, tant elle avait su brouiller d'elle-même toutes les images, tant elle était peu représentable ni percevable dans cette dérisoire affabulation d'où elle semblait sortir diminuée, assujettie à quelque déplaisante farce, et pourtant rien de tout cela n'était vrai, pensait Petites Cendres, en quelques secondes aussi Yinn opérait dans les rires de son public, le sien qui n'était plus exagéré mais naturel, roucoulant et grave, un revirement total de la laideur à la beauté, dans un geste de son éventail sous lequel elle avait tout remis en place, désordre et folie, les dents de la tigresse se desserrant en un sourire affable, pendant que l'on criait bravo autour d'elle, bravo, oui, que Yinn fût de retour, que fût finie la traversée du cauchemar, ce cauchemar de l'inconvenante laideur à laquelle elle s'était prêtée, comme si Yinn avait exprimé sous les différents masques de la beauté et de la laideur son dégoût de tout opprobre et de toute oppression, qu'elle incitait ainsi à la plus radicale des révoltes, visant l'intolérance dans son aspect caché, que dans son inventivité elle outrepassait toutes les limites afin de mieux accaparer les consciences, que, quoi qu'elle fasse, dans l'excès ou la mesure, toujours elle indignerait, scandaliserait, car tel était le but de sa création, oxygéner toute vie fétide du souffle de sa créatrice révolte, ne rien laisser au coma de la conscience, comme si sur la modeste scène de son cabaret elle avait reçu de Dieu l'ordre de changer le monde, et l'ovation s'apaisant autour de Yinn, elle descendit élégamment de scène, le seau d'argent à la main, mais ne demandant rien, s'approchant ainsi de Petites Cendres sans le voir, offrant aux uns et aux autres le sourire de ses lèvres rouges, et l'indifférent baiser sur la joue que Petites Cendres avait attendu tout le jour ; et Mère s'étonna que dans la rue les volets, les persiennes des maisons soient clos, qu'il n'y ait un mince rayon de lumière dans la chambre, par un jour si éclatant, une procession dans la rue l'avait tenue en éveil, celle d'un orchestre noir marchant vers le cimetière des Roses, peut-être les volets, les persiennes avaient-ils été fermés en signe de deuil, tout le long de la rue, pensa-t-elle, son cœur battant dans le silence, avant que l'orchestre de blues ne reprenne son rythme d'une effarante lenteur, avec le timbre de ses cuivres, les sons plaintifs du trombone, du saxophone, et que Mère se mette à frissonner à la pensée que cette musique était si lente dans le silencieux après-midi, ou était-ce déjà le soir, si Mère avait trop dormi, trop longuement profité de sa sieste, n'était-ce pas à ces défilés de musiciens que se joignait autrefois Justin, on ne pouvait voir leurs visages, sous les écrasants

89

chapeaux, même en soulevant les persiennes, non, on ne pouvait distinguer les traits de ces visages, sous les chapeaux aux rudes étoffes, hier avançait parmi eux Justin dans son costume blanc, sous son chapeau de toile, se mêlant à la procession mortuaire qu'il décrirait dans ses livres, jusqu'à ce jour où ce même orchestre noir chanterait pour lui, Justin, jouerait pour lui, dans cette même effarante lenteur, avec le timbre de ses cuivres, les mêmes sons plaintifs du trombone, du saxophone, dommage que l'œuvre de l'écrivain philosophe fasse si peu de bruit, qu'il soit si peu acclamé quand il avait dénoncé dans ses écrits les bombardements d'Hiroshima, de Nagasaki, ce fils de pasteur né en Chine, scrupuleux, délicat, ne s'était-il pas buté à l'indifférence des siens lorsqu'il avait écrit, pensait Mère, cette chair brûlée fut la mienne, la vôtre, cette chair brûlée sous le métal des armes, si Charles et Frédéric avaient pu le comprendre d'un même cœur compatissant, Caroline ne s'était-elle pas opposée à lui avec l'arrogance de ses propos patriotiques parfois infamants, et Mère n'avait-elle pas partagé ces propos ou ne les avait-elle pas défendus, se disant qu'elle devait être du côté de son amie, et maintenant Justin n'était plus et Mère ne pouvait plus s'excuser auprès de lui d'une insolence qui lui semblait soudain cruelle, irresponsable, peut-être, et ces sons plaintifs du trombone, du saxophone, dans le silence de l'après-midi, mais à quelle heure étions-nous, lui rappelaient sa faute, et combien de fois n'avait-elle pas été ainsi dans l'erreur, pensait-elle, ainsi pour Mai, était-ce vrai ce qu'elle avait pressenti, le jour où elle l'avait surprise avec un homme dans la Mercedes, il y avait dans l'air cette odeur de fumée, était-ce juste qu'elle en parle plus tard à Mélanie, n'avait-elle pas trahi la confiance, l'amour d'une jeune enfant, et qu'y avait-il de plus laid que la trahison, et plus encore trahir son enfant, et pendant que Mère était si imparfaite et si peu mobile, s'appuyant sur sa canne pour se lever de son lit, elle espérait que Justin pourrait encore lui pardonner ce qu'elle avait dit, ou ce qu'elle avait omis de dire, qui l'aurait rassuré sur ses livres, avant que délicatement il ne s'éclipse, en quelques mois, emporté par un cancer fulgurant, oh, que ces sons du saxophone, du trombone, lui étaient pénibles et qu'elle regretta celui dont l'âme sans doute était retournée vers les fleuves, les montagnes de la Chine du Nord de son enfance, qu'elle les regretta tous, Charles, Frédéric, Jean-Mathieu, et plus encore Suzanne que Mère n'avait pas encore la certitude d'avoir perdue, dont elle croyait entendre le rire à son oreille, et combien de fois Mère se heurterait-elle à Mai, au visage de Mai, à ses yeux interrogateurs, à Mai demandant à chacun, où est Suzanne, papa, maman, grand-mère, où est Suzanne, pourquoi ne me dites-vous pas la vérité, non, que je ne la reverrai plus, que pendant ce séjour en Suisse dont Adrien est revenu seul, sans femme, ce fut un suicide assisté, Suzanne, où est Suzanne, pourquoi mentez-vous tous, ou bien Mai ne disait rien, ne posait aucune question, la sévérité seule de son regard vous jugeait, ce qui était plus atroce que tout, pensait Mère, et Mélanie disait, oh, il est bien inutile de troubler davantage cette enfant, de lui mentir, quand elle sait toujours tout, ne connaît-elle pas toutes nos faiblesses, notre absence de courage quand il s'agit de parler avec franchise de la vie, de la mort, ce dont nous sommes tous incapables, mais le rire de Suzanne tintait à l'oreille de Mère, invitant à la joie, comme si elle était dans la chambre, s'apprêtant à sortir pour une fête, auprès d'Adrien, le taquinant, lui qui n'aimait pas les sorties, les nuits frivoles, et au rire de Suzanne s'unissait maintenant la voix de Franz qui entrait dans le pavillon et s'écriait, ma chère amie, oubliez cette canne, vous allez sortir dans le jardin de Daniel et Mélanie à mon bras, je crains d'être un peu chancelante, avait dit Mère, surtout soyez prudent, ne me bousculez pas, et Franz avait ri en disant, je vais vous bousculer, je ne viens que pour cela, en offrant son bras à Mère, ma chère Esther, vous avez bonne mine, un peu pâle mais c'est qu'il faut sortir davantage de ce pavillon où vous écoutez trop de musique toute la journée, et la plus belle musique nous pousse à la mélancolie, venez, venez, et dans le jardin de Daniel et Mélanie, ils retrouvaient la tiédeur de l'air, les parfums des orangers et des citronniers, et Mère montrait à Franz cet arbre qu'elle avait planté jadis, c'est un arbre fruitier venu de lointaines îles, dit-elle, et qui porte le nom de Dame de la Nuit, car ses fleurs ne sont écloses que pendant la nuit, je l'avais planté pour Samuel, dit-elle tout en marchant au bras de Franz, se sentant moins frêle, soudain Mère regardait son exubérant ami, reconnaissante et intimidée qu'il fût là, car il eût été terrible qu'elle en vînt dans sa démarche si peu assurée, le tremblement plus prononcé désormais de la main droite, qu'elle en vînt à l'ennuyer, j'ai écouté ce matin ces sonates pour violon et piano de Schubert, quelle grâce, quelle beauté, disait Mère au vieux musicien, mais vos projets, mon ami, parlez-moi de vos projets, les mots de Mère n'étaient-ils pas maladroits, comme si, depuis qu'elle vivait alitée dans sa chambre, elle ne fût plus apte à converser simplement avec sa famille, ses amis, Franz si volubile, le sentait-il qu'elle éprouvait soudain un véritable malaise à s'exprimer, que toute conversation se ralentissait en ce malaise sournois, qu'elle ne savait comment définir, tout étant si différent depuis quelque temps, ou bien n'était-ce qu'un surcroît de fatigue, quand elle s'inquiétait tant pour les siens, Mai, Mélanie, Mélanie sa fille militante dont elle était si fière, visitant les femmes en prison, oui, mais que faisait-on de ces femmes qui, comme Mélanie, défendaient les droits à la liberté, à la parole, dans les prisons en Russie, on venait les enlever de leur maison pour les tuer, n'étaient-elles pas vouées dans bien des pays à une barbarie répressive, les exécutions des jeunes rebelles rapportées et signalées dans les écrits de ces femmes seraient leurs propres exécutions, les tueurs n'étaient-ils pas à leur porte, là où elles se croyaient à l'abri à Groznÿi auprès de leurs enfants, soudain ils étaient là, défonçant les murs, et ces tueurs n'étaient-ils pas des hommes organisés, formés dans le but de commettre ces meurtres des femmes militantes, car toutes elles disparaissaient, et soudain Mère se souvint de l'enthousiaste Franz à ses côtés, son bras de chef d'orchestre ne se levait-il pas dans l'air, des projets, ma chère Esther, disait-il, mais il faut toujours en déborder, puis-je vous dévoiler ma prochaine saison, d'abord le *Concerto en si bémol majeur K595* de Mozart où l'on entendra ma sœur pianiste, mais ce ne sera pas sous ma direction, mais sous celle d'un autre chef, je rêve depuis longtemps à ce moment, je veux revenir aussi à cette symphonie de Chostakovitch, la quinzième, Mère écoutait Franz en pensant, mais quelle décourageante énergie chez cet homme quand je m'engourdis peu à peu, est-ce juste qu'il en soit ainsi, ou est-ce cette ferveur de l'art qui lui permet de toujours renaître, vivre et renaître, quelle jeunesse, oui, quelle vigueur chez lui, et Mère éprouvait la honte d'un rêve récurrent, ce rêve ne venait-il pas la hanter toutes les nuits, où nous font dévier, vers quel monde de l'abaissement, ces rêves fangeux, à peine vêtue d'une robe de nuit, on emportait Mère sur un brancard, sous le regard de ses enfants, de ses petits-enfants, celle qui soignait Mère était la gouvernante Marie-Sylvie de la Toussaint apparaissant dans le rêve en redoutable infirmière, dans son rigide uniforme, et que disait la sœur de Celui qui ne dort jamais, c'est à mon tour de commander, maintenant, en éclatant d'un rire sarcastique si semblable au rire détraqué de son frère, mon tour est venu de, Mère savait que sous l'autorité de cette femme, elle ne pourrait maintenir sa dignité, n'était-ce pas ce sentiment de la dignité bafouée, celle de son corps sans force exposé à tous qui la flagellait le plus, et soudain la ténébreuse présence de Marie-Sylvie de la Toussaint était chassée par Mai qui venait vers Mère, des fleurs dans les bras, grand-mère, disait Mai, voici les fleurs écloses pendant la nuit de l'arbre que tu as planté pour Samuel, les fleurs de l'arbre Dame de la Nuit, ton arbre, grand-mère, que tu as jadis planté dans le jardin, ne t'avais-je pas dit qu'elle était méchante, à propos de Marie-Sylvie, ne t'avais-je pas dit, et tu ne me croyais pas, et Mère n'était plus sûre si Mai lui était favorable dans ce rêve, car elle était aussi boudeuse que dans la vie, ne t'avais-je pas dit de te méfier d'elle, grand-mère, et tu ne m'as pas écoutée, et Mère dit à Franz, il y a ce rêve qui revient sans cesse, chaque nuit, mais elle n'ajouta rien de plus, nos rêves, si menaçants soient-ils, ne sont-ils pas négligeables, pensa-t-elle, c'est que nous nous inquiétons tous beaucoup pour nos enfants quand décline ainsi notre santé, dit-elle à Franz, mais marchant à mon bras, ma chère Esther, de quoi pourriez-vous bien vous inquiéter encore, dit Franz, vous qui avez tant donné, que vous repro-chez-vous encore, vous vous souvenez peut-être de cette messe que j'ai composée jadis pour une nuit de Noël dans une petite église du Finistère, une soprano voix d'enfant chantait, je suis votre guide, votre berger, je crois réentendre cette voix dans le brouillard de cette nuit d'hiver, quand il faisait si froid dans cette église, moi qui n'ai jamais eu une âme pieuse, vous le savez, que diriez-vous, Esther, si c'était moi, votre guide, votre berger, que diriez-vous de cela, car ces paroles me frappent maintenant, longtemps après, que l'on est toujours le berger de quelqu'un, qu'on le veuille ou non, qu'en pensez-vous, Esther, n'est-ce pas un peu comique que ce soit moi qui fus toujours le premier à m'égarer, à ne suivre aucune direction qui soit stable, que je sois, oui, par ces jours que nous vivons, vous et moi, ma chère Esther, oui, que je sois votre insouciant berger, et Mère se demandait encore si c'était le jour ou le soir, car la lumière du soleil sur les arbres en fleurs semblait plus parcimonieuse, restreinte, bien que les parfums soient tous encore si vivifiants, songeant encore à Mélanie, Mère se souvint de la dépression de sa fille à la naissance de Vincent, on les appelait ainsi, les dépressions après la naissance, bien des mères parfaitement saines pouvaient en mourir, c'était l'un des sujets douloureux des conférences de Mélanie, l'étude de cette culpabilité des mères ne mangeant plus, ne dormant plus, après la naissance de leur enfant, et pourquoi Mère n'avait-elle pas davantage secouru sa fille pendant ces mois de douleur psychotique, lorsque sa fille lui décrivait tous ses symptômes, son anxiété, pour celui-ci je me sens une mauvaise mère, disait Mélanie, quand il dort près de moi dans le grand lit, je crains son regard lorsqu'il se réveillera, ce regard trop chaud, sous les cils longs, comme si nous étions encore une seule chair, que me reprochera-t-il quand il atteindra ses trois mois, ses six mois, pourrai-je le supporter, qui aide les mères à la naissance de leurs enfants, la maternité, pourquoi serait-ce un acte aussi naturel qu'on aime le dire, c'est qu'on ne veut rien savoir de ce qui se passe ensuite, après la naissance, des produits pharmaceutiques apaiseraient Mélanie, et si Mélanie n'avait su comment faire survivre Vincent dont le souffle n'était pas régulier, si Mélanie, avant la naissance de Vincent, avait déjà été coupable de l'anomalie, de l'irrégularité de ce souffle, où étaient alors les hommes, nos maris, où étaient-ils tous, en ces jours de dérangement suicidaire, pour tant de femmes, lorsque, à peine nés, des nourrissons s'étouffaient dans leurs vomissements, pour la mère, il y avait donc une faute dès la naissance, disait Mélanie, un regret, et cette question serait longuement débattue, comment atténuer les sentiments dépressifs d'une jeune mère, après l'accouchement, la naissance, ce regard trop chaud de Vincent, appuyé, rentrant encore dans la chair de Mélanie, coupable, elle le serait toujours, de sa vie ou de sa survie, Vincent, le plus attachant de ses fils, qu'elle aimerait tant plus tard, sa joie, son bonheur, à qui elle avait dit non après la naissance, non, va-t'en, je ne t'aime pas, ce regard humide, sous les cils, c'était si rivé à vous, ne vous laissant plus de repos, ne mangeant plus, ne dormant plus, Mélanie avait compris la détresse de ces femmes que la maternité avait tuées, deux mois après la naissance de leur enfant, et c'est à cet instant qu'elle avait dit à sa mère, maman, pourquoi, toi, m'as-tu mise au monde, parce que je t'avais tant attendue, désirée, j'étais si curieuse de toi, avait répondu Mère à Mélanie, cette réponse, pensait Mère, pressant son bras contre le bras de Franz, son ami ne marchait-il pas trop vite quand elle eût apprécié une trêve, s'asseoir sur l'un des bancs du jardin, entendre le chant des oiseaux, oui, avoir ainsi répondu à Mélanie, n'était-ce pas une tromperie, une déformation de la vérité, quand Mère avait longtemps hésité à avoir des enfants, il y avait eu long-temps en elle un doute, une crainte, les infidélités de son mari auraient peut-être justifié ce doute, cette indécision, mais elle savait, elle, Mère, qu'une femme toute à l'ardeur de faire des enfants pouvait aussi disparaître, s'effacer entièrement dans sa maternité, et c'était là où elle avait éprouvé ce refus dont elle n'avait rien dit à Mélanie, ce refus qu'une femme, dans toutes les civilisations, fût dressée dès l'enfance à la mater-nité, comme cela avait été décrété par les hommes, dans toutes les sociétés, non, elle n'avait rien dit de tout cela à Mélanie, et soudain elle pensait qu'elle avait menti à sa fille, et elle se souvint de ce rêve où Mère, recouvrant un corps plus leste, plus léger, se laissait entraîner par la main de sa fille comme si elles s'étaient envolées ensemble vers une maison d'autrefois, c'était une maison victorienne simple et austère, sur une colline, et l'on pouvait voir, des fenêtres, que rien dans cette maison n'avait été déplacé, tout en guidant Mère, Mélanie avait dit, maman, tu te souviens de la gouvernante française que tu as tant aimée, elle t'attend ici, elle ne t'a jamais quittée, maman, tu n'as qu'à ouvrir cette porte et tu seras chez toi, tes cahiers sont prêts pour ta leçon, maman, tu retrouveras ta chaise d'enfant, tes livres, rien ne change ici, tu n'as qu'à ouvrir cette porte, maman, et ce rêve étant si révélateur de la proximité de la mort, Mère en avait tremblé même si elle sentait en même temps qu'il y aurait une véri-table joie à retrouver la gouvernante française, mais ces rêves, tous nos rêves, disait-elle maintenant à Franz, oui, mon ami, ne valait-il pas mieux les oublier tous, oui, ces traîtres rêves, disait Mère, ne nous dissimulaient-ils pas ce que nous ne voulions pas voir, ce qui était devant nous, l'éternité, pro-nonça-t-elle très bas, ces rêves qui nous amènent loin, très loin, vers cette entrée forcée, cette visite d'un monde qui n'est pas le nôtre, en entendant ce mot, éternité, Franz ne s'était-il pas raidi, pensait Mère, ma chère amie, dit le vieil homme toujours aussi sceptique et qui possédait encore les dons de la jeunesse, mais cela n'existe pas, l'éternité, de quoi parlez-vous donc, Esther, c'est une invention des prêtres, et vous savez que je ne les aime pas, je ne me plains pas de mes rêves qui ont un goût de plaisir, qui sont licencieux peut-être, tant mieux, dit Franz en soutenant le bras de Mère qui paraissait se détacher du sien, il faut vous détendre, ma chère amie, disait Franz en chantonnant la musique de l'une de ces symphonies qu'il dirigerait bientôt, et Mère, en l'écoutant avec fatigue, se sentit si seule soudain, se demandant ce qu'elle faisait dans le jardin de Daniel et Mélanie, au bras de cet homme, voyez, disait Franz, Daniel et Mélanie viennent vers vous, n'est-ce pas l'heure d'aller boire un verre près de la piscine, l'heure joyeuse, quand Mère pensait que la lumière baissait trop vite, ne sachant plus si c'était encore le jour ou le début de la nuit, bien que les parfums des acacias, des mimosas, lui fassent tant de bien. Et lorsque Yinn fut descendu de scène, son seau à la main et ne demandant rien, entouré d'une foule de spectateurs qu'il ne semblait pas voir, son lointain regard rencontrant le regard de Petites Cendres, puis s'évadant ailleurs, fermé à tous, Petites Cendres pensa que Yinn, ayant une telle diversité de visages et préservant l'authenticité de tous ces aspects de lui-même, pouvait bien se mouvoir tel Petites Cendres dans un monde clandestin qui était inconnu de tous, même de Jason, ainsi n'auraient-ils pas été secrètement plus proches, Petites Cendres et Yinn, se cachant dans les toilettes comme le faisait Petites Cendres pour aspirer la poudre défendue, leurs narines tendues vers les mêmes délices qui feraient tressaillir tous leurs nerfs dans l'apothéose du risque, de la peur, mais si bien des hommes invitaient Petites Cendres dans les toilettes des bars de la ville Yinn ne le fit jamais, on voyait surtout Yinn dans ces lieux au cabaret pour s'embellir, se parer seul pour la nuit, il semblait réfléchir, méditer, comme s'il eût été dans un temple, son visage, ses traits s'illuminant peu à peu, pour la fête stoïque, s'il s'y rendait avec un ami, c'était avec Robbie afin de lui indiquer un détail pour la scène, un pas de danse, un geste avantageux, séducteur, une tonalité de la voix, lorsqu'il chanterait souvent à s'y coincer les lèvres car Robbie parfois ne se souvenait plus des paroles des chansons ou des mélodies, mais Yinn avait tant d'amis bien qu'il fût si solitaire, comment savoir, pensait Petites Cendres, et ce beau grand qu'il appelait mon Capitaine et qui était l'un de ses danseurs de nuit et un excellent navigateur, ne montait-il pas parfois dans son bateau, ou bien n'était-ce, comme tant de gens autour de Yinn, un camarade que Yinn avait ébloui, un sujet de plus, mais Petites Cendres ne les voyait-il pas souvent ensemble, sans Jason, ensemble dans les toilettes du cabaret d'où ils sortaient en riant, le bras de mon Capitaine sur l'épaule de Yinn, tant de camarades, de connaissances de hasard, ah, c'était trop pour un homme jaloux comme Petites Cendres, pensait-il, et si mon Capitaine, si séduisant sur l'eau, parmi les cordages de son bateau, ses prouesses de nageur lorsqu'il sautait au milieu de l'océan, si mon Capitaine avait été un pourvoyeur ou si, au contraire, Yinn avait été le pourvoyeur le plus secret de mon Capitaine, ces beaux jeunes gens que le regard de Jason, trop droit, ce regard, n'eût jamais surpris dans leurs jeux, leurs échanges, car ce regard de Jason si franc, ouvert, n'eût jamais pénétré l'enfer de la clandestinité, ce qui était dans la nature de Yinn n'étant pas dans la sienne, ces remous, ces pentes ne le concernant pas, celui qu'il aimait ne pouvait donc y succomber, il n'y songeait même pas, dans ses débardeurs dépouillés, Jason gravissait les marches de l'escalier de bois vers le cabaret, les tatouages scintillant à ses bras ronds, il livrait à tous ceux qui étaient au bar, en les saluant, le sourire de ses dents blanches, en même temps que la franchise de son regard, il se consacrerait, toute la soirée, toute la nuit, en y accédant par une échelle adhérant au plafond du cabaret, dans une mansarde au-dessus de la scène, à ses éclairages de la scène, il serait le donneur des lumières, y alliant des lueurs pourpres et mauves, semblables aux couleurs des rideaux de velours qui séparaient les coulisses, il ouvrirait pour Yinn tous les horizons, c'était là son métier où il était si méticuleux, adorant dans une adoration posée, tranquille, non, pensait Petites Cendres, Jason n'aurait jamais perçu ces obscures ou insondables intentions de Yinn auprès de mon Capitaine ou de mon Capitaine auprès de Yinn, mais lui, Petites Cendres, ne pouvait-il pas percevoir qu'il y avait entre eux une complicité, dans les toilettes ou ailleurs, car il connaissait mieux que personne tous les attraits de la poudre blanche, et qu'avait dit Robbie, ah, je n'y touche plus, avait-il dit, et soudain Petites Cendres avait senti ce retour du fantôme de Timo, Timo qu'il avait abandonné à son sort, ils partent en hélicoptère, ces petits marchands de cocaïne, avait dit Robbie, et ne reviennent plus, as-tu pensé à eux, Petites Cendres, ils viennent de la Colombie-Britannique, dans le froid, dans leur parka d'hiver, ils peuvent sentir l'écume de leur haleine dans l'air glacial, avant leur départ dans la nuit de février, pendant tout le temps du vol, ils seront dans le noir, tout cela pour le transport vers Los Angeles d'un paquet de cocaïne mexicaine, mais quelle excitation, quelle fébrilité dans ces départs, au moment du décollage, quand branle toute la cabine du pilote, avec les odeurs d'essence et d'huile qui remplit les poumons, serait-ce la dernière des dernières courses, et voici que l'hélicoptère décolle sur la neige, dans toutes ces odeurs de sapin et de froid, serait-ce la course finale, quand on a vingt ans et que le cœur bat follement, ils sont dans la contrebande depuis trois ans, deux ans, pourquoi pas encore cette fois, trichant aux frontières, aussi fourbes, menteurs qu'ils sont innocents, aventuriers, conquérants, mais cette nuit-là des nuages s'amoncellent sur les monts Selkirk, ils connaissent bien cette montagne, sur combien de rivières, de ponts construits dans la montagne ont-ils lancé leurs bicyclettes, sportifs légendaires, ils ont soudain choisi une autre voie, ici, dans la nuit de février, le risque est complet, nul ne les voit comme dans ces vidéos narrant leurs exploits au-dessus des ponts, des rivières, mais ce soir-là, le brouillard, la neige couvrent le ciel, ils envoient un message électronique, je serai là demain, je fais mon travail cette nuit, je serai là demain, mais ils ne seront pas au rendez-vous, quelques jours plus tard, on découvrira leurs corps dans la neige, tout pour l'aventure, disent-ils, tout pour l'aventure, en pensant à eux, ces marchands, ces pourvoyeurs de peu de fortune, Robbie dit qu'il n'y touchait plus, non, à la coke, mais cette conversion de Robbie semblait bien récente, pensait Petites Cendres, l'évocation des heures passées à sniffer de la cocaïne avec Fatalité ne datant que de quelques nuits, je ne voulais que l'accompagner, expliquait Robbie, Fatalité, mon frère, voyait bien ce qui avançait vers lui, pauvre fille, je lui répétais, je suis avec toi, Fatalité, et privé de plusieurs nuits de sommeil, par quelle excitation funeste, ou était-ce de la fièvre, ne sachant plus si je résistais au sommeil ou si je rêvais éveillé, il m'arrivait de sentir mon corps telle une enveloppe qui se déchire et de quitter cette enveloppe pour aller danser au-dessus, la frayeur étant alors de ne plus pouvoir la réintégrer, que mon corps m'oublie, s'endorme, se refroidisse, ma performance me plaisait, mais mes pieds, mes jambes n'étant plus réels, je me disais, il faut que je retourne sans tarder vers ce corps qui est le mien et qui semble dormir, se réfrigérer sans se souvenir de moi, et vite j'entrais de nouveau dans l'enveloppe, tous ses muscles et tous ses os, encore habité par la frayeur, oui, que l'espace, la nuit puissent s'emparer de moi à jamais, me disant aussi, jamais plus, jamais plus la coke, non, n'avouant rien de tout cela à Fatalité qui, elle, peut-être, n'était déjà plus avec nous, dont l'enveloppe charnelle s'était depuis longtemps défaite, car il avait toujours si froid, Fatalité, qui, comme le pilote sans parachute sur les monts Selkirk, en était à sa dernière course parmi les éclairs, et je me disais, non, Robbie, jamais plus, ni avec Fatalité, ni avec Daddy, non, Robbie, jamais plus, et Petites Cendres demanderait-il soudain avec impudence, et Yinn et toi, vos rapports particuliers ne sont-ils que professionnels, car auprès de Robbie, Petites Cendres respirait les parfums de Yinn, ses senteurs de nuit qui étaient celles du jasmin parfumant la ville, le rouge de ses lèvres se calquant sur la couleur orangée, rougeâtre des fleurs des frangipaniers, dont les pétales rougissaient les trottoirs, le bois des maisons, dis-moi, Robbie, tard la nuit que faites-vous tous les deux dans les toilettes du cabaret, mais Yinn m'aide à m'habiller, pour les robes de l'été, si courtes, il ne faut pas qu'un seul fil rose dépasse le long des cuisses, Yinn surveille tout, toujours, comme sa mère, il exige la perfection, c'est un perfectionniste raffiné, tu le sais, Petites

Cendres, et ces mots de Robbie eussent comblé Petites Cendres, eussent effacé le doute, ou le doute n'était-il pas préférable afin que dans les pénombres dépravées, celles des excès de Petites Cendres, il pût trouver en Yinn quelque conjoint, fiancé aux secrètes débauches que Petites Cendres prendrait en otage, ne garderait que pour ses rêves, puis il y avait eu ces impitoyables paroles de Robbie rappelant à Petites Cendres les répudiations du bar de Yinn, celle de Luis, le garçon médicamenté dans le bureau de son père, et cette autre, dont Petites Cendres avait été témoin aussi, la répudiation d'une jeune prostituée noire qui faisait le trafic des drogues dans la rue, bien qu'elle n'eût pas vingt ans, dans son short noir, son maillot blanc, avec ses yeux injectés de sang, n'était-elle pas aujourd'hui, en attendant qu'un client lui offre et allume ses cigarettes, ce qu'hier au même âge était Petites Cendres, et par quelle dureté Yinn n'en avait-il pas eu de compassion, lui qui ne semblait pas juger Petites Cendres, qui lui était si semblable, c'est qu'elle n'est pas majeure, avait dit Robbie, comment savoir, avec Yinn, comment savoir, il n'exprima aucune brutalité, il dit à la fille, il vaut mieux que tu ne viennes pas ici, va chez toi, c'est tout, il la regardait avec tristesse en disant, il vaut mieux, jeune fille, que tu ne reviennes pas ici, mais comment savoir ce qu'il éprouvait, avait dit Robbie, il s'attrista plus encore lorsque la fille lui dit qu'elle n'avait pas de famille, ni maison où aller, que faire, il haussa les épaules et puis disparut car Jason l'appelait dans l'escalier qui mène au cabaret, tu viens, demandait Jason, c'est pour un éclairage plus nuancé, dis-moi ce que tu en penses, Yinn, oui, oui, je viens, répondit Yinn, il était toujours attendu, demandé, dans la rue, à quelques pas de lui, la prostituée quémandait une cigarette, elle partirait avec deux hommes, des touristes, Yinn, déjà dans l'escalier avec Jason, ne la vit pas partir avec eux, je pense qu'il en aurait été ulcéré, dit Robbie, mais que faire quand on n'y peut rien, et toi, Petites Cendres, s'informa soudain Robbie, où passes-tu la fin de tes nuits, où t'en vas-tu dormir à l'aube, à la fin des spectacles, oh, sur le sofa rouge en bas au bar, parfois, dit Petites Cendres avec un feint détachement, quand Jason me le permet, ou à l'hôtel avec un client du sauna Porte du Baiser, ce n'est pas une vie, dirait Robbie, il te faut un homme, un mari, un vrai, et Petites Cendres dit qu'il ne pouvait s'attacher à personne, ces hommes qui le recueillaient étant tous si laids ou vilains, il n'en voulait pas, il dirait, lui, Petites Cendres, non, personne, et souvent ces maris de frais prostitués se disputaient entre eux, et Petites Cendres n'aimait pas non plus les disputes, ou qu'on le maltraite, bien qu'il eût à subir tant de veuleries, sans être veule lui-même, sans même y consentir, il te faut un mari comme Daddy l'a été pour moi, dirait Robbie, j'avais mon appartement, je ne sais combien de cartes de crédit, et me voici sans Daddy, trop dépourvu pour payer les funérailles de Fatalité, n'ayant plus rien que mon salaire dont Yinn me prive dès que je cède à la poudre, elle me le remet bien sûr quand je reviens à la sagesse, ainsi, en écoutant Robbie, Petites Cendres se convainquait peu à peu que Yinn n'appartenait ni à son enfer ni à ses délinquants penchants pour la toxicomanie, ce qui le séparait plus encore de l'être aimé, pensait-il, Yinn poursuivant sa mystérieuse montée pendant que Petites Cendres descendait plus bas, vers d'inexorables ténèbres qui un jour l'avaleraient entièrement, comme elles avaient englouti Fatalité, Petites Cendres ne disant pas à Robbie l'espérance qui le tenait éveillé à l'aube sur le sofa de velours rouge du bar, quand à travers les ongles magnifiques de ses mains, ses mains, ses ongles n'étaient-ils pas sa vanité, il observait Yinn dame très lasse soudain buvant avec les effeuillés de la nuit, la boisson rose munie d'une paille et de glaçons, Jason replaçant afin qu'elle adhère au plafond, en haut, au cabaret, son échelle, éteignant un à un projecteurs et lumières, et Yinn s'apprêtant à partir avec lui mais ne résistant pas à la camaraderie des uns et des autres, dans les lueurs phosphorescentes des décors de la nuit, ses lèvres encore rouges effleurant à peine la paille dans le verre qu'il ne finirait pas de boire, qu'était-ce que cette volupté lasse qui éclairait le visage de Yinn, pensait Petites Cendres, était-ce le plaisir d'avoir dansé, chanté jusqu'à l'épuisement, ou l'attente du plaisir qu'il aurait avec Jason, quelque langoureux abattement qui ne durerait pas, dans sa robe échancrée, ses cheveux noirs sur les épaules, portant une cigarette à ses lèvres, Yinn était soudain une femme, une amante que tourmentait un amour adultère, une princesse eurasienne indolente ou dépérissante dont Petites Cendres était amoureux, bien qu'elle n'en sût rien, la couleur de ses yeux prenant la couleur de la fumée dans la pièce, oh, il n'eût pas fallu que Jason vînt dire à Petites Cendres, n'est-il pas l'heure d'aller chez toi, Petites Cendres, nous nous reverrons demain, dirait-il, oh, que longtemps jusqu'à la clarté du jour et son plein soleil sur la devanture du bar, que Petites Cendres n'eût connu que les élans de son extase, qu'on le laissât à l'oisiveté de ces instants où, à travers l'éventail de ses mains, de ses ongles, il contemplait la déesse des temples les plus obscurs, la sienne, ou son prince, celui de Jason, s'étiolant, alangui, derrière la fumée de sa cigarette, puis soudain apparaissait aux côtés de Yinn un garçon asiatique dont les cheveux en brosse avaient les teintes bleu et jaune de son short, très bref, d'un léger mouvement du torse, Yinn s'inclinait devant lui comme il le faisait devant sa mère, rituel qui semblait imprégné en lui, voici le Suivant, déclarait Yinn avec ironie, vous verrez tous, avec talent, mérite et inspiration il me remplacera ici un jour, ce sont ces très jeunes générations que je prépare à notre métier à travers le pays, disait-il, et Petites Cendres s'étonna que Yinn parle soudain avec lucidité, qu'il ne soit pas même ivre, après toute la nouba de la nuit, car c'est un noble métier que le nôtre, et toi, le Suivant, n'en éprouves-tu pas déjà la fierté, tu me dis que tu as un rôle, que tu es un acteur travesti, je sais déjà comment je dois te revêtir, prince d'Orient, mais qu'as-tu fait toute la nuit pour être aussi dénudé, danser, dit le garçon appelé le Suivant, je n'ai pas d'autre choix, jouer le soir au théâtre, danser la nuit, et encore je n'arrive pas, avec les temps qui sont ce qu'ils sont, dit le garçon, et Petites Cendres pensa que Yinn devait bien savoir dans quelle pâte malhabile il devrait œuvrer, avec le Suivant, ou pensait-il que de ce garçon gauche il ferait jaillir la plus exquise des ébauches féminines qu'il aurait tout le temps de parfaire et d'affiner, un jour ce serait avec des tresses dont le Suivant ne saurait trop quoi penser, la tête penchée vers son blond tressage, telle une longue poupée, une autre fois, le Suivant se perdrait dans l'une des robes du soir de Yinn, irait comme à la dérive sur la scène du cabaret, là où les épaules de Yinn étaient larges, celles du Suivant n'étaient-elles pas trop étroites, les plis de la robe refluant sur sa maigre ossature, mais guidé par sa vision, Yinn n'écouterait toujours que lui-même, on s'émerveillerait un jour, oui, peut-être, que le Suivant soit à son tour cette magnétique créature née de Yinn, de son savoir, ce qui rendait soudain Petites Cendres inconsolable, c'était que Yinn fût là à annoncer à tous au bar qu'un jour, qui sait quand, il ne serait plus avec eux, tel Jésus disant adieu à ses disciples, bien qu'on s'amusât autour de lui, qu'on ne fît nullement attention à ses paroles, que pressentait-il donc, que prévoyait-il qui fût si différent dans sa multiple carrière, qu'il aurait à s'éloigner de ceux qu'il aimait le plus, ou n'était-ce que provocation afin que Jason le désire encore davantage, que mon Capitaine coure vers lui pour l'embrasser, le bras de mon Capitaine sur l'épaule de Yinn, comment Petites Cendres, toujours allongé sur son sofa, pouvait-il être privé de cette indolente étreinte, celle de Yinn et celle de mon Capitaine, comme s'ils s'étaient bercés ensemble sur un voilier, le voilier de mon Capitaine, les nuits sans vent, le champagne coulant dans les coupes, qu'avait dit Yinn à ce garçon, pensait Petites Cendres, toi, le Suivant, tu seras la lignée, la postérité de ma race, toi, le Suivant, gauche, maladroit, androgyne pour l'instant sans grâce, tu seras irrésistible bien que tu n'en croies rien, puis Petites Cendres se tournait vers Jason qui descendait l'escalier de bois du cabaret d'un pas enthousiaste, sautant des marches, il allait éteindre les téléviseurs, ramener ce fin fond de la nuit vers le jour, la crudité du jour, pensait Petites Cendres, déjà de ses bras ronds il se saisissait avec douceur de Yinn, quelle journée, quelle nuit, il faut aller dormir, ma chérie, disait-il, touchant de ses lèvres le cou de Yinn, ne voyant que Yinn, ne respirant que ses parfums, Jason oublierait Petites Cendres encore vautré sur le sofa rouge où il passerait la nuit, c'était là l'aubaine d'un amour enchanteur mais que rien ne pouvait soulager, pensa Petites Cendres, que de dormir sur ce sofa en y attendant le jour, souvent, avant que toutes les lumières ne soient éteintes, nul ne semblait remarquer Petites Cendres dans les plis d'ombre de son alcôve où il étirait les jambes, ni le performant Herman aux dons oratoires si aigus, l'animateur des nuits au cabaret, dans sa robe jusqu'aux genoux, chaussé de bottes beiges, maintenant très viril dans son jeans, sur le point de s'embarquer sur sa motocyclette, ses cheveux frisant dans l'air, tête grecque magistrale que Petites Cendres n'avait vue que sous ses outrancières perruques, pendant la nuit, ou sur le trottoir devant le bar lorsqu'il haranguait les passants en leur criant qu'il ne restait, oui, que cinq minutes avant la représentation de minuit, et que faites-vous là, bande de promeneurs sans but, vous ne venez pas nous applaudir, eh bien, tant pis pour vous, nous avons au cabaret les meilleures parodies, qu'elles soient d'un goût vulgaire parfois, voyez ce que nous tentons de dire en dessous, dans quel monde vivez-vous pour nous ignorer, si on ne peut vous atteindre que par la vulgarité, on le fera, en riant, vous rirez avec nous de vous-mêmes, de vos déplorables peurs, car ce qui inquiétait un peu Yinn, Herman habitué à des années de vie de comédien à New York, n'était-il pas trop dramatique dans ses harangues dans la rue, contenant trop peu sa fureur contre toute réprobation sociale sur cette scène un peu trop voyante de l'île où il eût été soudain facile d'attirer la violence, je n'ai pas ta noblesse, dirait Herman à Yinn, non, nul, certaines nuits, ne semblait voir Petites Cendres, ni Herman ni Andrés, qui avait eu une troupe au Brésil autrefois, et qui, en l'absence de la mère de Yinn, les fins de semaine, fermait la billetterie, son comptoir, Andrés d'une exceptionnelle élégance dans des costumes dont il changeait tous les soirs, enclin, comme Herman, à se fâcher, car, disait Robbie, ces hommes qui ont souffert, qui nous ont courageusement libérés, ne peut-on pas comprendre qu'ils soient d'une susceptibilité meurtrie, comme l'est Andrés, pour Herman, c'est autre chose, c'est un révolté à qui répugne le monde tel qu'il est, il refuse qu'aucun être sur cette terre soit considéré comme un indésirable, quel travail sera le sien, et Yinn craint toujours qu'Herman ne soit attaqué dans la rue, la nuit, il craint, oui, pour lui, lorsque Herman traverse toute la ville, dans ses bottes, sous ses perruques outrées, pour annoncer le spectacle, excessif dans ses paroles et ses cris sur son tricycle que meut un moteur électrique, oui, il est là comme sur un cheval de course, debout sur la marche arrière du tricycle multicolore, criant, bravant la foule, si loin au bout de ces rues où se réunissent les touristes, piaffant, oui, Herman, cette foule dont il ne connaît ni la haine ni l'antipathie et la détestation de ce que nous sommes, Yinn dit qu'Herman, non, ne devrait pas aller si loin de ce côté hostile de la ville, mais le sacrilège Herman, l'outsider, ne semble écouter personne, et Yinn dit, je crains pour toi, Herman, et Herman se fâche et dit à Yinn, toi, Yinn, j'en ai assez de ta noblesse, de ta patience, n'ayant plus de cœur, l'humanité est morte, je veux la ressusciter, hé, laisse-moi, veux-tu, n'est-ce pas assez mortifiant déjà d'avoir si peu de clientèle pendant les jours de semaine, que je sois là dans la rue sur ce trottoir pendant des heures à me montrer, ma bouteille d'eau à la main, car il faut bien en venir à ne boire que de l'eau, c'est ma décision si je veux conserver toute ma raison, ne pas exploser de colère, hé, laisse-moi, Yinn, qu'est-ce que ma vie pour toi, hein, tout, dirait Yinn, ta vie, c'est tout pour moi, comme celle de Cobra, Geisha, chacune des filles, votre vie, c'est tout pour moi, dirait Yinn, et Yinn répondrait à Herman, en se hérissant de mécontentement à son tour, jetant le petit sac noir qu'il avait sous le bras, pour la nuit, à ses pieds, quand m'écouteras-tu, Herman, ne comprends-tu pas qu'avec cette humanité pourrie que tu décris si bien, laquelle est partout parmi les hommes et les femmes que tu rencontres, tu mets ta vie en danger, sans jamais se brouiller, ils seraient ainsi souvent contrariés l'un avec l'autre, je ne veux pas te chagriner, Yinn, tu es comme une mère avec tes poussins, je n'ai jamais connu une fille aussi maternelle que toi, bien que tu sois un homme, tu es une mère samouraï, mais je pense que ta vie est encore plus risquée que la mienne, car tu provoques de façon plus subtile, et la vengeance envers toi pourrait être plus insidieuse, je crains plus pour toi, Yinn, que tu n'as à craindre pour moi, ainsi, bien que s'aimant beaucoup, ils se disputaient sans cesse, disait Robbie à Petites Cendres, quand pendant ce temps c'était avec ses jeunes amants qu'Andrés avait ses affrontements au comptoir de la billetterie, se conduisaient-ils mal qu'il n'hésitait pas à mettre leurs affaires à la rue, pour les reprendre le lendemain, bien souvent, influencé par la mère de Yinn qui accusait Andrés d'intolérance, ils sont beaucoup plus jeunes que vous, Andrés, pourquoi ne leur pardonnez-vous pas, je pardonne bien tout à mon fils, moi, j'accepte même son mari qui ne m'aide jamais dans la maison, car pour mon malheur ils se sont mariés, se plaignait la mère de Yinn, mariés, pourrait-on le croire, Andrés écoutait la mère de Yinn ce soir-là, le front ceint d'un ruban doré, vêtu d'une tunique perse, je dois admettre que je suis intolérant, disait-il, mais si vous saviez tout ce que cela me coûte de loger ces jeunes gens chez moi, quand je préférerais être seul à relire tous les livres de ma bibliothèque, à quoi bon être si instruit si c'est pour avoir toute cette canaille autour de moi, mais c'est justement ce qu'ils recherchent près de vous, dirait la mère de Yinn, que vous puissiez les instruire, les instruire de vous, de tous vos voyages avec votre troupe autrefois, Andrés se ravisait, tout en réflexion à son comptoir, tout en comptant la recette de la nuit, il serait le dernier à quitter le bar, ni Herman ni Andrés ne verraient Petites Cendres endormi maintenant sur son sofa rouge, comme s'il était dans les bras de Yinn, tout près de son cœur et de son âme impénétrables, quand persistait encore une moite odeur de fumée, celle des cigarettes de Yinn, aux narines de Petites Cendres. Et dans cette nouvelle chorégraphie de Samuel, comme il l'avait écrit à sa mère, intitulée *Venise en une nuit,* tout ce qui avait été jadis grandiose dans la cité, de ces noces de l'art avec la mer, lesquelles avaient parcouru tant de siècles, de cette cité mythique, soudain, avait écrit Samuel à Mélanie, on ne verrait que l'invasion de l'eau, de ses déluges, ses marées hautes, ses destructeurs vents hivernaux, ayant déjà corrodé ses souterrains, ses galeries, on savait déjà que le niveau de la mer s'était subitement élevé et en une nuit on avait vu la marée submerger les églises, les rues, la cité des mille ponts ne contenant plus ses eaux salies, et ceux qui s'égayaient aux cafés comme ceux qui priaient dans les églises seraient enlisés encore dans leurs fauteuils, leurs chaises, une tasse de café à la main, ou leurs missels entre les doigts, le déluge se répandant partout, dans les cheveux des femmes et des hommes, noyant les uns et les autres, les modelant en figures d'eau et de sel, comme s'ils avaient été sculptés dans la glace, et comment traduire cette corrosion de l'eau par une graduelle dévastation climatique que nul n'avait vue venir si vite, aujourd'hui, en une seule nuit, avait écrit Samuel à Mélanie, et combien Samuel aimait cette heure de l'aube, ou peu de temps avant l'aube, où il pouvait étendre sur la table de la cuisine ses notations et signes chorégraphiques, pendant que dormaient encore souvent dans le même lit, jusqu'à ce qu'il aille se joindre à eux, sa femme Veronica et leur petit garçon Rudolf, sous l'abat-jour vert au-dessus de la table, la verte lumière reflétait la lumière hésitante du dehors, bien que déjà on entendît toutes les rumeurs de la ville, New York qui jamais n'éteignait tous ses bruits, ses échos de voix, fournaise toujours ardente sous les pieds de Samuel, bientôt, au petit-déjeuner, il n'y aurait déjà plus de paix, les avions-jouets de Rudie survolant partout dans la cuisine, ce passionné d'aviation qu'était Rudolf avec ses jambes costaudes distrayait les autres élèves lors de ses premières classes de ballet, trop actif, il ne pensait qu'à jouer, courir, délaissant la barre, ne se concentrant nullement sur ses pas, en ouvrant la fenêtre on pouvait voir ces autres avions dans le ciel, ils allaient seuls, anarchistes, impersonnels, on ne savait vers quelle cible, comme dans le tableau du peintre Hiraki Sawa à la fois film et peinture en mouvement, Samuel était cet artiste dans le tableau ou la vidéo peinte de couleurs blanches et noires, ce chorégraphe à ses signes et notations, pendant que des avions striaient le ciel puis entraient par la fenêtre de la cuisine pour se poser sur la table, seuls, anarchistes, impersonnels, sans pilotes, allaient-ils atterrir ici ou dans la chambre où dormaient sa femme et son fils, sur leur lit, ils allaient impersonnels comme sur l'écran plasma du tableau-vidéo, et Samuel ne pouvait que suivre leur trajet, se disant que l'un d'entre eux sèmerait un jour sa bombe-champignon, serait-ce sur son fils ou sur le beau visage de Veronica endormie serrant son petit garçon contre sa poitrine, serait-ce sur eux ou sur Samuel dans le désordre de ses feuillets sur la table, parmi ses crayons, ou à son ordinateur, était-ce une aube de cataclysme ou de création, eux qui dormaient ensemble n'en savaient rien, eux étaient-ils encore accrochés aux pierres des édifices, à leurs barreaux, pendant cette circulation aérienne dans le ciel, eux étaient-ils tous là, voyait-il encore leurs bras, leurs jambes, leurs mains agitant des drapeaux blancs, eux, les habitants de sa ville, et parmi eux, le disparu Tanjou, un ami de la famille, l'étudiant pakistanais Tanjou, et à *Venise en une nuit,* tous les canaux déversaient leurs eaux sur les palais, les églises, les maisons, un homme qui lisait son journal à un café vit d'abord cette sinistre couleur du ciel sur l'Adriatique démontée, il vit que sa main qui tenait la tasse était secouée, la tasse qui avait gardé le café brûlant, la main de l'homme, puis tout son corps glissa sous la vague, tous mes danseurs offriront ce mirage, l'illusion de danser sous l'eau corruptible, écrivait Samuel à Mélanie, et j'aime cette heure d'une riche solitude où je peux t'écrire, maman, où je n'éprouve que de la sérénité, moi qui suis enfin un père, maman, n'est-ce pas le plus beau rôle de ma vie, les avions atterriraient-ils sur le lit où dormaient Veronica et Rudie, ou sur cette table en de muets débris, pensait Samuel, le champignon de feu les anéantissant tous, Rudie suçant encore son pouce à quatre ans, Veronica dans son sommeil auprès de l'enfant, serait-ce aujourd'hui la chute de ces jambes, de ces bras, leur ronde désespérée parmi les avions dans l'azur, et tu le sais, maman, je demeure inquiet de recevoir si peu de nouvelles de ma grand-mère, dans aucune de ses missives elle ne me parle de sa santé, maman, je veux savoir, je suis si loin de vous tous, d'Augustino à Calcutta, de Mai, de toi et papa, maman, sois prudente, maman, je sais combien tu es engagée dans tout ce que tu fais, tes visites aux prisonniers et tes conférences, sois prudente, maman, nous n'avons que toi, l'incorrigible Mai et moi, et les autres qui te donnent tant de soucis, j'ai expliqué à Rudie pourquoi il avait ce nom de Rudolf, que c'était en souvenir du grand chorégraphe soviétique Rudolf Noureïev, de son incomparable beauté lorsqu'il dansait, ce petit s'ennuie pendant tous mes récits, il demande à sa mère, encore des avions, des tanks, c'était une belle histoire, lui dis-je, l'histoire du danseur Rudolf, car c'est l'histoire d'un virtuose qui fut d'abord un enfant misérable que battait son père, mais qui sut surmonter tous les périls de son destin, c'est ainsi que nous devons vivre, Rudie, en surmontant tous les périls de notre destin, d'abord enfant battu par son père, Rudolf quitta son pays, devint l'un des plus grands danseurs et chorégraphes de son temps, encore des avions et des tanks, dit Rudie, et il court dans l'appartement sur ses jambes costaudes, parfois il vient près de moi, s'assoit sur mes genoux et me demande ce que je fais, alors il m'écoute pendant que je déplace mes notes, mes dessins sur la table, c'est le travail pour une chorégraphie, lui dis-je, pour *Venise en une nuit*, quand papa écrivait, n'étions-nous pas toujours sur ses genoux, et il disait qu'il ne pouvait pas écrire sans nous, je suis comme mon père avec Rudie, j'aime qu'il soit toujours près de moi, mais des tanks il n'en possédera aucun, ce que papa et toi refusiez, je le refuserai aussi, aucun tank dans la maison, il faut que la chorégraphie soit délicate et sans pesanteur comme les chorégraphies d'Arnie Graal, que l'on voie au-delà de la cité dissoute, la cité vivante des poètes, écrivains, qui ont résidé sur ses eaux et y ont écrit et vécu, que ce soit là, comme une suite de plans ou de scènes, oui, pensait Samuel, le déroulement d'un film qui fend l'espace avec ses revenants comme si étaient toujours là les esprits de ces artistes et poètes, dans une surnaturelle bienveillance ou résilience, celle de l'esprit qui ne peut mourir, bien qu'ils soient témoins de tous les désastres et ne puissent rien faire, il y eut un temps d'accalmie et d'arrogance où ils furent tous là, ne connaissant aucune de nos menaces, l'enfoncement sous les eaux, la corrosion du sol, où ils vivaient dans des palais, des maisons royales, Lord Byron écrivant dans son palazzo *Don Juan*, malheureux auprès de sa femme, rejoignant bientôt dans sa gondole une maîtresse moins tyrannique, ou le serait-elle autant, écrire quand votre femme vous terrasse de mots, d'interpellations, écrire dans le chaos, et avoir comme consolation sa ménagerie des oiseaux en cage, des singes, quelques chiens, écrire comme ils le firent tous, Henry James dans son palais gothique, être un honorable invité de la ville mythique, avoir son propre portique sous une voûte de pierre, être ce mystérieux visiteur vivant la vie d'un moine, écrivant parmi les portraits des doges, tentant de nouer une souveraineté de liens entre l'Europe et l'Amérique, dans ses livres, ne sachant s'il y parviendra, écrire, tracer d'impérissables portraits, être le poète Ruskin dans sa pension, cette pension qui un jour porterait son nom, être dans la ville à vingt-deux ans comme le fit le poète, s'écriant combien il se réjouissait d'être là, écrire à la *pensione* La Calcina, si content d'être là, méditant sur la ville, être étourdi, obsédé par elle, toutes ses pierres, ses caractéristiques, son mystère, tous, ils avaient connu la ville lorsqu'elle était debout, et passaient encore leurs silhouettes aux luxueuses terrasses des restaurants qui se dégradaient, vers les profondeurs des eaux, aux grands hôtels sur le point de fondre sous la lagune, comme si sur ces terrasses où ils avaient connu tant de bien-être, le soleil de l'été bronzant leur chair nerveuse, ils étaient encore en train de penser, d'écrire, devant le gris ou brillant paysage d'eau, ses plages, son ciel et ses oiseaux dans cette mélancolie extrême qui était la leur en ces lieux, les uns, de santé précaire, hypocondriaques comme le fut Thomas Mann dans sa juste hypocondrie, n'avait-il pas tout pressenti, verrait survenir le Fléau, pas celui d'aujourd'hui que nous ne pouvons qu'attribuer à nous-mêmes, mais ce fléau du choléra rongeur, son épidémie dans la ville, quand cette épidémie rongeuse dans ma chorégraphie sera celle de l'eau, l'eau viciée, empoisonnée, causant comme le choléra jadis des crampes qui tuent, tant de ruines, humaines et écologiques, tant de ruines dérivant au gré des courants houleux, la scène sera tournante, houleuse aussi, et la musique, comme si on était enfermé dans une chambre sonore, sera celle d'un jeune compositeur japonais, ses partitions au violoncelle, cette musique aura, bien que sans lourdeur, le rythme de l'eau, de sa diluvienne course inversant les corps, et pendant qu'il écrivait à Mélanie, aveuglé par les mots sur l'écran de son ordinateur, tout en ajoutant des notes chorégraphiques sur la table, toujours absorbé par plusieurs occupations à la fois, sachant que son fils serait bientôt près de lui, attendant son petit-déjeuner avec cette pleureuse impatience qu'ont les jeunes enfants, Samuel se disait qu'il avait proposé à sa mère une trop idéale image de son couple, de sa vie de famille, la sentimentalité de cette image de la mère et de l'enfant au lit, de son amour exclusif pour Veronica et l'enfant pendant qu'il était à sa table de travail, s'il travaillait ainsi la nuit, jusqu'à l'aube bien souvent, n'était-ce pas parce qu'il était si accaparé par les problèmes pendant le jour, avec Veronica, Rudie, le petit et sa gardienne Molly quand Rudie ne pouvait être au jardin d'enfants toute la journée, Samuel était un bon père mais plus égoïste que ne l'avait été Daniel avec lui, ses frères et sa sœur, songeait-il, renoncerait-il à sa carrière, comme l'aurait fait son père si cela avait été exigé de lui, était-il aussi dévoué, concerné, il lui semblait parfois que rien ne lui était moins naturel que la paternité, surtout lorsqu'on était le père d'un enfant encore petit, criard et agressif, jusqu'à présent sans ce charme dont ses parents rêvaient pour lui, quant aux parents de Rudie, quand se retrouvaient-ils après les cours de danse, la gardienne, les repas pris à l'extérieur, et tant d'agaçantes monotonies de la vie en couple, qu'était-ce que la vie à deux, à trois avec un enfant aujourd'hui quand on voyait de sa table de travail décoller les avions, et ces autres au-dessus de la ville sillonnant le ciel, anarchistes, impersonnels, auraient-ils une cible, ce soir, demain, quand donc, mais si Samuel avait davantage dormi, moins travaillé, certes il aurait été un père, un mari plus aimant, pensait-il, les gens qui dorment peu sont instables, décalés, et voici que quelques nuits encore et la chorégraphie serait prête, *Venise en une nuit*, même si Veronica lui avait fait ce reproche d'avoir oublié les personnages féminins dans la cité, leurs opinions ne divergeaient-elles pas gravement depuis quelque temps, oui, il les avait oubliés, il se reprendrait demain, à quoi bon en discuter en se levant, il devait être à sa salle de cours à onze heures, *Venise en une nuit*, oh, et le musicien qu'il verrait à trois heures, cet après-midi, les gens qui dorment peu en arrivent à n'avoir aucune compréhension de la vie ordinaire, instables, décalés, vivant entre deux mondes, pensait Samuel, bien qu'il n'y eût aucune vie qui fût ordinaire, si on y pensait bien, tout était extraordinaire tous les jours, surtout lorsqu'on était chorégraphe, danseur, qu'y avait-il de plus merveilleux, oui, écrivait Samuel à sa mère, qu'y avait-il de plus merveilleux, bien qu'il eût l'âme assaillie par le doute, à cette heure avant le lever du

117

jour, et était-ce un rêve ou les yeux de Petites Cendres s'ou-
vraient-ils sur la scène d'un théâtre intime, nocturne, sans
aucun son ni musique, ne voyait-il pas danser Yinn tout près
de lui, était-ce une valse que rythmait Yinn de ses bras, de ses
jambes nues et longues sous le tutu rose de la robe si courte
dévoilant le string noir, la bretelle du soutien-gorge noir
retombant sur l'épaule pendant qu'il se mouvait vers l'avant,
sa chevelure noire retenue par un nœud au-dessus de la tête,
ne répétait-il pas ce qu'il avait dit au bar quelques heures plus
tôt, à ses amis, en dansant, qu'à l'âge de trente-trois ans il les
quitterait, ou n'était-il question que d'un départ de quelques
jours avec Jason à New York où ils seraient filmés, quand
Herman avait ri en disant, notre star Yinn se lance dans la
superproduction, désormais elle sera inabordable, incas-
sable, notre reine, nous ne parviendrons donc jamais à briser
en toi la reine, reine fine et musclée, épouse du roi Jason, avait
poursuivi Geisha, et lorsque mes sales chaussures de sport
viendront te gêner dans la loge, que feras-tu, Yinn, devrai-je
me soumettre au commandement de ma reine qui ne veut
pas que mes chaussures traînent dans son espace sacré, ils y
allaient ainsi de drôleries et de moqueries, et Robbie
demanda s'il n'y aurait pas un rôle pour lui aux côtés de sa
reine Yinn, et Yinn avait répondu, était-il un peu grisé de ses
boissons au rhum, que toutes étaient ses stars et ses reines,
mais nous ne sommes pas toutes des costumières,
maquilleuses, danseuses, chanteuses comme toi, Yinn, avait
dit Robbie, toutes seraient dans le film, disait Yinn, on verrait
bien plus tard comment cela se passerait, mais à l'âge de
trente-trois ans il les quitterait tous, avait-il prononcé cette
phrase, Petites Cendres l'avait-il entendue ou n'en défor-
mait-il pas le sens, et c'était encore la nuit, une lumière rouge,

une veilleuse sous l'affiche du cabaret nimbait la danse de
Yinn, bientôt on entendrait le vacarme de la rue, mais si une
musique soutenait la valse de Yinn, pensa Petites Cendres,
c'était celle des voix des filles, Geisha, Cobra, Robbie, Cœur
Vaincu, Herman, toutes les filles, lors de la procession près
de la mer, pour l'enterrement sous l'eau de Fatalité, et ces
voix, telles les voix d'un chœur chantant une messe, étaient
très pures, le révérend Stone les coupait parfois de sa voix et
de ses prières, en disant que Fatalité avait accompli sur cette
terre ce qu'elle devait accomplir, qu'elle s'en remette à son
Père qui était aux Cieux, et Robbie, cessant de chanter, s'était
écrié, encore cette histoire de père qui revient, c'est trop, et
leurs chants, le chant des filles dans le chœur, dans le vent
marin de février, pendant que des étudiants s'amusaient à
amarrer leurs barques sous le quai, irrespectueux, mais ils ne
pouvaient savoir quelle cérémonie se déroulait sur le quai,
s'élevait dans le vent, et Robbie avait dit à Yinn qui tenait les
cendres sous une brassée d'orchidées, humblement vêtu de
son débardeur rouge, de son short, dans sa sobre tenue de
garçon, si sobre était Yinn ce jour-là que nul n'eût reconnu
en elle la reine ou la star, même si autour de lui les filles
étaient déjà habillées pour la nuit, sous des manteaux improvisés contre le froid, oui, avait demandé Robbie à Yinn, où
iront donc toutes les actions de Fatalité, les actions, les actes
manqués, comment souligner l'héroïsme douloureux de
Fatalité dont la vie avait été une suite de coups, d'injures,
depuis l'enfance où sa mère l'avait vendu pour acheter de
l'héroïne, jusqu'à ce jour où, à treize ans, il serait devant les
tribunaux pour pornographie infantile, c'était avec une fille
de son âge, treize ans, qu'il avait commis l'acte sexuel, avec
d'autres enfants autour de lui, dans la maison d'un ami,

quand les parents n'étaient pas là, et pourquoi était-ce défendu d'éprouver quelque curiosité sexuelle à l'âge de treize ans, même entre copains, avait dit Robbie à Yinn, pourquoi fallait-il qu'il fût accusé, mis en surveillance, il avait pensé que sa performance était si intéressante qu'il l'avait mise sur vidéo, que savait-il d'autre, Fatalité, que le profit de la sexualité, celui de sa mère le faisant vivre, tous les enfants, les enfants suspects seraient identifiés par des détectives sur la vidéo, et ce pervers Fatalité serait arrêté, aucun parent n'étant là pour le défendre, sa mère sans doute en dévergondage dans une autre ville, un autre comté, qui dira l'histoire de Fatalité, avait dit Robbie à Petites Cendres, et pourtant il eut le courage de la vivre jusqu'au bout, et où iraient maintenant toutes ses actions manquées, ses actes que nul n'avait compris, ou qu'on avait jugés sans rien comprendre, que sa mère l'avait vendu pour un peu d'héroïne, qu'il était lui-même dès l'enfance un héroïnomane, que son corps en était criblé, oui, où irait la vie de Fatalité et son courageux héroïsme à la vivre jusqu'au bout, avait demandé Robbie à Yinn qui, à la surprise de toutes, avait répondu, rien ne sera perdu, ces mêmes erreurs lui rendront son innocence, toutes ses fautes seront réparées à sa prochaine réincarnation, ne semblait-il pas tout à fait maître de cette explication, bien qu'il répétât qu'il ne pouvait plus, non, rien faire pour Fatalité, sinon l'aimer, l'admirer comme il le méritait, qu'ainsi se concluait la vie de Fatalité, et même dans son sommeil ou sa somnolence, Petites Cendres pouvait ressentir l'état creux du manque dans son estomac, sur ses tempes qui suaient, aucun client de nuit ne s'étant présenté, il ne pourrait qu'être plongé longtemps, pensait-il, dans cet état creux du vertige, mais pourquoi cette soif de la poudre quand Yinn dansait devant lui, qu'était-ce, oui, une valse sans cavalier, Yinn tournant parfois vers Petites Cendres un sourire narquois, celui de ses lèvres rouges, respire le parfum de jasmin de mon corps, disait Yinn dans sa valse lente, et surtout n'écoute pas le son des cloches, ce glas dans la nuit, l'angélus pour Fatalité, n'écoute pas, ou s'il y avait une musique, pensait Petites Cendres, était-il halluciné ou endormi, c'était venant de la rue le son grinçant d'un violon dont jouait son vieux père, oh, vieux parents mulâtres, étaient-ils déjà assis sur leurs bancs transportables, rue Esmeralda, vendant leurs bibles aux passants, prêchant à qui voulait les entendre ces insoutenables sons vibrant sous l'archet, n'as-tu pas lu ce qui est écrit dans la Bible, mon fils, tu ne coucheras pas avec un homme comme avec une femme, eh bien, quelle est la différence, eût demandé le fils, étaient-ils déjà dans la rue ses vieux parents défraîchis, le père jouant son aigre musique, va-t'en, mauvais fils, qu'on ne te revoie plus, la bible hautement levée sur le visage de Petites Cendres, il s'était enfui, ces mêmes fautes te rendront ton innocence, eût dit Yinn en dansant, n'écoute pas le son du glas dans la nuit, respire le parfum de jasmin de mon corps, sur toute la ville se répandent les pétales du jasmin, de la rose, n'écoute pas le son retombé du glas dans la nuit, n'entends que ma voix, ne vois que mon sourire qui te provoque, et la révérende Ézéchielle l'accueillerait dans son église de la Communauté, venez, mes brebis, mes poulets, tous tels que vous êtes, Petites Cendres trouvant refuge dans les plis blancs de sa tunique, du portail de l'église on verrait les poules, les coqs picorant la pelouse, les pigeons et les tourterelles sur les pignons de l'église, venez manger à ma table, dirait la révérende, et boire à mes fontaines, et Petites Cendres oublierait ses vieux parents défraîchis et leurs bibles à vendre dans les rues, et ces sons aigres du violon rue Esmeralda, était-ce bien ce que Petites Cendres entendait pendant que dansait sensuellement Yinn devant lui, ces aigres sons de parents bigots qui ne l'avaient jamais aimé, n'écoute pas ce glas, eût dit Yinn, n'écoute pas, car ce qui fut pour Fatalité aujourd'hui, ne permets pas que ce soit pour toi, ces macabres chants, demain, c'est l'heure, pensait Petites Cendres, où dans les eaux infestées de requins coulent les bateaux, les radeaux, où les mains s'agrippent aux barques, les mains des Haïtiens, de l'éternelle migration des sans espoir ni rivage, tes mains, Petites Cendres, s'agrippant, s'agrippant à ta barque, c'est l'heure où des chevaux volés dans les pâturages sont enlevés des ranchs pour être tués, ils seront longtemps misérables, sous-alimentés, mourront sans dignité les jambes rompues à coups de bêche comme si on les avait déjà dévorés vivants, consommant leur viande, l'heure de l'insanité, l'heure du glas qui sonne, pensait Petites Cendres, quand la révérende Ézéchielle disait à Petites Cendres, venez, venez tous tels que vous êtes, que me racontes-tu, Petites Cendres, comment ton père peut-il lever la main sur son fils, que me racontes-tu, Petites Cendres, créature de Dieu, il est écrit, aimez-vous les uns les autres, et je t'aime, mon fils, il est écrit que tu es protégé et aimé en cette vie, il est écrit que tu dois prier pour ton âme, mon fils, et éviter les saunas et les bouges si tu peux le faire, il est écrit que l'amour n'est pas la haine, et Petites Cendres se répétait ces mots dans son sommeil ou sa somnolence, l'amour n'est pas la haine, pendant que dansait pour lui Yinn sous la veilleuse aux reflets rouges, ne dansait cette valse que pour lui, Petites Cendres, et se souvenant de cette saveur du martini un peu amère, de ce sentiment de joie qu'elle avait éprouvé à l'heure du cocktail auprès des siens, dans le jardin de Daniel et Mélanie, sur le patio près de la piscine, n'était-elle pas revenue avec Franz, Mélanie, dans son pavillon, ne l'avaient-ils pas ramenée en la soutenant de leurs bras, de leurs mains, n'avait-elle pas été enveloppée par tant de soins, de tendresse, Mère se souvint aussi, mais n'était-ce pas curieux ce détour de la mémoire s'insinuant si loin dans le passé, de ces arbres qu'elle avait fait venir, avant que tous les enfants ne commencent à grandir, et dont Augustino lui avait appris tous les noms, le *Jacobinia carnea* qui croissait surtout à l'ombre, la tulipe africaine se repliant sous le froid, le jacaranda du Brésil, les orchidées des Philippines, l'olivier du Texas, l'amaryllis, ces arbres, ces fleurs qui ne céderaient ni aux tempêtes ni au souffle dévastateur des ouragans dans l'île, eux dureraient donc quand Mère ne serait plus, eux seraient donc toujours là, pensait-elle, et cela n'était-il pas incompréhensible qu'une vie humaine fût si courte, embrasée par la plus grande flamme, mais si courte, quand d'autres l'eussent trouvée se prolongeant sans fin, pensait-elle, on lui avait dit qu'il était l'heure de se reposer quand elle eût aimé continuer la conversation avec Franz, on se demandait pourquoi Daniel et Mai n'étaient pas encore rentrés de leur promenade, bien que Daniel eût déjà téléphoné en mentionnant le brouillard sur les routes là où ils étaient allés si loin dans le parc de l'Archipel voir les biches et les faons, les daims et les renards, peut-être avaient-ils eu raison, il serait plus avantageux de se reposer même s'il était encore tôt, depuis quelque temps savait-elle quand finissait le jour, cela ne pouvait être déjà la nuit, tout avait la couleur de l'ombre, du silence, on entendrait bientôt les coassements des crapauds, le craquement des branches près de la fenêtre ouverte, sous les bonds de l'un des chats de Mai, l'aboiement de l'un de ses chiens, oui, dans ce silence, on entendait tous les sons se dispersant en écho, et dans cette ombre qui était brune, Mère craignait la réapparition de ce cauchemar où elle marchait dans une gare sans rien voir, s'efforçant de se frayer un chemin parmi des gens qu'elle ne connaissait pas, mais dont elle ne pouvait voir les visages, c'était dans ce grouillement de corps sous une ombre épaisse qu'elle marchait, déambulait avec sa canne, craignant de blesser ces gens sur son passage, d'une main elle tâtait ces têtes ombreuses autour d'elle, se disant, qui sont-ils tous, ces gens, vont-ils tous comme moi vers le même train, aussi obscurs que je le suis, sans visages, dans l'ombre intense qui nous resserre tous les uns contre les autres, quand je veux être seule, surtout sans eux que je ne connais pas, vers quoi marchent-ils tous, et pourquoi les suivrais-je, un bruit dans la chambre achevait ce cauchemar, une présence dans l'ombre, mais comme Mère n'avait pas la force d'allumer la lampe, étant encore enfoncée dans ses assoupissements, ses malaises, elle ne pouvait savoir qui était là, cette personne ouvrait une armoire, tirait vers elle un coffret, n'était-ce pas dans ce coffret l'écrin des bijoux de Mère, tous des cadeaux de Mélanie à travers les années, médaillons et chaînes, bagues, tous des présents de Mélanie, il ne lui eût suffi que d'allumer la lampe et Mère n'aurait-elle pas vu qui était là, une personne dans l'ombre, et si Mère avait allumé la lampe, qui eût-elle soudain confondue devant l'écrin à bijoux, n'eût-ce pas été la gouvernante de Mai et désormais son infirmière, Marie-Sylvie de la Toussaint, il valait mieux feindre l'assoupissement, l'absence, et Marie-Sylvie de la Toussaint s'en irait avec son butin, si c'était bien elle la pillarde d'une chambre où gisait une malade, si c'était bien elle, il valait mieux, oui, pensait Mère, oublier cet incident, cela n'eût-il pas perturbé toute la famille, et surtout Mélanie elle-même, et avec Mère, on ne savait plus si cet incident était vrai ou pas, les détours de sa mémoire étant si fantasques, bon, que cela ne soit qu'un incident après tout, et surtout que Mélanie jamais ne le sache, et plus calme soudain Mère sommeillait à demi, se répétant combien elle avait aimé entendre aujourd'hui cette musique de Schubert, quel ravissement, pensait-elle, et que chantait donc Fatalité le jour même précédant le deuil, *Kiss me, love me*, dégingandée, hautaine sous son plumage, elle chantait *Kiss me, love me*, et même si c'était encore la nuit et qu'il n'y avait personne dans les rues de la ville encore, Herman avait remanié autrement la supplication, debout sur la marche arrière de son tricycle électrique, aux lumières multicolores, il parcourait les rues en chantant, elle qui transgressait toutes les lois, Baise-moi vite avant qu'il ne soit trop tard, baise, baise, et ses mots galvanisaient Yinn dans sa danse, comme ils flambaient dans l'air de la nuit, et tous les entendaient dans leur sommeil, *Kiss me, love me*, pensait Petites Cendres, et sur la marche arrière de son tricycle, l'impertinente Herman était ce cheval de course dont avait parlé Robbie à Petites Cendres, celui qui s'appelait Victoire, ou l'autre, la pouliche, Neuvième Beauté, Victoire courant, courant, quand sa patte avait été blessée, puis opérée, le bandage blanc autour de sa patte droite, courant, courant, des jockeys sans scrupules, de petits mafiosi tirant leurs brides à les étouffer, Victoire ou Neuvième Beauté, et eux couraient tels des engins désorientés, sur la piste même où ils seraient euthanasiés, ne pouvant soudain plus se relever, oh, quand se reposeraient-ils à la campagne, dans leur écurie, parmi d'autres chevaux rivaux, quand donc, quand donc un bon maître frotterait-il leurs oreilles, eux qui comprenaient tout, voyaient tout de leurs yeux obliques, même les malhonnêtetés des jockeys, ne voyaient-ils pas tout, et que de cette piste où gagnants, victorieux, d'une blessure à la patte, ils ne se relèveraient plus quand luisaient dans leurs yeux leurs songes de pâture et de repos dans l'herbe sous la pluie, l'impertinente Herman était, oui, ce cheval, Neuvième Beauté ou Victoire, ayant trébuché en dansant dans un décor de Yinn la veille, Herman se souciait peu des entraves sur sa route, ou ne serait-ce qu'une foulure mineure plutôt qu'une lésion à la jambe gauche, n'y pensons pas, dirait-il, n'y pensons pas, et sur la marche arrière de son tricycle il chantait *Kiss me, love me,* tant pis pour vous si vous n'y comprenez rien, et la danse de Yinn en était galvanisée, sous les reflets rouges de la veilleuse, mais en tendant la main vers lui, Petites Cendres comprit qu'il était seul, où était donc Yinn qui n'avait dansé que pour lui, où étaient Herman et Robbie, *Kiss me, love me,* la gorge asséchée par la soif, Petites Cendres courut s'asperger d'eau à l'intérieur du bar, les cheveux, le visage ruisselants d'eau et de sueur, il vit soudain Timo sous les lueurs rouges de la veilleuse, mon ami, que fais-tu ici, sous ton chapeau, tu ne peux voyager ainsi dans tes boxers, il te faut un pantalon, dit Petites Cendres, Timo exhiba la valise blanche qu'il tenait à la main, j'ai tout ce qu'il faut, dit-il, ceci est rempli de billets de banque, il parlait d'une voix sans chaleur, comme si les mots étaient dictés par un autre, tu me croyais parti, ou écrasé quelque part sous un fusil dans la boue, j'étais au Mexique, à Culiacán, on ne sait pas là-bas qui l'on massacre le plus, les obsédés de narcotiques comme moi, ou ceux qui vont les capturer, c'est égal dans la fraternité, les shérifs sont à nos trousses, mais nous aussi, si on peut, on leur fait ce qu'ils nous font, on les décapite, ou on les fait sauter sous une grenade, égal pour tout le monde, je te dis, Petites Cendres, c'est une question de stratégie, nos groupes dans les forêts sont des commandos après tout, Culiacán, j'étais à Culiacán et j'y retourne, là-bas on ne connaît pas le manque, non, c'est le paradis de la coke, la capitale des bandits, ils y ont leurs posters, leurs cimetières où ils sont honorés, leurs tombes devant lesquelles on prie, je serai un seigneur comme eux tous, tu verras, Petites Cendres, un saint local, oui, comme l'un des leurs, Felix ou un autre, ils ne viendront pas me descendre derrière mon camion, c'est moi qui les aurai, je vais dire comme on dit là-bas, il vaut mieux être millionnaire pendant quelques jours que destitué toute une vie, ce que je veux, c'est le diamant que portent les femmes à leur petit doigt dans les boîtes de nuit de Culiacán, dans les casinos, ce que je veux, dit Timo, adieu, Petites Cendres, je retourne là-bas dans la capitale de tous les plaisirs, mais tu ne peux partir ainsi, sans un pantalon propre, répéta Petites Cendres, n'aurais-tu pas pour moi un peu de coke, juste un peu, adieu, dit Timo, tu me croyais parti ou écrasé dans la boue sous un fusil, hein, tu croyais cela, dit Timo, et Petites Cendres sentit le dégoulinement de l'eau sur son torse, à la nuque sous ses cheveux, *Kiss me, love me,* ce Timo quand même, n'avait-il pas échappé quatre fois déjà aux shérifs, ne l'avait-on pas arrêté dans un bar quand il était en probation, avec sa valise blanche pleine à craquer de substances défendues, il avait dit, au moment de l'arrestation, ne nous énervons pas, un petit moment de détente, cela fait du bien, je voulais voir le soleil sur la baie, ne nous énervons pas, c'était un moment de détente pour voir le soleil, allez-y avec vos menottes maintenant, allez-y, messieurs, je ne chercherai plus à m'enfuir, et qui sait, peut-être était-il là-bas, à Culiacán, pas encore abattu d'une balle, peut-être était-ce vrai, pensait Petites Cendres, sa tête mise à prix mais encore vivant, ou courant dans des tourbillons de sable, des hommes à mitraillettes derrière lui, courant, courant, comme Herman sur son tricycle multicolore, comme les chevaux Victoire et Neuvième Beauté, sur une piste où ils seraient encerclés, euthanasiés, courant, sans force, assoiffés comme l'était Petites Cendres, peut-être était-ce vrai que Timo était là-bas, à Culiacán, ainsi Petites Cendres n'aurait plus à se préoccuper de lui, oui, pourquoi se serait-il encore préoccupé de Timo, pourquoi, et maintenant, lassées de tous leurs jeux, les fillettes dormaient dans la cabine du bateau, sur un lit pliant, car Rosie avait eu la permission de ses parents de passer la nuit sur le bateau, Lou entourait l'épaule de son amie d'une main possessive, cette possessivité de Lou ne rassurait pas son père tant il lui avait semblé que cette méchante Lou avait tenu en laisse son amie toute la journée, la dominant jusqu'à la faire pleurer parfois, on eût dit deux anges sur le lit pliant, mais il n'y en avait qu'un, pensait Ari, sa fille était un démon, où était sa petite Lou d'antan, et Ari se revoyait dans le car auprès de son ami Asoka, dans les montagnes du Guatemala, Asoka allant vers ses cliniques pour les pauvres à Champerico, je ne sais quand je reverrai ma filleule Lou, avait dit Asoka, au retour, dis-lui qu'elle est ma seule enfant, que je ne puis avoir d'autres enfants qu'elle car j'appartiens à un ordre de moines qui m'interdit d'être père, sois béni, toi, Ari, qui connais chaque jour cette joie à laquelle jamais je n'aurai droit, n'y avait-il pas un ton de chagrin dans la voix d'Asoka, cette confidence ne le peinait-elle pas, que jamais, non, jamais moine pèlerin il ne serait père, tu es le plus pur des

ascètes bouddhistes, avait dit Ari, et dans ta charité, le père
de tous les enfants dépossédés de ce monde, avait répondu
Ari, le cœur lancinant pour sa petite fille si loin de lui, à cet
instant, l'imaginant dans la maison de sa mère, pendant qu'il
était sur les routes auprès d'Asoka, le sidéen avec sa serviette
autour du cou, assis à quelques pas de lui, dans le car, tout
n'était peut-être que misères et souffrances, mais lui, Ari,
avait une petite fille, mais qu'était-ce que cette pérennité si
Ari désapprenait à mieux peindre et sculpter avec le temps,
si toute sa vie n'était que cette enfant, Lou, car il lui semblait
ne penser qu'à elle, depuis qu'elle était née, l'ordre qui lui
avait été conféré à lui, Ari, n'était-il pas son art, le profil
sérieux d'Asoka se refermant sur la méditation, la prière, Ari
n'avait pu en discuter davantage avec son ami, il lui avait
semblé que le jeune sidéen lui souriait de son siège, en s'es-
suyant les lèvres avec sa serviette, quelqu'un de si malheureux
sans doute et qui souriait à Ari, pétri de tous les défauts
comme le serait plus tard sa fille, en quoi pouvait-il être
digne de l'amitié d'Asoka, il n'était qu'un père, un homme
atrophié sans son enfant, et que faisait-elle, travaillait-elle
bien à l'école, était-elle gentille avec sa mère, il faudrait la
corriger de ses impolitesses, il faudrait, oui, au retour, car
c'était une enfant qui avait tout, telle une princesse couron-
née d'ordinateurs, de canevas, de crayons et de pinceaux,
tout, elle avait tout, robes, jouets, et tous les desserts qu'elle
désirait, lorsqu'ils dînaient ensemble dans les restaurants
près de la mer, ayant tout, elle voulait toujours davantage,
cela, il n'aurait jamais dû le permettre, il lui avait défendu de
couper de ses ciseaux les pétales des fleurs, oui, au retour il
serait plus intransigeant, il lui dirait, tu sais, ton parrain
Asoka, il ne voit que des petits enfants qui n'ont rien, qui

meurent souvent tout petits de coliques, non, rien, quand toi, Lou, comment expliquerait-il à Lou qu'elle devait penser à eux, oui, à ces petits qui mouraient de coliques au Guatemala, en Inde, comment lui faire comprendre, et sur le lit pliant, dans la cabine du bateau, toutes deux dans leurs pyjamas, Lou et Rosie, confiant à Ari l'habituel désordre qui était celui de la chambre de Lou dans la maison de son père, serviettes mouillées, lingerie éparse, ce qu'il devrait rassembler pour la lessive, comme s'il n'avait pas eu déjà à faire avec le nettoyage de son embarcation, pensait-il, et ici et là des livres, des cahiers à crayonnages, un sandwich à peine croqué, des bonbons, mais de les voir ainsi endormies, assagies, on eût dit le plus charmant des tableaux, Rosie et sa fille Lou, dans leurs pyjamas, dans la cabine d'un bateau, sous un ciel brumeux, cette brume se dégagerait-elle demain tandis qu'ils iraient voir les hérons, les aigrettes, dans un îlot voisin, tout aurait été parfait, si Ari avait encore reconnu sa fille, celle qu'il s'était tant langui de revoir lorsqu'il était sur les routes avec Asoka, que savait-elle des enfants les plus délaissés de la terre, dans leurs cabanes de chaux, que savait-elle de l'inanition, de l'eau polluée qui détruisait leurs intestins, que connaissait-elle à part cette surcharge de gâteries dont l'emmitouflaient ses parents, où étaient son lutin, sa ballerine, son papillon, de la chrysalide, du lutin, du papillon, qu'émanait-il, une fille plantureuse, une nageuse, bien que cela parût encore, par instants, angélique, inoffensif, oui, pensait Ari, et puis ne le contredisait-elle pas sans cesse, nous irons ensemble à New York car Noémie veut beaucoup connaître ma petite fille, quelle protestation, tu peux aller seul, papa, je ne veux pas rencontrer cette femme, ne puis-je aimer quelqu'un d'autre que toi, non, tu ne peux aimer que maman et moi, personne d'autre, répondait Lou, mais nous sommes divorcés, Lou, et j'ai besoin de vivre auprès d'une femme, Lou dirait, implacable, que cette femme, pourquoi ne serait-ce pas elle, Lou, mais non, dirait-il, tu es encore une petite fille, et autrefois tu étais une enfant plus aimable, tu te souviens, tu étais toujours dans mes bras, même grande, nous allions partout tous les deux, inséparables, voilà, on pourrait vivre entre New York et la maison de maman, une semaine avec moi, une semaine avec maman, qu'en dis-tu, Lou, pendant les vacances, qu'en dis-tu, Lou, et la classe des surdouées, et mes cours d'espagnol, d'italien, tu n'es qu'un vilain père et tu ne penses qu'à toi et à cette femme, dirait Lou sans concession, car ta vie est près de moi, Ari, et tu le sais, tu sais que c'est très mal ce que tu fais, je suis un homme amoureux, c'est tout, dirait Ari, eh bien, tu n'avais qu'à ne pas l'être, amoureux, c'est une femme trop jeune pour toi, c'est ridicule à ton âge, papa, amoureux, maman l'a dit, je ne fais que répéter ce que maman a dit, toutes les flèches, fléchettes ne filaient-elles pas vers lui, de la main de cette enfant, elle reniait, désapprouvait son père, quand il n'était coupable de rien, sinon d'aimer et de désirer une femme, Noémie, pensait-il, Noémie, pire que tout, Lou ne le traitait-elle pas comme sa bonne, pensait-il en assemblant les serviettes de plage, les vêtements de Lou pour la lessive, ne la servait-il pas depuis qu'elle était au monde, pourquoi désormais toute cette commotion entre eux, Lou serait-elle sa leçon karmique, son épreuve, heureusement il y avait Noémie, la nouveauté d'un amour tardif, un homme ne peut vivre sans cela, ou bien était-ce lui, Ari, qui perturbait sa fille, dans le renouvellement de ses passions et désirs, la mettant soudain à l'écart, quand avait-elle été aussi plantureuse, ce n'était encore qu'une petite fille grandissante, allait-il être impressionné par sa taille maintenant comme l'était Rosie, en peu de temps elle le dépasserait, serait-ce seulement supportable de se retrouver soudain aux côtés d'Ingrid, dans toute la beauté d'Ingrid qui soudain lui avait dit, je ne veux plus vivre avec toi, Ari, tout ce qui compte pour toi, ce n'est pas ta femme, ton enfant, non, toi-même, ton art, c'est tout, au revoir, Ari, Ingrid dans le corps de sa fille, ou sa fille dans le corps de sa mère, comment résisterait-il à l'une comme à l'autre, Noémie, Noémie, pensait-il en remontant vers le pont brumeux de son voilier, par l'escalier de fer en spirale, tout irait mieux lorsqu'il aurait parlé à Noémie, et soudain le portable entre ses doigts, il entendait la voix de Noémie, lui disait qu'il l'aimait, le bateau tanguait sous la brise de la nuit, de là, sous le ciel, sa fille ne pouvait plus l'entendre, pensait-il, elle dormait, deux angelots, disait-il à Noémie, en bas, dans la cabine, il lui fallait aussi mentir un peu, Lou mourait d'envie de rencontrer Noémie, disait-il, Lou, Lou, ne t'inquiète pas, Ari, disait la voix volontaire de Noémie, je ferai quelqu'un de bien de cette petite, laisse-moi seulement la rencontrer, j'en ferai quelqu'un de bien, et devant une telle manifestation de volonté et de possession, Ari, en écoutant Noémie, se sentit frémir comme s'il était en présence de sa fille, ces femmes, toutes ces femmes, mon Dieu, pensa-t-il, toutes, il le dirait à Asoka, n'incarnaient-elles pas sa traversée karmique sur cette terre, et Petites Cendres vit l'homme se relever du dessous de son banc où il s'était endormi, dans le bar, c'était le vieil homme sophistiqué, l'un des amis de Robbie, il dit, c'est moi, j'ai offert une tournée, tout allait bien, une deuxième, puis une troisième, ensuite j'étais sous le banc, je viens de la campagne, je ne bois ici qu'une fois par mois, puis je retourne dans ma jungle avec ma famille et mes bêtes, où est Robbie, il devait appeler mon taxi, où est Robbie, c'est un garçon putain, tu sais, toujours en vitrine le soir, faut-il qu'ils aient l'air de se vendre, non, mais dis-moi, il faut bien attiser la clientèle, dit Petites Cendres, autrement il n'y aurait personne aux spectacles, surtout les soirs de semaine, je suis un vieux loup des mers, dit l'homme, j'étais dans la marine, j'ai beaucoup voyagé, surtout en Asie, je m'y connais en hommes, en garçons, les bordels, je connais, alors pourquoi se met-il en vitrine, Robbie, hein, toutes des traîtresses, parce que vous êtes tous des traîtresses, voilà pourquoi, je voudrais bien l'avoir toute à moi, Robbie, mais c'est une traîtresse, on lui offrira un peu d'argent et il partira avec un couple, et tu sais ce qui se passe alors, une orgie, une traîtresse, je te dis, est-ce bien à la troisième tournée la chute sous le banc ou à la quatrième, où est Robbie qui allait héler un taxi pour moi, Robbie est sans morale, je te le dis, Petites Cendres, et il répéta encore que toutes, oui, étaient des traîtresses, bien qu'il ne pût se passer de venir ici, toujours bien vêtu, sortant de chez son coiffeur, car c'était sa visite mensuelle aux dames traîtresses, et si un homme ne se vidait pas de son sperme, il tuait les autres, bien qu'il n'eût pas eu l'occasion cette fois de se vider de son sperme, parmi toutes ces traîtresses, personne n'étant disponible pour lui, disait-il à Petites Cendres, et toi tu es tout ruisselant et tu trembles, le manque encore, oui, le manque, dit Petites Cendres, et Petites Cendres dit qu'il se sentait trop faible pour être disponible au vieil homme sophistiqué et bavard, que de toute façon c'était un bar chic ici, pas un lieu de prostitution, quant au sauna du Saloon Porte du Baiser, parfois, peut-être, un homme partait avec une personne consentante, mais ce n'était pas fréquent, tous des traîtresses, disait le vieil homme, et Petites Cendres dit, je vais héler un taxi, mais il tenait mal sur ses jambes, combien cela lui déplaisait que ce vieil homme ait fait référence à Robbie comme à un garçon putain, il faut que je le mette dehors, que je ne l'entende plus radoter ses infamies, ou une fille putain si tu veux, poursuivit le vieil homme, Robbie, ton Portoricain, ton ami, il dit qu'il n'en veut plus des Daddy, que c'est assez, et puis vient-il vraiment de Porto Rico, d'une famille de musiciens dans le show-business depuis longtemps, nous n'en savons rien, toutes des menteuses, des mythomanes, des conteuses, remarque que c'est ainsi que les aime leur clientèle, oui, ta Robbie, elle était toujours à la fête avec Fatalité, le cannabis, le hasch, la coke, ça n'arrêtait pas, vous croyez, parce que vous êtes jeunes, que vous ne serez pas punis pour toutes vos malices, hein, votre conduite inopportune, vos tangos au bord du précipice, vous croyez que cela ne se paie pas, et Yinn et mon Capitaine, vous croyez que cela ne se paie pas, et Petites Cendres s'écria que Yinn était irréprochable, valeureux et irréprochable, qu'avec Andrés il retirait l'argent pour le loyer de la maison, oui, avant que Robbie ne le renifle complètement en poudre, dit le vieillard, et Petites Cendres vit que dans sa sophistication de gentleman-farmer, le vieil homme s'était mis tout coquet pour sa visite au bar, il était si fragile, tel le vieux père de Petites Cendres, l'eût-il pris par ses épaules voûtées qu'il eût senti tous ses os sous la pression de ses doigts, je vais te héler un taxi, dit Petites Cendres, mais il songeait au vieux père et à son tas de bibles à vendre, l'ayant vu qui parsemait devant lui des miettes de pain pour les poussins et les poules, sur le trottoir, rue Esmeralda, il pensa que, comme le vieil homme sophistiqué, le vieux père était pitoyable, qui sait, peut-être touchant, ne devait-il pas lui pardonner comme le lui avait dit tant de fois la révérende Ézéchielle, pardonnons, mon ami, à ceux qui nous ont offensés, mais un père décent ne lève pas la main sur son fils, on verra si Dieu dans sa miséricorde pardonne à un père de haïr et maudire ainsi son fils en levant la main sur lui, on verra quand le temps sera venu, dit la révérende Ézéchielle, je vais héler un taxi pour toi, dit Petites Cendres, écoute-moi encore un peu, dit le vieil homme, des mythomanes, des conteuses, des filles simulatrices, des joueuses de comédie, ton comédien Herman, celui qui jouait Beckett à New York, il dit qu'il s'est blessé en tombant dans un décor de Yinn, ce n'est pas vrai, c'est plus grave que cela, mais Herman souffre et ne dit rien, car il ne veut pas perdre son emploi, comment en retrouverait-il un autre, hein, il n'est que rêve et fantaisie, mais cela se paie, cela aussi, avec si peu de défenses immunitaires vous pouvez être atteints de tout, je te dis, malaria, fièvre fatale, une mouche, un insecte peut vous réduire à rien, et c'est peut-être ce qui arrive à Herman, qui continue de brailler à tue-tête sur son tricycle, la nuit, le mal est cuisant, néfaste, il le sait, il s'endurcit, elle a eu une peine d'amour, dit-on, qui n'en a pas, hein, Petites Cendres, toutes des traîtresses, je te dis, voici le taxi, dit Petites Cendres, mais le vieil homme tomba de nouveau sous son banc et Petites Cendres ne le vit plus, il était seul dans le bar silencieux bien que débutât le vacarme de la rue, une barre de lumière éclairait maintenant le sofa rouge, toujours assoiffé et frissonnant, Petites Cendres tendait encore la main vers Yinn qui avait dansé si près de lui, dans l'entrée du bar sous les reflets de la veilleuse rouge, il y avait là un mannequin hermaphrodite dont la main était tendue vers la main de Petites Cendres, sous une soyeuse perruque ce mannequin eût ressemblé à Robbie ou à l'éphèbe Cœur Vaincu, mi-fille, mi-garçon, Cœur Vaincu dont la mère venait de mourir d'alcoolisme à cinquante ans, le garçon pleurant encore sa mère, écrasant les larmes sous ses longs cils pendant qu'il dansait sur scène, tant de douleur sur cette terre, pourquoi fallait-il en plus qu'existe la haine d'un père pour son fils, mais cette nuit-là le mannequin ne portait ni perruque ni vêtement, il était nu sous un drapeau, vaincu comme le cœur du petit Cœur Vaincu qui avait sangloté dans les coulisses, disant à tous, je n'ai plus de mère, aucune, c'est fini, elle est partie dans un coma, et c'était ce mannequin nu qui tendait sa main de plâtre à Petites Cendres en disant, viens près de moi, je te consolerai, ou n'était-ce pas ce qu'il semblait dire avec ironie de sa bouche sans souffle, écoute, Petites Cendres, s'il y a eu ici des pleurs, il y a eu aussi beaucoup de rires, dans la fumée, l'alcool coulant dans les verres, des cascades de rires, je te dis, la nuit et le jour, comme dit le vieil homme, qui n'a pas connu ses revers en amour, qui n'a pas connu ces défaites n'a pas vécu, le cœur humain est ainsi fait que sa peau se rapièce jusqu'à l'heure sépulcrale, quant à Cœur Vaincu, son nom d'artiste sera demain Cœur Triomphant, car un soir qu'il s'acheminait tristement parmi les clients du cabaret, avec son seau d'argent, il vit devant lui un garçon à casquette qui lui dit, je te vois ici toutes les nuits et t'admire, Cœur Vaincu, et aussitôt se ranima Cœur Vaincu, le garçon à casquette, visière à l'avant ou à l'arrière de la tête, serait désormais toujours à ses côtés, et Cœur Vaincu dit, c'est ma mère qui t'envoie ici, c'est elle qui m'a tant aimée, et ils ne se quitteraient plus, oui, mais moi je n'ai personne, pensait Petites Cendres en regardant par la fenêtre le soleil se lever, croyant entendre encore la voix du vieil homme répétant, toutes des traîtresses, des combineuses, des menteuses, des actrices, je te dis, Petites Cendres, et Yinn n'est-elle pas encore dans les bras de Jason, dans leur maison commune, quand toi tu es seul, puis Petites Cendres vit l'immense cheval blanc sur l'estrade, là où chantait Jason, soprano des soirs dansants où tous chantaient en chœur, sous la direction de cette belle voix relaxante de Jason, les passants comme les habitués du bar, n'était-ce pas là dans l'alcool, la fumée, que Petites Cendres avait entendu ces cascades de rires, pendant ces soirées sifflantes de toutes les voix, la voix ascendante de Jason voguant au-dessus, envoûtant Yinn, debout, s'effaçant discrètement dans son débardeur rouge, les cheveux dénoués sur les épaules, afin que l'on ne voie que lui, Jason qui chantait si bien, Yinn, que l'on remarquait à peine soudain, dans la foule, Yinn se modifiant de telle façon qu'on eût dit un garçon ordinaire remuant les pieds dans ses sandales, à cet instant où Petites Cendres le regardant pensait, on dirait un petit garçon soudain, l'immense cheval blanc en papier mâché, construction sans trop d'esthétisme de Yinn, et Herman était là, sur l'estrade, aussi silencieux que le mannequin sous son drapeau, dans les reflets de la veilleuse rouge toujours allumée, avec les ampoules jaunes qui clignotaient dans l'escalier indiquant le cabaret, immobile sur ses roulettes, le cheval blanc attendait qu'on le sorte pour les fêtes du printemps, de l'été, sa bride traînant par terre, cette bride que tirerait vers la rue Herman en criant, la dernière représentation est à minuit, il ne vous reste que cinq minutes, cinq minutes, spectacle pour adultes seulement, langage explicite, sur la croupe du cheval grimperaient Herman et Robbie enlacés, rieurs, en un temps où le sourire d'Herman avait été moins triste, pensait Petites

Cendres, ses paroles moins brusques, sa voix moins éraillée, qu'y avait-il donc là, en lui, d'aussi nocif et dévorant, et il sembla soudain à Petites Cendres, Herman était là assis sur le cheval, la bride à la main, dans son costume de la seconde partie de la nuit, une sorte de culotte blanche frangée sur ses bottes beiges, ses cheveux qui frisaient dans l'air enfumé, comme si on l'avait habillé d'ailes décousues pendant à son corps, il disait à Petites Cendres, ce que tu ne dois pas manquer, c'est mon numéro le plus étonnant, le plus déroutant, oui, quand je suis une femme et que peu à peu je me dépouille de cette apparence pour devenir un homme, exprimant combien il existe en nous de puissance si nous avons la force d'être l'un et l'autre harmonieux, qu'en dis-tu, Petites Cendres, viendras-tu voir mon numéro, il lui semblait aussi que les cils d'Herman tout embués de noir, comme les cils de Yinn, parfois, battaient contre son visage, lui procuraient une sensation physique exquise, j'ai des parents intellectuels qui comprennent ce que je fais, disait Herman, qui m'ont offert toutes les chances d'être ce que je suis, tous n'ont pas cette chance, disait Herman, viendras-tu voir mon numéro, Petites Cendres, j'ai perdu ici dans ce bar tant de jours parfois à boire pendant toute une semaine parce que le garçon dont j'étais épris se refusait à moi, il ne voulait pas que je sois contaminé, disait-il, et en vain j'ai beaucoup pleuré, ne tenant dans mes bras qu'une ombre, comme toi tu étreins l'ombre distante de Yinn, mon ami, ne crois-tu pas qu'il serait temps bientôt de sortir notre cheval, de rire sur sa croupe, avec Robbie, n'en avons-nous pas tous assez de pleurer Fatalité, d'être autour d'elle en procession sur le quai, n'en avons-nous pas assez de ces processions et défilés, Petites Cendres, et Petites Cendres revit ses vieux parents ressortant

138

leurs bibles dans les allées du port, trottinant dans les rues en annonçant, disaient-ils, la parole de Dieu, quand les pourchassaient marchands et restaurateurs, hurlant derrière eux, nous ne voulons pas de solliciteurs et de badauds ici, nous ne voulons pas de vous, et si vous ne partez pas, nous ferons venir les policiers sur leurs chevaux, eux ayant peur en entendant ces mots, chevaux, chevaux, comme si on eût courbé leurs dos sous le fouet de maîtres immondes, aujourd'hui comme hier, prostrés par la honte, l'esclavage, aucun solliciteur, aucun badaud, ici, hurlait-on derrière eux, trottant, trottant dans ces allées près d'eux, de la mer, ces allées pour les Blancs, leur accès à leurs paquebots et voiliers, et qui était cet homme qui avait eu pitié d'eux dans la chaleur sèche d'une voiturette où il vendait des thés glacés, va, c'est pour ton père, ta mère qui ont soif, va, Petites Cendres, c'est pour eux, en ces temps de cruauté, dis-leur que les hommes ne sont pas tous semblables dans le mal, et cette fraîcheur de la boisson sur leurs lèvres gercées, se souvenait Petites Cendres, pendant que se répandait dans leurs gorges la bienveillante boisson, les chevaux, les chevaux, marmonnaient-ils en trottant, trottant jusqu'à la rue Esmeralda, n'était-il pas temps que Petites Cendres leur pardonne, vieux parents mulâtres annonçant en vain la parole de Dieu, quand les avaient pourchassés marchands et restaurateurs hurlant, aucun solliciteur, aucun badaud, ici, et quel ravissement ces sonates de Schubert, pensait Mère, quand elle vit avancer vers elle sa fille, tenant un plateau, mais il ne faut pas te lever en pleine nuit, pour moi, Mélanie, dit Mère, maman, ce n'est pas encore la nuit, dit Mélanie, tu me dis toujours que tes pieds brûlent la nuit, voici un récipient, des glaçons, laisse-moi doucement refroidir tes pieds, maman, enroulés dans l'écharpe de Mélanie, les glaçons rafraîchissaient les pieds de Mère, voilà exactement ce que je faisais pour toi quand tu étais petite, dit Mère, tu te souviens, ma chérie, c'était d'une suave délectation quand les jours étaient torrides, ne te souviens-tu pas, Mélanie, et soudain Mère demandait à Mélanie, où est Julio, ne pourrait-il pas revenir chez nous afin que Marie-Sylvie se repose un peu de moi, je sais que je suis un accablement pour chacun de vous, je sais, je sais, disait Mère, est-ce que cela ne te fait pas un peu de bien, maman, demandait Mélanie, ravivant les pieds engourdis de sa mère entre ses mains, Julio est auprès de ses réfugiés politiques, mais il viendra, je te le promets, maman, tu sais, Julio, Marie-Sylvie, Jenny, ce sont aussi mes enfants, disait Mère, bien qu'en prononçant le nom de Marie-Sylvie de la Toussaint Mère eût tressailli, est-ce trop froid, demandait Mélanie, dis-moi, et pourquoi ne viens-tu pas vivre avec nous, ainsi Daniel et moi serions avec toi, tout près nuit et jour, oui, si tu consentais à dormir dans la chambre de Samuel, maman, et Mère disait à Mélanie, ce temps viendra, mais pas encore, c'est un tel ravissement d'écouter la nuit ces sonates de Schubert, lorsque ce temps viendra, je ne serai plus avec vous, car ma vie, mon enfant, a toujours été libre, autonome, cela, depuis le départ de ton père, oui, Mélanie, demande à Julio s'il ne peut pas venir me rendre visite, tu sais combien je les ai tous aimés, qu'ils furent tous mes enfants, ah, quel ravissement cette musique, répétait-elle, et Mélanie dit à sa mère, est-ce que cela ne te fait pas un peu de bien, ces glaçons, tu vois, tes pieds remuent, maman, il faut te reposer, je reviendrai dans une heure, ce n'est pas encore la nuit, maman, et dans cet apaisement du feu sur ses pieds, Mère se rendormait, ou était-ce le sommeil, qu'était-ce, une torpeur trop grouillante de vie où il devenait malaisé pour Mère de penser à la musique de Schubert, à la naissance du compositeur, à ce récit de Franz sur le musicien, pendant le cocktail du soir, dans le jardin de Daniel et Mélanie, fils d'une servante, né dans une famille de treize enfants dont seulement cinq d'entre eux survécurent, Schubert, farouche enfant prédestiné, ne connut longtemps que pauvreté et privations, mais cette musique, d'où vient-elle, avait demandé Mère à Franz, comme l'une de ses œuvres le dit si bien, répondit Franz, Schubert fut le chant des esprits au-dessus des eaux, mais ici ce chant des esprits au-dessus des eaux des grands poètes allemands que Schubert mit en musique, c'est le chant de la disgrâce par la syphilis, les eaux de la tourmente physique et mentale dont émerge l'esprit du compositeur, n'atteignant la sérénité ou ce don ineffable de la joie qu'au seuil de la mort, oui, était-ce bien ce qu'avait dit Franz, un don ineffable, la joie, voilà d'où naît cette musique, avait dit Franz, des abîmes de la désolation, ma chère amie, et dans cette torpeur grouillante de vie qui n'était pas le sommeil ni le repos, Mère vit Caroline qui l'appelait, venez, Esther, disait Caroline habillée pour le soir, venez, mon amie, il faut que vous sachiez où je suis, et où était donc Caroline, dans quel monde hermétique vivait-elle désormais, suivez-moi, disait Caroline à Mère, vous n'avez qu'à me suivre, Esther, et Mère entrait avec Caroline dans une maison sombre où les couloirs n'étaient pas éclairés, mon Dieu, avait pensé Mère, encore ces couloirs, ces murs couleur d'ombre qui m'effraient tant, voici la chambre que je partage avec ces gens que je ne connais pas, dit Caroline, et une diffuse lumière éclairant cette chambre, Mère vit un homme assez jeune, une femme d'une distinction figée assis dans des fauteuils, et qui ne semblaient voir personne d'autre qu'eux-mêmes, je ne sais pas pourquoi on m'inflige d'être avec eux, se plaignit Caroline, car ils ne me voient ni ne m'entendent, ils demeurent lamentablement attirés l'un par l'autre, ce sont des nantis, je le sais, ils n'ont jamais été dans le besoin et le dénuement, et ils n'ont d'égards que pour leur stérile passion de l'argent, voyez tous les objets de grand luxe qui les côtoient, mais cette fois c'est Mère qui expliquait à Caroline ce qu'elle voyait en ce couple, je sais, dit Mère, ils sont ce qu'ils ont tant vénéré, idolâtré, ils ne sont plus faits de chair, mais de cette étoffe d'argent qu'ils ont toujours convoité, voyez, Caroline, ils sont de métal blanc malléable, bougeant, respirant à peine dans cet étau d'argent, et Caroline demanda pourquoi, est-ce ma condamnation d'être avec eux, ils ne me voient ni ne m'entendent, pourquoi, dites-moi, Esther, et Mère n'avait su quoi répondre à son amie, non, ce n'était pas le sommeil, non, mais une torpeur trop grouillante de vie d'où, aux côtés de Caroline ou seule, elle n'entendait plus la musique de Schubert, d'où Mère semblait avoir oublié tout ce que Franz lui avait dit sur le compositeur, sa vie, sinon que d'une famille de treize enfants où cinq seulement survécurent, il serait l'enfant prédestiné offert en pâture aux dieux de la musique, avait dit Franz, était-ce bien ce qu'il avait dit, et Petites Cendres se tourna vers l'affiche, à l'entrée du cabaret où il était écrit sous les ampoules jaunes qui menaient à l'escalier du cabaret, Venez voir chanter et danser Yinn, notre artiste de renommée internationale, venez voir danser Yinn, on y voyait le dessin des yeux de Yinn, dont les cils étaient si semblables aux cils embués de noir d'Herman qui, toujours assis sur le cheval blanc en papier mâché, disait à Petites Cendres qu'il était temps, oui, d'oublier tous ces défilés et processions près de la mer afin que Fatalité, oui, repose en paix, dans les eaux où se dissolvaient les plus charmantes parties de son corps, pour cela, on n'y pouvait rien, disait Herman, c'était bien ce qu'il y avait de plus regrettable, cette dissolution, et pendant que parlait Herman, Petites Cendres se souvint des querelles et désaccords entre Herman et Yinn devant ce même cheval qui était leur humoristique construction, le cheval des fêtes du printemps, de l'été, disait Herman, qu'il faudrait bientôt sortir sur le trottoir, dans la rue, c'est ici, auprès du cheval peu esthétique, qu'Herman avait dit à Yinn, j'aimerai bien qui je veux, et si Flavian est un pestiféré, n'est-ce pas une raison de plus de l'aimer, il y a pandémie de pestiférés de toutes sortes en ce monde, et personne n'y fait attention, y a-t-il une campagne mondiale contre la pandémie de la faim, des affamés, non, rien, pas un mot, de ceux qui meurent de soif, dans leurs contrées désertiques, minées par la guerre, rien non plus, disait Herman, quant aux pestiférés sous d'intenses soins médicaux tels que Fatalité et Flavian, Flavian plus beau que Robbie avec sa peau brune, son déhanchement viril, quant à Fatalité, elle ne vit le médecin Dieudonné que trop tard, hélas, quant à ceux-là, qu'il leur soit permis de connaître l'amour sexuel le plus flamboyant, car n'est-ce pas tout ce qui leur reste, oui, Yinn, j'aimerai bien qui je veux, ce n'est pas toi qui m'en empêcheras, alors, avait dit Yinn, conduis Flavian à la clinique de Dieudonné, il lui faut un logis, de l'aide, plus que tout, c'est de Dieudonné qu'il a besoin plus que de tes fous désirs de lui, avait dit Yinn d'une voix ferme, et en plus, avait-il ajouté, Flavian a raison, il peut te contaminer, et cela je le refuse pour toi, dit Yinn, c'est ainsi, dit Herman, c'est notre temps, il faut aimer dans ces conditions, prendre tous les risques ou ne rien vivre du tout, je ne serai pas un lâche, je l'aimerai, crois-moi, Yinn, je n'attendrai aucune permission de toi pour vivre mes excès de vitalité, tu veux qu'on mette Flavian en quarantaine avec tous les autres dans leurs logis à l'écart dans l'île, es-tu aussi inhumaine, Yinn, qui défend en période de pestilence d'aimer un homme jeune en bonne santé bien que pestiféré secret, qui le défend, serait-ce toi, mère inhumaine, toi, Yinn, serait-ce toi, et Yinn dit, non, Flavian ne sera pas à toi, ni toi à lui, près de toi son corps peut flamber comme de la paille, je te connais, Herman, et ne permettrai pas qu'à cause d'une étreinte éperdue tu aies à mourir dans des souffrances inavouables, comme l'a fait Fatalité, non, je ne le permettrai pas, dit Yinn, les yeux brillants de larmes, trop, ce serait trop, Herman, Yinn n'ayant-il pas saisi en cet instant l'entière précarité de toutes ces existences, près de lui, faut-il accepter, s'écriait Herman, que bientôt sur cette terre il n'y ait plus personne à aimer, que des millions de personnes soient en quarantaine aux frontières des pays, expédiées là par la haine, la méfiance, faut-il tolérer que l'amour soit interdit, avait dit Herman, sachant qu'il renoncerait à Flavian, tant l'avait ébranlé Yinn avec ses paroles, ses yeux brillants de larmes, Yinn qui l'aimait, voulait le sauver, lui, Herman, toujours si irrité et désespérant, l'insoumis caractériel, pensait-il de lui-même, Herman amènerait dès le lendemain Flavian à la clinique de Dieudonné, un autre enfant malade à guérir, dirait-il à Dieudonné, Herman posant sa main, ses doigts, comme s'il disait adieu à l'ami adoré, sur les paupières de Flavian, ses pommettes saillantes, disant, je reviendrai car je le sais, tu guériras, Flavian, oui, déjà tu ne tousses plus, je reviendrai demain, Herman allant trouver refuge contre la rage, le désespoir au bar où il ne cesserait de boire pendant sept jours, évitant

Yinn, sa cure d'alcool le désintoxiquant peu à peu de son affliction pendant qu'il se disait à lui-même, faut-il accepter qu'il soit désormais interdit d'aimer, et puis de retour au travail, créant son étonnant numéro de la femme à l'homme, l'homme à la femme qui serait si apprécié au cabaret, bien qu'Herman ne fût jamais très reconnaissant envers une clientèle qui lui semblait souvent bête, insatiable de vulgarités, noyant sans se délivrer d'eux ses préjugés dans le rire, et cette hauteur flagellant son public était la cause de disputes entre Herman et Yinn, Yinn disant qu'il fallait respecter ceux qui payaient pour venir les voir danser, chanter, un peu de considération pour eux, disait Yinn, de déférence, je sais, ils nous nourrissent dans leurs mains, disait Herman, sans eux, nous serions tous sans travail, mais n'oublie pas, Yinn, qu'ils ne nourrissent que de miettes, aucun d'entre nous n'est riche et nous sommes sur la scène toute la nuit, tous les jours, tu crois encore, toi, qu'ils sont récupérables, qu'ils finiront bien un jour par comprendre que nous sommes des artistes à l'œuvre, quand ils ne voient en nous que de vagues homosexuels déguisés, d'insolites, bizarres apparitions qui les choquent tout en excitant leurs sens, car nous poussons à bout leurs inhibitions, et ils osent soudain venir sur scène, se déshabillent, constatent qu'ils ont un corps, chassent leur pruderie par quelque indécente audace, je leur dis, tournez à gauche, à droite, ils le font, ils se réjouissent de mes mains qui les envahissent partout, c'est une illusion, il n'y a de contact que dans leur imagination, mes mains fugueuses s'envolent aussitôt, si c'est une femme, je lui dis, que de jolis seins, et si c'est un homme, je le nargue sur les pouvoirs de sa virilité, et quoi encore, comme toi, Yinn, je m'encanaille pour mieux les soulager, je dépare jusqu'à leur mauvais goût, je dis, regardez bien ceci, de vos culs puritains je peux faire jaillir des pièces de monnaie, des pépites d'or, et c'est leur numéro favori, l'amusement est un succès, je suis l'essence de la grossièreté, de la vulgarité, ce que toi tu ne peux pas être, Yinn, artiste qui défoule professionnellement au plus bas degré, voilà ce que je suis, je ne me hisserai à mes hauteurs méprisantes qu'après le numéro, lorsque mon tour viendra de chanter ou danser avec Cobra, Geisha, ou toi, Yinn, dans ta splendeur de grand oiseau de nuit, ou d'inaccessible prince, et tu me dis que je dois respecter ces gens, Yinn, oui, tu leur dois de la considération, dirait Yinn, tu leur dois tout, on voit à ton attitude, Herman, que tu n'as pas eu une enfance dure, l'enfance la plus indulgente qui soit, répondait Herman, pris d'une soudaine tendresse pour Yinn, son art, la force intérieure qui semblait diriger toute sa vie dans une pureté sans fissure, mais ne laissant transparaître aucun de ces sentiments pour Yinn, selon son habitude, Herman dit d'un air bourru, avec agacement, non, Yinn, tu ne m'empêcheras pas d'être qui je suis, cela, non, Yinn, tu ne le feras pas, et il fit claquer les talons de ses bottes sur le plancher, puis dans la rue, ses bottes aux talons ferrés, et de loin on entendit son ricanement sourd pendant qu'il criait, cinq minutes encore avant la représentation de minuit, cinq minutes, promeneurs indifférents et sans but, venez ou ne venez pas, ce que vous m'exaspérez tous, venez ou ne venez pas, cinq minutes encore avant la représentation de minuit. Et Mère vit que Julio ouvrait toutes grandes les fenêtres de la chambre afin que Mère puisse entendre les bruits de la nuit, et pas très loin de la maison de Daniel et Mélanie, le bruit à peine audible de la mer dans le brouillard, ou la brume ou une bruine qui persistait depuis plusieurs jours, disait Julio, merci d'être venu de si loin, dit Mère, Julio, mais pourquoi ce bandeau sur vos yeux, quels voyous vous ont encore attaqué sur la plage, Julio enleva le bandeau en disant, mais j'ai appris à me défendre, Esther, depuis ces jours du passé, je n'étais alors qu'un jeune homme et un garçon exacerbé, endolori par la perte de sa famille, il s'en fallait de peu que j'entre dans la bataille, je donnais des coups, sans vous, Esther, si je n'avais été recueilli dans votre maison, serais-je vivant aujourd'hui, serais-je le directeur fondateur de plusieurs maisons refuges dans nos grandes villes, pour les réfugiés cubains, jamaïcains, haïtiens, le serais-je, Esther, dans ses implorations à Dieu, ma mère avait oublié les ceintures de sauvage, je dois ma vie à un noyé à qui j'ai volé la sienne, avant que l'hélicoptère ne me reprenne des eaux, entendez-vous la mer, Esther, entendez-vous les voix de ma mère Edna, de mon frère Oreste, de ma sœur Nina, bien que l'hélicoptère soit si près d'eux, qu'ils entendent les grondements du moteur au-dessus de leurs têtes, ils périront tous dans le soulèvement des vagues, tous, oh, nagent-ils encore à la surface des eaux, Edna, Nina, Oreste et Ramon, des lueurs irradient sur le rivage, mais la prière d'Edna, leur mère, ne sera pas exaucée, aucun ne parviendra à nager jusqu'au rivage, jusqu'à la terre de miel et de lait, disait notre mère, aucun d'entre eux, aucune nouvelle patrie, sinon les rivages de la mort, d'une longue agonie sur les eaux, et voici que le gilet de sauvetage d'un noyé m'a sauvé, pendant que coulaient leurs radeaux, leurs barques, longtemps ils dormiront dans ces eaux noires des océans, des mers, Edna, ma mère, Nina, Oreste, Ramon, que retrouverait-on d'eux, l'un des souliers blancs d'Oreste, le châle d'Edna, la poupée de Nina, intacte la poupée, entendez-vous leurs voix, Esther, dans la nuit, leurs plaintes incessantes car on les a trompés, Esther, ce que je ressens de plus virulent, c'est qu'ils ont été trompés, trompés par les prières de ma mère Edna, par ses rêves d'une terre de lait et de miel, tous trompés, on leur a menti, dit Julio, les propriétaires des barques, des radeaux, à qui ma mère a vendu son âme pour ses enfants, sachant que barques et radeaux n'étaient que du bois avarié, qu'ils couleraient tous, entendez-vous leurs voix, Esther, eux qui ont été trompés, leurrés, à qui l'on a menti, car il n'y a pas de terre de lait, de miel, aucune, les entendez-vous réclamer la vérité, réclamer leur corps et leur vie qui jamais n'ont atteint les lueurs bleues du rivage, je n'entends que des murmures dans les arbres, dit Mère, approchez-vous, Julio, approchez-vous un peu, puis-je vous demander une faveur, vous qui serez à New York dans quelques jours, me dit Mélanie, oui, Julio, pourriez-vous embrasser Samuel pour moi, quant à Augustino, il ne semble plus avoir le temps de m'écrire, tous ils me manquent car je mène ici une vie monastique, sortant très peu, entendez-vous leurs voix, Edna, ma mère, Ramon, Oreste, Nina, entendez-vous leurs voix, Esther, demandait Julio, approchez, Julio, approchez, dit Mère, quand elle vit se rapprocher d'elle, du lit où elle était assise, non plus Julio, mais Marie-Sylvie de la Toussaint, vous m'avez appelée, dit Marie-Sylvie de la Toussaint, posant une carafe d'eau fraîche sur la table de chevet, Mère voyait cette grande forme abrupte près d'elle, on eût dit des taches de cendre sur le visage de Marie-Sylvie, bien que tout fût dans l'ombre et couleur de l'ombre, dans la chambre, il y avait dans la voix de Marie-Sylvie une singulière âpreté, et ces taches de cendre sur le visage couleur d'ombre de Marie-Sylvie, non, je lisais, me reposais en lisant, dit Mère, non, je ne vous ai pas appelée, dit Mère, c'est que les gens ne cessent d'entrer ici, dit Marie-Sylvie sur un ton excédé, tous vos amis frappent à la porte, ne cessent de me déranger, dit Marie-Sylvie, je n'attends personne, dit Mère, comme pour s'excuser d'être une telle cause de désorganisation autour d'elle, tiens, en voici un autre, Adrien, en plus ce monsieur n'est-il pas pédant dans son blazer bleu, pantalon blanc, il dit qu'il revient du tennis, le voici, dit Marie-Sylvie en refermant bruyamment la porte de la chambre derrière elle, ma chère Esther, dit Adrien, ma chère amie, votre vieil ami le poète, le critique littéraire désabusé, le voici de nouveau près de vous, Daniel m'a dit que ma visite vous ferait plaisir, et pourtant j'avoue ne pas être très réjouissant depuis que je vis seul, sans mon indispensable Suzanne, l'amour de toute une vie, Suzanne, chuchotait-il en cachant ses pleurs de ses mains, venez près de moi, dit Mère, vous pouvez vous asseoir sur le lit, nous nous connaissons depuis si longtemps, mon ami, vous me lirez de vos poèmes, n'est-ce pas, celui que j'aime tant, *Humilité*, je crois, ou *Rendre des comptes,* comment puis-je ne plus les réciter, non, le titre était simplement *Un jour de justice,* reprit Adrien, un homme a un peu trop consommé la veille, vin et whisky, et en se levant il revoit en un éclair tous les actes de sa vie, jugeant qu'aucun de ces jours ne contient de véritable valeur, il ne voit soudain qu'une série de trous, dans la tapisserie de ses jours, et il se blâme, voyant son vieux visage dans le miroir, il s'aperçoit qu'il rougit d'embarras devant lui-même, factice, homme factice, pense-t-il, n'as-tu pas honte, il faut voir que cette condamnation de soi sera sans durée, c'est que le soleil a détourné de moi sa lumière, dit Adrien, je supplie Suzanne de me revenir en rêve, je ne sais pourquoi, dans mes rêves qu'elle habite trop peu, son visage est toujours offensé, ce n'est plus la femme que j'ai

149

aimée, je ne puis la rejoindre nulle part, toutes les portes sont closes, oh, Suzanne, nous qui nous aimions tant, notre ardente jeunesse dorée, nos livres, nos travaux, savez-vous ce qu'elle me reproche le plus dans ces cauchemars, ma chère femme, ma bien-aimée, c'est de ne pas avoir assez écrit pendant qu'elle était à mes côtés, ce reproche, elle ne l'adresse pas à nos enfants, mais à moi, à moi, je me repens de ne pas avoir assez écrit à tes côtés, Adrien, que fais-tu de mon œuvre posthume, as-tu retrouvé mes carnets, toute mon œuvre poétique, toi le poète, le critique reconnu de tous, que fais-tu de moi, mais ce ne sont que des rêves, dit Mère, ne vous laissez pas troubler par vos rêves, Adrien, la vérité, c'est que vous étiez tous les deux splendides et toujours solidaires, n'est-ce pas cela la vérité, Adrien, jour de justice, jour de justice, dit Adrien, l'humilité ne fut jamais ma vertu, Esther, si on peut dire que l'orgueil est une qualité, je ne m'en privai jamais, souvent au détriment de ma femme, une qualité redondante, oui, avec les années cela n'allait pas en s'améliorant, souvenez-vous de mes laconiques critiques des *Étranges années* de Daniel, un petit côté assassin, non, dans le style, je ne puis totalement m'en repentir, Daniel a mûri, ses défauts de jeunesse, ceux de ses premiers livres, ne sont plus aussi apparents, mais resserrer la phrase, son contenu, voilà ce que je lui ai toujours dit, s'il m'avait un peu écouté, ne serait-il pas un écrivain qu'on lirait aujourd'hui dans nos universités, enfin j'ai cru bien faire en le critiquant comme je l'ai fait, j'avoue que chez les critiques comme moi, cela est irrésistible, cet aspect acerbe, c'est une déformation de l'esprit, je l'avoue, mais c'était autrefois, quand Daniel était encore un jeune écrivain, un novice dans le métier, et ne pouvais-je pas tout me permettre afin d'aiguiser sur lui mes savantes griffes, qu'en pensez-vous, Esther, n'ai-je pas bien fait d'agir ainsi, c'est entre vous et votre conscience, mon ami, dit Mère, comme vous l'avez écrit dans votre poème *Rendre des comptes*, l'un de vos poèmes les plus émouvants, car vous y avouez vos faiblesses, vos défauts, quant à Augustino et à son livre *Lettre à des jeunes gens sans avenir*, vous ne les avez pas épargnés non plus, souvenez-vous, Adrien, mon petit-fils en fut tout bouleversé, peu importe que j'aie fait aussi sur lui mes griffes marquantes, dit Adrien, c'est nécessaire pour un jeune écrivain d'être ainsi abordé par la critique, cela ne peut que le stimuler, l'assainir, a-t-il cessé d'écrire, non, a-t-il eu moins de succès, non, le voici qui est invité partout et qui ne cesse de voyager, son père en est même un peu jaloux, dans un prochain article, il serait captivant pour moi de démontrer les liens de pessimisme, d'humanitaire sympathie, également, entre le père et le fils, sans bien se comprendre, Daniel et son fils Augustino se ressemblent dans leurs fondements et leur morbide attirance envers les drames du passé, ils croient tous les deux qu'on porte de génération en génération les erreurs du passé, qu'on ne peut naître innocents et sans reproche, que la tare de l'erreur est imprégnée en chacun de nous, en un mot que nous naissons coupables, vraiment, Esther, je ne puis adhérer à pareille idée, ce serait abdiquer tout sentiment de joie et de bonheur en cette vie, je suis un terrestre qui aime trop bien vivre pour adhérer à une aussi inconfortable doctrine, mais depuis qu'elle n'est plus là, elle, ma tendre aimée, Suzanne, mon amour, où sont la joie et le bonheur de vivre, dites-moi, vous savez qui je rencontre parfois sur le court de tennis, Daniel me dit que ce n'est qu'un mirage, Charly, le chauffeur de Caroline, elle me poursuit partout, m'offrant ses services, vous voici bien seul, sans votre femme qui vous conduisait partout, permettez-moi de vous offrir mes services, dit-elle, Caroline, oui, Caroline eut-elle jamais à se plaindre de moi, elle me paraît même aussi séduisante qu'elle le fut pour notre pauvre Caroline, est-ce là la vanité d'un vieil homme qui veut encore plaire que de vouloir se rapprocher de la jeunesse, fût-elle dangereusement fascinante, je me dis, qu'ai-je encore à perdre, sans celle qui fut toute ma vie, car tout m'ennuie, ce que je lis, traduis, ces tomes et ces tomes, ce que j'écris, tout m'ennuie, sans Suzanne, elle était le regard, on dirait que je ne sais plus rien ressentir sans son regard sur toute chose, son regard amusé et pénétrant, sans elle qui était le regard, mes yeux ne semblent rien voir, sans elle qui était la fête, rien n'est gai, comme avant, méfiez-vous d'elle, Charly, dit Mère, mon ami, pensez à Caroline à qui elle fit perdre la raison en lui faisant consommer des drogues, pensez à vous préserver, mon ami, car là est le piège de la folie qui pourrait s'ouvrir pour vous, oh, mon ami, comment pourrais-je vous protéger de cette femme, peut-être n'est-elle pas aussi monstrueuse qu'on le dit, dit Adrien, une jeune femme attirante à sa façon, quelqu'un qu'on ne peut définir, mais qui pourrait me distraire de l'ennui, oh, ne la fréquentez pas, dit Mère, promettez-moi de ne pas la fréquenter, et Mère vit Adrien se lever pour sortir, n'était-il pas encore bel homme dans son blazer marine, son pantalon blanc, combien elle eût aimé le retenir encore un peu de temps près d'elle, je dîne avec Isaac ce soir, dit Adrien, à plus de quatre-vingt-dix ans cette âme aristocratique a encore des projets, quel homme, dommage car il y a tant de brume que nous ne pourrons nous rendre à son île, l'Île qui n'appartient à personne, Isaac dit que sur le toit de la maison qu'il a construite là-bas, de ses tours sous le ciel, on ne voit pas que la mer, mais on voit l'infini, dit-il, il vaut mieux que je n'y aille pas, je n'ai aucune intention de contempler ce qui est illimité, en ce moment, je m'y perdrais, il vaut mieux que je sois sur terre, même si je m'y ennuie tant sans ma femme chérie, l'union de toute une vie, est-ce croyable que nous ayons été ensemble si longtemps, ma chère femme, répéta-t-il, ma chère femme, et Petites Cendres vit par le carreau de la fenêtre du bar, dont les grillages avaient la forme d'un oiseau, Louisa, la jeune prostituée noire, elle sifflotait une chanson entre ses dents, sous son chapeau de tulle, on eût dit un parapluie vert au-dessus de sa tête, dansant sur un pied puis sur l'autre, elle semblait attendre un client quand le soleil se levait sur l'eau turquoise et gris, au bout de la rue, aurais-tu quelques grammes pour moi, demanda Petites Cendres, si tu es comme Timo, tu dois bien avoir quelques grammes pour moi, dit Petites Cendres, et Louisa dit qu'elle avait vu le vieux père de Petites Cendres, il jouait quelques notes de son grinçant violon, rue Esmeralda, apercevant Louisa, il dit, va-t'en, je ne veux pas de ton argent impur, ce n'est pas un père pour toi, dit la fille sous son vert chapeau ondulant, c'était pitié, oui, de le voir dans son râpeux costume en tweed, les parents de Louisa vivaient bien, eux, Louisa avait beaucoup de clients, ils allaient tous s'enrichir et aller vivre dans les Bahamas, oui, partir, dit Louisa, ce qu'il fallait éviter, c'était de pourrir en prison comme tant de pourvoyeurs, et ton Timo, que devient-il, demandait Louisa à Petites Cendres, l'ont-ils tué contre un mur, sans bruit, d'un coup de revolver qui a résonné dans la campagne mais presque sans bruit, il va bien, dit Petites Cendres, au Mexique il peut avoir tout ce qu'il veut chaque jour, non, il n'est pas harponné par l'état de manque, le manque hideux, dit Petites

153

Cendres, chaque jour il a son demi-gramme de cocaïne, ses quatre cigarettes de marijuana, ses méthamphétamines et, s'il le veut, c'est légal, m'a-t-il dit, sa cuillère d'héroïne, pas plus de cinquante milligrammes, c'est la manne, il finira quand même contre un mur, un revolver sur la tempe, dit Louisa, à moins qu'il n'ait déjà rencontré ses meurtriers à cagoule, dit Louisa, nous le savons, plusieurs d'entre nous ont une mauvaise fin, tu ferais mieux d'aller ailleurs, dit Petites Cendres, Yinn et Jason ne veulent pas que tu entres dans ce bar, oui, mais le trottoir est à moi, dit Louisa, ici je peux faire ce que je veux, n'as-tu pas un peu de sel pour moi, redemanda Petites Cendres pendant que Louisa se trémous-sait de rire sous les ailes de son chapeau vert, non, rien, je n'ai rien pour toi, Petites Cendres, car comment me paierais-tu, et je n'accepte pas le crédit, comment me paierais-tu, Petites Cendres, puis Petites Cendres entendit une voix qui appelait Louisa, eh, Louisa, viens par ici, je veux te parler, eh, Louisa, c'était la familière silhouette d'Herman qui se tenait contre le lampadaire, viens par ici, Louisa, je ne veux pas qu'on nous entende, d'un bond la svelte Louisa courut vers Herman qui tournoyait lentement autour du pylône, comme l'avait fait si souvent Yinn, lorsqu'elle était mécontente ou ennuyée, pensa Petites Cendres, tournant, une main sur le lampadaire au point de s'étourdir, qu'y a-t-il, Herman, demanda Louisa, ton frère, il me faut ton frère Marcus, qu'il me donne son remède contre la douleur, je dois danser demain soir, rien ne doit paraître, il est infirmier, c'est facile pour lui, non, dit Louisa, mon frère a déjà un dossier, un second délit et il ira en prison, dis-moi où je peux trouver ton frère, dit Herman qui était tout près de Louisa maintenant, chuchotait à son oreille, toujours vêtu de ses franges tombantes, son costume de la seconde partie de la nuit, comme l'avait vu Petites Cendres quelques instants plus tôt, lorsqu'il était assis sur le cheval en papier mâché, je me suis blessé à une jambe, quelques jours et j'irai mieux, je veux interrompre ces élancements afin de pouvoir danser comme chaque nuit, où est Marcus, c'est urgent, Louisa, il faut que je lui parle, menteur, dit Louisa, c'est la malaria, quoi encore, tu mens, Herman, une chute sur scène, parmi les décors, dit Herman, le remède se dissout dans une bouteille d'eau, avant que je ne monte au cabaret, et je peux réussir mon numéro, Yinn ne doit rien savoir de cela, rien, c'est entre Marcus et moi, ce n'est pas la première fois que je marchande avec Marcus, dit Herman, oui, vous et vos marchandages, et qui ira en prison s'il vole des médicaments, ce ne sera pas toi, Herman, un homme blanc et fortuné, même si ton père l'avocat sait bien nous défendre, non, ce ne sera pas toi, mais lui, Marcus, mon frère, car au second délit il ira en prison, dit Louisa avec entêtement, ce n'est pas une drogue illicite que je demande, dit Herman, mais un remède puissant qui anesthésie les maux, rien de plus, Marcus peut faire cela pour moi, où est-il, pourquoi n'est-il pas à l'hôpital, dans quelle aventure s'est-il encore lancé, tout ce que je veux, c'est ce baume effervescent, rien de plus, dit Herman, lui seul peut me le fournir, où est ton frère Marcus, demandait Herman, et à observer Herman dans un tel désarroi, pendant que ses cheveux frisaient dans l'air, Petites Cendres se dit, mais dans quelle mystérieuse tragédie Herman va-t-il se fourvoyer, hier c'était sa trop flamboyante traversée de la ville sur le tricycle multicolore, maintenant c'est la quête d'une guérison, mais de quoi, de qui, n'accourait-il pas toujours vers ce qui lui était dommageable, avait-il revu Flavian, bien que de cela personne n'eût la preuve, on le voyait toujours seul ou en compagnie de ses amis du cabaret, Geisha, Cobra, Robbie, Cœur Vaincu, ne ressortant du cabaret qu'à l'aube, faisant claquer les talons de ses bottes contre le plancher du bar, hé, c'en était toute une nuit, disait-il, énergique, hé, les filles, c'était bien, et toi, Robbie, tu nous as fait bien rire, un dernier verre à votre santé, les filles, avant d'aller dormir, on le voyait alors aux côtés de Yinn, plus conciliant envers son ami, déclarant, encore une fois, Yinn, notre reine, a su épater son public, ou le déconcerter complètement avec ses trouvailles, bravo, Yinn, quel succès, mais ces gens qui nous regardent danser, que nous distrayons tous les soirs de leurs soucis, parfois je me demande s'ils pensent à ceux que l'on fusille, pend, tous les jours en Iran, ceux qui sont nos simulacres, nos effigies, des hommes comme toi et moi, Yinn, pendus, fusillés tous les jours, pensent-ils à cela, ou bien Herman gardait ces pensées pour lui ou ne les partageait que plus tard avec Yinn ou Robbie, on leur tranche la gorge derrière une baraque, des hommes comme toi et moi, Yinn, et dans de tels pays, jamais cette barbarie ne cessera car une guerre qui atteint la dignité des hommes ne va pas sans une autre qui les dépossède de leur liberté, la première liberté d'un homme, c'est qu'il est avant tout un être sexuel d'une totale ambivalence, Yinn, en ces languides fins de nuit au bar, écoutait-il Herman, sous le transparent corsage rose, se dévoilait le noir soutien-gorge de Yinn, tous les attributs du personnage féminin dont il se dévêtirait bientôt pour enfiler un jeans, une ceinture aux motifs saillants, en faux or, enserrant sa taille, le nœud de sa camisole blanche florissant à son nombril, oui, ce fut une bonne nuit, dirait Yinn, demain, essaie de ne pas t'accrocher dans mes décors, Herman, avec le bruit de tes bottes, j'ai cru que toute la scène allait s'effondrer, dois-tu vraiment danser avec ces bottes jusqu'aux genoux, pourquoi caches-tu ainsi ton corps, Herman, ou Yinn ne dirait rien, craignant d'offusquer Herman, on ne savait toujours pas ce qui se passait en lui, mesurant ses mots, Yinn disait, on ne peut danser librement avec un corps trop couvert, Herman, voilà pourquoi cette imprévisible chute qui nous a tous fait peur pour toi, car ce que savait Yinn, pensait Petites Cendres, c'est qu'on ne pouvait exercer aucune vigilance autour d'Herman, sans qu'il devienne revêche, piaffant comme un cheval, non, aucune vigilance, pensait Petites Cendres, autour d'eux tous, Herman, Marcus, aucune, tant chacune de ces filles continuait de croître telle une herbe folle, dépareillée, et Mère pensait, qui donc pourrais-je rassurer, protéger, maintenant, ni Adrien dans sa peine, ni Julio dans son exil, ni ses enfants et petits-enfants, qu'arrive-t-il donc quand le corps se déracine tel un arbre sous le choc d'un vent de cyclone ou de tornade, s'expulse lui-même de son domaine terrien, l'esprit seul subsiste, et pourtant dans le jardin de Daniel et Mélanie s'élevaient de plus en plus vers le ciel l'olivier du Texas, l'amaryllis, et ces princes des palmiers que l'on appelait des palmiers d'argent, car leurs feuilles ont une couleur argentée, il en existait plus de cinquante espèces, ces plantes si comparables à de géantes mains aux doigts écartés, ne s'adaptaient-elles pas partout, dans le sable comme dans l'air salin, aussi fastueuses que fertiles, telle était la configuration de la vie, pensait Mère, elle revoyait dans ce jardin de Mélanie et Daniel le saut de Samuel jadis dans la piscine par une nuit d'été, la maison égayée jour et nuit, combien le temps avait fui pour qu'elle voie en rêve maintenant Samuel, père d'un enfant qu'il tenait sur ses épaules, en disant, Grand-Mère, comment allons-nous naviguer à travers toutes ces eaux, comment allons-nous, Grand-Mère, être le phare conduisant ton embarcation, dis-le-moi, Grand-Mère, et Mère lui disait, comme si la conversation était réelle, moi aussi j'ai comme toi une certaine méfiance des liens du mariage, Samuel, moi aussi, Samuel, j'ai toujours pensé que nous nous ressemblions, toi et moi, as-tu enfin appris à écrire correctement, Samuel, à l'école, tu étais bien indiscipliné, tu nous rapportais des cahiers remplis de fautes, c'est que je ne pensais qu'à la danse, disait Samuel, oui, qu'à cela, Grand-Mère, car le but de ma vie, Grand-Mère, n'était pas de savoir écrire, mais de connaître l'extase de la danse, c'est ce que je ressentais à l'école, Grand-Mère, quand vous me grondiez tous, alors tes parents et moi nous fûmes bien injustes envers toi, dit Mère, oui, bien injustes, croyant que tu n'étais qu'un élève indocile et inattentif, Samuel, et vois-tu, il est trop tard aujourd'hui, Samuel, pour réparer ce que nous avons fait, l'apparition de Samuel tenant son fils Rudolf sur ses épaules se dissipait, sans que Mère ne sache encore garder près d'elle ce qu'elle aimait tant, et Mère rejoignait Caroline toujours à cette même gare couleur d'ombre où dans le hall Caroline était vêtue de blanc, luminescente, dans la demi-obscurité, Caroline incitait Mère à choisir l'une des gares, celle du départ ou celle de l'arrivée, vous n'avez qu'à me suivre, dit Caroline, ce qui pouvait sembler rassurant ne l'était pas, pensait Mère, car Mère éprouvait trop de lourdeur à marcher pour suivre Caroline vers l'une ou l'autre de ces voies, dans cette incapacité, elle disait, Caroline, Caroline, il me faut un peu de temps, vous qui semblez si bien portante, pouvez-vous me guider afin que nous puissions au moins voyager ensemble vers ces continents inconnus, car je sais que ce sera long, même si j'apporte avec moi ma musique et ma lecture, voici l'entrée en gare du train de nuit, disait Caroline, quand Mère déjà ne la voyait plus, et il eût mieux valu, pensait Petites Cendres, que Timo ne fût plus qu'un fantôme plutôt que ces restes humains sur une plage ou quelque route d'un village mexicain, un marin n'avait su comment identifier le corps d'un jeune homme dans la carcasse d'un bateau échoué sur la grève, qui était-ce, comment retracer cette histoire, Timo, était-ce Timo, s'il était en bateau, les bateaux patrouilleurs avaient-ils heurté le sien, avait-il été démembré par un requin, il y avait eu sur la grève ce bateau échoué de vingt-deux pieds, et ces quelques restes, disait-on, d'une chair entamée, défunte, il eût mieux valu, oui, que Timo ne fût qu'un fantôme, un revenant sur l'eau, et que Petites Cendres n'eût plus à penser à lui parmi les vivants, et que voulait Herman de Marcus, pourquoi s'acharnait-il sur lui, Louisa, la sœur de Marcus, ne semblait vouloir céder en rien aux demandes d'Herman, quand Yinn interviendrait-il, pensait Petites Cendres, quand serait-il le sauveur d'Herman, sous les chandeliers dont les branches supportaient des ampoules électriques éclairant l'escalier vers le cabaret, Yinn ne dansait plus, pensait Petites Cendres, n'était-ce pas l'heure où il descendait, ivre des sensuelles chaleurs de la nuit, avec Jason, vers son atelier de couture au premier étage de la maison, ou dormait-il encore, pendant que du vaste écran d'un téléviseur, comme dans les chambres de Geisha, Robbie, se déroulait seul un film ou une vidéo, dans de tropicales ténèbres que refroidissait la brise d'un ventilateur, on devait y entendre aussi les soupirs éraillés du très, très vieux chien de Yinn, sur le lit, ou dans son berceau de linge, près du téléviseur, Jason aurait-il oublié d'éteindre son ordinateur, ou y

159

reviendrait-il, pendant la nuit, ajouter quelques nuances décoratives à ce poster de Yinn accueillant vers le cabaret la ruée des motocyclistes dans les rues de la ville, il faut leur faire bon accueil, disait Jason, car ils nous aiment bien, mais n'oublie pas, Yinn, qu'ils ne sont pas aussi rudes qu'ils le paraissent sur leurs motos, ce sont souvent des professionnels, des gens bien, il faut montrer dans ce poster que nous les respectons, Jason atténuait donc le dessin de Yinn qui lui semblait trop érotisé, ce ne sont pas des stripteaseurs mais des motards, toutefois, tu as raison, Yinn, c'est la moto qui est l'objet de l'érotisation, comme dans ton poster, ou seraient-ils tous les deux réveillés tôt, Jason et Yinn, pensait Petites Cendres, pendant que tournait toujours la bobine du film sur le vaste téléviseur de la chambre, assis ensemble devant l'ordinateur, devant l'image du poster, son dessin, son lettrage, seraient-ils encore aussi unis, leurs visages, leurs mains se frôlant dans l'enthousiasme du labeur partagé, seraient-ils si près l'un de l'autre quand Petites Cendres était seul sous les chandeliers aux ampoules électriques, dans la scabreuse clarté du petit jour, ou pendant ces préparatifs de l'accueil des motards, Yinn, qui se méfiait des foules, des rassemblements, serait-il désarmé par la confiance, l'irrésistible foi en l'humanité qu'exprimait Jason, le sourire de Jason, ses dents blanches, la franchise de son regard, s'adjoignant à sa candeur, Yinn percevant que se levât soudain au milieu d'une foule, d'un regroupement dans la rue, la pancarte d'un fanatique où il serait écrit Dieu vous hait, invertis, pervers, ne le savez-vous pas, Dieu vous hait tous, Yinn percevant tout, pour les siens, toute indélicatesse ou tout danger survenant de l'extérieur, bien qu'il n'en dît rien à Jason, voilà, ça ira, c'est un excellent poster, très expressif, dirait-il à Jason, et Petites

Cendres se souvint de ses visites à Robbie, dans l'une des chambres que Robbie appelait sa chambre-corniche, car cette chambre était située dans une partie saillante de la maison de Yinn, on y entrait comme dans un corridor, pour Petites Cendres et tous ses amis, Robbie déroulait sans fin ses bandes vidéo de Fatalité, son téléviseur faisant du bruit jour et nuit, et tout défait dans ses t-shirts, avec son énorme chevelure souvent écrasée sous ses perruques, comme Geisha, après ses exercices de course à l'aube près de la mer, son yoga sur la plage, et Cobra sortait rarement de sa chambre pendant le jour, si peu que Yinn pensait de ses pensionnaires qu'ils ne sortaient de leur chambre que pour l'exposer à leur mauvaise humeur, car autant ils avaient été exubérants au cabaret pendant la nuit, autant pesait à chacune le jour et ses contraintes, ainsi, dans la chambre de Robbie, le téléviseur criait-il jour et nuit l'existence de Fatalité, comme si elle était là dans la chambre, elle qui avait vécu dans son propre appartement, à quelques pas du cabaret, y était morte dans le plus grand silence, sans personne, pas même Robbie qui chantait encore sur scène à cette heure-là, soudain elle était installée à demeure dans cette chambre minuscule de Robbie où le téléviseur semblait être le seul meuble, Robbie dormant sur un sofa devant son téléviseur, ou son téléviseur avec lui, l'immense écran où passait et passait encore Fatalité dévorant l'espace, et Fatalité, qui avait été si grande, l'était encore plus sur l'écran, se mouvant partout avec sa haute taille, quand Robbie, lui, semblait rétrécir, n'être plus que ses cheveux, et le pouvait-il, il dormait tout le jour, dans son t-shirt froissé, l'image de Fatalité chantant et dansant, d'une Fatalité qui serait éternelle, enrobant le demi-sommeil de Robbie pendant que battaient ses paupières, c'est détraqué, les filles, de dormir toute la journée, dirait Yinn, non, n'est-ce pas un peu détraqué quand il fait si beau, ah, et puis je n'ai pas à m'en plaindre, enfin la maison est silencieuse et je peux coudre en paix, bien qu'il y eût debout, active et exigeante, la mère de Yinn reprochant à son fils au moins une fois par jour, pensait-il, son mariage avec Jason, même si ces remarques lui déplaisaient, Yinn traitait sa mère en la ménageant toujours, la longueur de l'escalier vers le deuxième étage de la maison étant interrompue par une plate-forme, il y avait déposé un tabouret afin que sa mère puisse se reposer en descendant vers son atelier, de là elle pouvait regarder Yinn à ses travaux de couture, commenter, si elle le voulait, car n'était-ce pas en sa mère que Yinn, très tôt, avait puisé toute sa science, pensait-il, et ce qui la réjouissait le plus, disait-elle à Yinn, c'était qu'enfin Yinn puisse disposer de quatre machines à coudre, non plus une comme autrefois, tu couds si vite, treize costumes en une semaine, attention à tes doigts, mon fils, elle eût bien aimé s'asseoir plus près de son fils, mais savait que là s'arrêtaient, lorsque son fils cousait, les limites de son hospitalité, et elle, que son fils jugeait un peu autoritaire, ne l'était plus soudain, modestement assise sur la plate-forme, consentant même à porter ses lunettes afin de mieux le voir, tes cours de design te seront toujours utiles, mon fils, même si tu as détesté ces cours, ton travail de costumier au théâtre aussi, tout te sera utile, mon fils, disait-elle de son tabouret, mais l'indépendance, mon fils, voilà le cadeau d'une vie comme la tienne, alors, mon fils, ces jeunes gens, ils dorment toujours là-haut, ce n'est pas normal à leur âge, qu'en penses-tu, mon fils, et ce Robbie, il était parti et le voilà revenu après un mois avec son Daddy, et c'est pour dormir toute la journée devant son téléviseur dont le bruit jamais ne cesse, et

Cobra, lorsque je viens gentiment lui apporter son café, le matin, je le vois enroulé comme un serpent dans les couvertures de son lit, grommelant, qu'on me laisse dormir, qu'on me laisse dormir jusqu'à ce soir, ces reines insomniaques sont bien difficiles, mon fils, se plaignait la mère de Yinn, toi qui as bon caractère, comment peux-tu les supporter, parce que je vis avec le meilleur des hommes, Jason, répondait Yinn parmi ses tissus et soieries de Shanghai, pour Robbie j'aurai un col mandarin, ce soir, merci d'avoir trouvé pour moi dans tes catalogues, maman, ces soies de Chine, ce sera très sexy sur Robbie, est-ce qu'elles ne sont pas seyantes sur moi aussi, demandait la mère de Yinn, je préfère le coton imprimé de tes robes, maman, répondait Yinn en toute sincérité, maman, c'est ce que je préfère pour toi, disait Yinn, puis viendrait l'heure des séances d'essayage, des garçons défilant dans l'atelier de Yinn, la mère de Yinn se retirerait dans sa chambre, car elle était aussi pudique que généreuse, pensait Yinn en la regardant gravir toutes les marches de l'escalier avec souplesse, s'éloignant en toute discrétion de ces scènes où les garçons se déshabilleraient, rempliraient de boules bleues leurs soutiens-gorges afin que Yinn puisse les mesurer de son galon de couturière, ce qu'il faisait avec une affectueuse distance comme lorsqu'il palpait cette chair douce des fesses de Robert le Martiniquais, pensait Petites Cendres, n'était-ce pas toujours dans cette distanciation de l'artiste par rapport à son modèle, ne cherchant ni à appâter ni à prendre, ne sollicitant de l'autre que son attention, l'exhortant à se tenir droit, pendant que de ses doigts habiles il parcourait les corps, dont il connaissait tous les attraits, les appétissants contours, Petites Cendres n'eût-il pas rêvé d'être l'un de ces corps mesurables entre les mains de Yinn, Cobra ou Robbie, ou le tendre Cœur Vaincu, pendant qu'il se débrouillait seul avec ses robes fétiches souvent trouées, c'est qu'il n'était ni Robbie, ni Cobra, ni Cœur Vaincu, devenu, depuis qu'il était amoureux, Cœur Triomphant, il ne chantait ni ne dansait sur la scène du cabaret de Yinn, il n'était que le voyeur amant dont on méconnaît l'amour, l'amant qui n'en était pas un, vivant sa passion à travers Robbie et tous les autres, bien que ce rôle ne lui parût pas si désobligeant, qu'il y trouvât une source de poésie quotidienne, si seulement il n'avait pas eu à subir le manque, le hideux état de manque, pensait-il, si seulement cela ne l'avait pas rongé plus encore que sa faim du corps de Yinn, voilà, mes amis, disait Yinn, vous êtes tous prêts pour ce soir, n'oubliez rien, Petites Cendres, à travers ces yeux noirs de Robbie, verrait Yinn cousant, mesurant, sous un mannequin suspendu dans l'air, un mannequin vêtu d'une robe de velours comme de soies de Chine, tel un ange aux bras levés, au-dessus de la tête de Yinn, et tant de superbes robes dans un vestiaire, toutes créations de Yinn, l'atelier de Yinn étant aussi peuplé de dissemblables objets que l'était de contrastes son esprit, pensait Petites Cendres, car parmi des roses rouges en papier, des roses de Chine, les estampes japonaises sur les murs, on voyait aussi la sculpture en bois d'une girafe sous un palmier en caoutchouc, près de la fenêtre, des plantes dans des pots, et ces quatre machines à coudre de Yinn, sous le mannequin revêtu d'une multiplicité de cultures, autant que de couches d'étoffes et de soies, dans l'une des lithographies des estampes japonaises, deux hommes, deux pèlerins marchaient seuls, dans le désert, n'était-ce pas, pensait Petites Cendres, la marche esseulée de Yinn, au milieu d'eux tous, sa distance par rapport à un monde qui fût occulte, qui fût aussi cette longue marche dans le désert de deux pèlerins assoiffés, ayant supprimé en eux-mêmes tous les désirs, afin que n'existe plus la soif, mais que le détachement de leur prière au vide, dans le vide d'un désert de sable et de pierre, ou n'était-ce pas ce tableau que, pendant sa longue marche dans le désert du manque, Petites Cendres dut apprendre auprès de Yinn un tel détachement, un détachement sans espoir, lequel malgré tant d'aridité lui serait profitable, salutaire, comme si Yinn avait repoussé pour Petites Cendres chaque jour un peu plus loin ces frontières où s'arrêtait la vie. Et Mère entendit une musique dans le jardin, c'était un quatuor à cordes qu'elle ne reconnut pas, en se penchant à la fenêtre, Mère comprit que Mélanie avait invité pour elle ce quatuor dont les musiciens, étudiants en musique, étaient des amis de Mai, cela lui semblait si apaisant, exaltant aussi, de les écouter dans la nuit, mais dommage qu'elle fût si inapte à reconnaître l'auteur d'une musique aussi tranquillisante pour ses nerfs, avec le chant des violons et violoncelles, et étions-nous en été sous le tapis rouge des fleurs du frangipanier, ou dans le pavillon un peu froid en février, les parfums, les odeurs étaient ceux de l'été, mais qui donc avait composé cette musique, ou étions-nous, en quelque indistincte saison, car soudain les musiciens s'enfuyaient sous une tempête de grêle et Mère se demandait où pouvaient bien être Augustino et Samuel sous une telle secousse de grésil, oui, où étaient-ils, autrefois elle les eût recouvert de son manteau imperméable, comme le faisait, aujourd'hui, dans la tempête, Mai avec ses chatons, maintenant ils semblaient pouvoir se défendre seuls, et Mère ne les voyait plus, maman, ce n'était qu'un mauvais rêve, disait Mélanie en prenant les mains de sa mère, maman, disait Mélanie, le médecin viendra te voir demain, aimerais-tu venir à la maison pour dîner, Daniel et Mai sont de retour, toute cette brume sur l'autoroute les a beaucoup retardés, Mai devait sortir, Mai sort toujours le soir, elle a promis de rentrer avant minuit, disparus dans la brume, dit Mère, tous disparus dans la brume, sous le givre des arbres, et la mère et la fille se parlaient tendrement, Mère répétant toutefois à Mélanie qu'elle pouvait bien être seule encore quelques heures, et où était Mai, à une fête, maman, dit Mélanie, on ne peut garder à la maison une fille de quinze ans, maman, et Mère dit, j'ai entendu ce quatuor dans le jardin, oui, c'était pour toi, dit Mélanie, j'ai pensé que tu aimerais l'entendre, dit Mélanie, et les mains de Mélanie entre les siennes, Mère s'endormit, car montait encore du jardin la musique du quatuor, le chant des violons, des violoncelles, qui l'exaltait tout en l'apaisant, bien qu'elle se sentît si inapte, sans souvenir précis du compositeur d'une telle musique, car derrière il y avait toujours ces sons de l'orchestre de blues dans la rue, quand on fermait les volets, en signe de deuil, l'appel d'une trompette, qu'était-ce, cela aussi, qui lui rappelait Justin et la réconfortait, Justin sous son chapeau dans son costume blanc, parmi les musiciens noirs. Puis soudain Petites Cendres les vit dans les premières clartés rouges, sous le lampadaire, Yinn étreignant de colère Herman par ses franges tombantes, son costume de la seconde partie de la nuit, tu vas m'écouter, toi, disait Yinn, je ne parvenais pas à dormir en pensant à toi, assez de tes jeux et de tes comédies, Herman, ta chute dans les décors était fausse, un danseur comme toi possède trop de virtuosité pour choir ainsi, j'ai su que tout était mensonge, tu voulais me cacher la vérité, n'est-ce pas, Herman, ce que tu as à la jambe, cette fleur noire qui s'enfonce jusqu'à l'os, c'est une tumeur grave, et tu en seras opéré dès cette semaine, tout est arrangé par Jamie, le propriétaire des lieux où nous travaillons, et moi, ton directeur artistique, car n'ai-je pas la responsabilité de chacun de vous, et de toi l'imprudent plus que d'un autre, pourquoi m'avoir menti si longtemps, Herman, quand tu savais indubitablement que je finirais par tout savoir, après tout, je peux te voir nu de ma loge quand tu changes de costume, la nuit, je t'observe depuis longtemps, Herman, et tu ne m'échapperas pas cette fois, entends-tu ce que je te dis, toujours sous la poigne de Yinn, Herman s'écriait, s'agitant avec révolte, laisse-moi, Yinn, laisse-moi, je peux continuer à danser ainsi chaque soir, que se répande, partout la fleur noire et son jus mortel, partout dans ce corps vivant que tu vois, vivant et furieux, la fin viendra plus vite, c'est tout ce que je veux, pouvoir danser, chanter, tu n'as pas pensé que cela pourrait être incurable, et d'une manière ou d'une autre, je dois chanter et danser, tu m'entends, j'ai longuement parlé avec ton chirurgien, un mois de repos après l'opération et tu seras de nouveau avec nous, Herman, dit Yinn, desserrant un peu son emprise, on m'a dit que tu pourras danser, oui, dans peu de temps, mais d'abord il faut nous écouter, Jamie et moi, Petites Cendres pensait en regardant cette scène presque virulente entre les deux amis, Herman n'allait-il pas encore s'emballer, quand le retenait encore par ses franges la main de Yinn, écoute ce que j'ai à te dire, répétait Yinn, ses yeux prenant une couleur bleu foncé, cesse de nous mentir à tous, j'en ai assez, qui peut condamner un homme parce qu'il souffre, crois-tu que ce soit moi, disait Yinn, emporté par la déception qu'Herman lui eût menti, oui, à voir ces deux êtres aussi passionnelle-ment différents l'un de l'autre, s'affrontant, pensait Petites Cendres, sa solitude n'en était-elle pas agrandie, qui, en ce monde, l'eût défendu avec une telle passion, lui, Petites Cendres, qui l'eût consolé d'arborer en lui, sans un mot, plus qu'une cancéreuse fleur noire sur une jambe, une complète végétation infectieuse dans un corps dont l'apparence, avec les boutons, les sinuosités dans la peau, commençait à manifester au dehors ce qui se passait en dedans, bien que Petites Cendres jouât encore de ses mains et ongles magnifiques, de même que de ses abondants cheveux, tant était inébranlable en lui la volonté de séduire, le désir d'être aimé de Yinn, ne serait-ce que par une fugace caresse dans ses cheveux, ou quelque rapide baiser sans appartenance, ainsi pensait Petites Cendres, sous cette pression de sauver Herman, Yinn avait quitté son lit, Jason, ou la finition du poster devant l'ordinateur, le soupirant très vieux chien, et il était là, dans la rue, dans son bermuda aux quatre poches, lequel était ravalé assez bas sur son slip rouge tant il s'était vite levé, les cordons du short pas même noués, la fermeture éclair béante, pendant que lui résistait Herman, aussi indomptable, rétif que la pouliche Neuvième Beauté sur la piste sous la bride de son jockey, pensait Petites Cendres, jusqu'à ce qu'Herman finisse par dire, puisqu'il le faut, je vous écouterai, toi et Jamie, et maintenant ne penses-tu pas qu'il faudrait sortir notre cheval dans la rue, sur le trottoir, ne penses-tu pas qu'avec Fatalité ce fut assez de processions sur le quai, d'orchidées jetées à la mer, assez, ne penses-tu pas que ce fut assez, je sais comment tu vêtiras les autres pour l'arrivée des motards, en de rigoureux costumes Versace trompeurs car tu y laisseras une ronde ouverture dans le dos pour la nudité des fesses, je sais bien que tes pensées vont vers Versace autant que vers Confucius, tu es ainsi fait, Yinn, mais fabrique pour moi une cape, une très longue cape, en dentelle, invente, tu sais bien ce que je veux, et j'irai sur mon tricycle d'un bout à l'autre de la ville, entre les motards et leurs motos rangés de chaque côté de la rue, eux seuls et nous, toute circulation sera interrompue, et tes bottes, je veux tes bottes et les lacets de cuir rouge enlacés aux genoux, ce sera ma dernière sortie avant le chirurgien, encore des imprudences, dit Yinn, tu ne peux donc rien faire comme un autre, j'ai déjà toute ma collection, vous serez tous beaux à ravir dans vos pantalons noirs, pour toi j'avais pensé à un chapeau noir en feutre avec une plume noire aussi, ce sera bien, ce sera bien, dit Herman, mais je veux aussi la cape, et qu'elle traîne dans la rue derrière moi, en quoi une cape peut-elle te valoriser, Herman, dit Yinn, n'es-tu pas fier de ce que tu es, même sans une cape outrée, pour la rencontre avec les motards, je pensais à la sobriété des habits noirs, car le noir toujours impressionne, saisit, dit Yinn, et pendant qu'il parlait ainsi, Yinn les voyait tous, à leur cortège, Geisha, Cobra, Robbie, Cœur Vaincu, descendant la rue entre les rangs des motards appuyés à leurs noires motos, jusqu'à la mer, amicaux, dans leurs habits en imitation de cuir, gracieux, lui-même serait au milieu d'eux dans sa robe rouge, sa noire chevelure sur les épaules, ils seraient tous photographiés, applaudis tel un défilé de mode, quand il entendit la voix d'Herman le forçant à la réalité, Pasolini n'a pas eu besoin d'une cape pour connaître sa fin, disait Herman, quant à Versace, mais Herman semblait parler pour lui-même, c'est pour eux tous, tous les Pasolini, tous les Versace, que je provoque le degré d'intolérance de ces motards, c'est afin qu'on se souvienne que je traverserai la ville sur mon tricycle, sous ma décadente cape dentelée, disait Herman, et tout ne serait-il pas comme le prévoyait Yinn, la langoureuse lenteur des filles sur leurs hauts talons dans la rue, dans leurs habits noirs, la beauté du cortège, les photographies, les applaudissements démesurés, étourdissants, tout aurait été parfaitement maîtrisé, sous la baguette de Yinn, s'il n'y avait eu soudain la course piaffante d'Herman sur son tricycle multicolore, et le cri d'Herman qu'on entendit, quelqu'un a lancé un couteau dans mon manteau, qui donc, qui donc, qu'il approche, celui-là, c'était le lancer d'un mince canif dans les dentelles de la cape, tel le couteau d'un enfant scout, la foule se tut, sous son manteau déchiré, Herman était intact, criant toujours, qu'il approche, celui-là, je peux lui faire face, pas même une égratignure, ce n'est pas ainsi que l'on m'aura, dit Herman, debout avec une insolente fierté sur la marche arrière de son tricycle, que vous avais-je dit, Jason, Yinn, des gens bien, cela n'existe pas, on les provoque d'un peu de fantaisie et ils veulent vous tuer, que vous avais-je dit, Yinn, Jason, pourquoi ne me croyez-vous pas, rien ne peut racheter ce monde dans lequel nous vivons, rien, ne vous l'avais-je pas dit, en peu de temps, Yinn et Jason feraient cesser les débordements de colère d'Herman, sur son tricycle, Yinn se désolerait qu'Herman, toujours, attire sur elle la foudre par ses effronteries, son impudente rébellion, tout en admirant qu'Herman soit ainsi, incorruptible, Yinn s'inquiéterait davantage de voir Herman se lever quelques jours après sa chirurgie, Herman apparaissant tout pâle au bar, disant, je voulais seulement te saluer, mon ami, et Yinn s'écriant, mais te voilà debout quand on vient à peine d'extirper de ta jambe une tumeur grosse comme une balle de tennis, retourne à ton lit de convalescence, Herman, ou j'irai t'y reconduire moi-même, Yinn alertant tous ses amis, de son cellulaire rouge, Herman est dans la rue, Herman est au bar, arrêtez-le, disait-il, n'eût-on pas cru que le lancer du canif dans la cape d'Herman pendant le défilé des filles dans la rue eût davantage transpercé son cœur que la lésion à sa jambe, c'était comme si ce canif, celui d'un enfant, peut-être, m'avait ouvert les veines, disait Herman à Yinn, de ce coup, il semblait encore tout chancelant quand de son mal, disait-il, il était guéri, je n'y peux rien, Yinn, toi et Jamie, vous tenez à tout prix à ce que je vive, eh bien, me voici, quand vais-je danser, ce soir, demain, dis-moi, Yinn, je ne puis attendre longtemps, ni ce soir ni demain, disait Yinn, retourne à ton lit et que je ne te revoie plus pendant quelques semaines, toujours aussi défiant, hein, je te répète que je ne veux plus te voir jusqu'à la fin de ta convalescence, si tu ne m'écoutes pas, moi, tu dois écouter ton chirurgien, craignant les reproches de Yinn, Herman avait hésité à entrer dans le bar, dans une défiance contrainte, il regardait Yinn qui expliquait à un musicien sa confection d'un caleçon noir que porterait le garçon, dans une prochaine représentation au cabaret, voilà, c'est une étoffe à la fois élastique et électrisante, tu t'y sentiras bien, disait Yinn, étirant le caleçon entre ses doigts experts, voyant Yinn toujours aussi occupé à ses diverses tâches, Herman n'avait pas avoué sa peur que le musicien ne vienne le remplacer, sur la scène, ce soir ou demain, pour qui ce caleçon sinon pour le danseur-musicien qui le remplacerait, ce soir ou demain, avait-il pensé, songeant aussi qu'il lui faudrait faire réparer sa cape par Yinn, sa cape qu'une âme malfaisante avait percée, en même temps que son cœur. Et boulevard de l'Atlantique, la brume était encore dense, pensait Mai qui patinait le long de la mer, vers la maison de Tammy, du moins c'est ce que Mai avait dit à ses parents, qu'elle irait ce soir chez Tammy, elle patinerait longtemps ainsi, dans la brume, sa lampe de poche à la main, ses jambes fermes se mouvant en cadence, l'une devant l'autre dans un mouvement régulier, mélodieux, comme si une musique eût orienté la danse de son corps sur ses patins roulants, un ruban ceignait son front, ramenant ses courts cheveux vers l'arrière, il lui fallait patiner longtemps, pensait-elle, pour oublier son père, cette journée près de lui, dans la voiture, où elle n'avait trop su ce qu'il attendait d'elle, qu'elle se confie à lui, lui parle, peut-être, ou étaient-ce ses mots à lui qu'elle aurait dû attendre, écouter, ces mots qu'il ne dirait pas, le récit du voyage de Suzanne en Suisse, ce voyage qui se terminait par un suicide assisté, cela, non, il ne le dirait pas, il n'offenserait pas sa fille par d'impitoyables paroles, par une déclaration aussi définitive et sans nuances, qu'avait-il dit, que pour Suzanne, comme elle l'avait dit elle-même avant son départ, très sereinement à tous, c'était là la meilleure solution, ce voyage, n'avions-nous pas tous droit à notre dignité, à notre silence, avait-elle dit, ou bien le père de Mai avait pris la décision d'une école privée pour Mai, ce qu'elle refuserait, marchaient-ils dans un parc, elle et lui tendant les bras vers un troupeau de biches et de faons qu'une soudaine brume semblait couvrir de son humidité, étouffer les paroles du père, comme la respiration de la fille, et tu sors ce soir sans avoir embrassé ta grand-mère, avait dit Mélanie, non, au retour, maman, je l'embrasserai au retour, maman, car à cette heure ma grand-mère dort déjà et je ne ferais que la déranger dans son sommeil, maman, je suis déjà en retard chez Tammy, Tammy, c'était le nouveau mensonge, chaque jour, un nouveau mensonge qui était différent de celui de la veille, Daniel, Mélanie fréquentaient les parents de Tammy qui étaient écrivains, mais les uns et les autres se voyaient peu, il suffisait de rentrer un peu avant minuit, et puis se préoccupaient-ils vraiment de ce que Mai fût chez Tammy ou ailleurs, Mai ne savait-elle pas bien se conduire, quoi qu'elle fasse, ne le savait-elle pas, et comment était-il là soudain, sur une plage clôturée, parmi ce groupe de filles et de garçons dansant pieds nus, tous à leur banquet, autour de Manuel, Manuel qui n'était pas un garçon mais un homme propriétaire, avec son père, d'appartements de luxe dont les patios et terrasses surplombaient l'océan, tous à leur consommation d'alcool dans des verres en carton, de drogues que nul ne devait voir, ainsi Manuel avait-il écrit qu'il était interdit de venir sur cette plage, mais lorsqu'il fut là, lui, le garçon dans ses vêtements kaki si peu séduisant, avec ses cheveux rasés jusqu'à la rougeur presque enfantine des tempes, dans ses vulgaires bottes couleur de boue, oui, lorsqu'il fut là, Manuel demanda à son père, est-ce que je le laisse venir sur notre plage, et le père de Manuel dit, il faut s'incliner devant quelqu'un qui revient de l'enfer, viens, mon garçon, partage notre repas, notre partie, alors c'est bien vrai, tu étais là-bas quatorze mois, comment, oui, était-il là soudain près de nous, dans son maillot kaki, ses bottes vulgaires grattant le sable, quatorze mois, dit-il, quatorze mois, le poisson que j'ai pêché hier de mon bateau avec Manuel fume sur le gril, viens manger, dit le père de Manuel, et soudain ce garçon si peu séduisant et que je voyais de près jusqu'à la rougeur de ses tempes où les cheveux avaient été rasés, car il était de ma taille, même en déchaussant mes patins, il était de ma taille, pensait Mai, eut une sorte d'attaque de démence, j'étais là-bas, oui, quatorze mois, oui, quatorze mois, j'arrive, me voici, j'arrive, disait-il, avez-vous des mets épicés et du chili, je veux du chili, il alla vers la table du banquet où, tout en se servant, il s'empiffrait de pain et de poisson et plus encore de cette sauce chili qu'il fit couler sur son visage, son menton, son maillot kaki, en disant, encore, je veux encore plus de feu, sur mes lèvres, dans mon cou, car le feu, je m'y connais, près de moi, Manuel regardait le garçon avec un peu de répugnance, soyez tolérants, dit le père de Manuel, songez à tout ce qu'il a vécu là-bas, j'étais en Mésopotamie sur les rives d'un fleuve, dit le garçon, et demain on m'enverra ailleurs, c'est bien car les conflits, les combats se succédant, j'aurai toujours du travail, tant qu'il y en aura de ces enfers, je plongerai dans leurs flammes, on m'emploiera, pas vous, jeunes richards, ce n'est pas votre lot, c'est le mien, maintenant donnez-moi à boire, j'ai soif, j'ai soif, tant que j'en crèverais, la sauce chili avait noirci de teintes rouges son visage comme s'il eût porté un masque, ce sont toutes de belles villes, et nous les défonçons l'une après l'autre, dit le garçon, bang bang et soudain vous ne voyez plus que des ruines et les animaux des zoos nous observent, désemparés, se demandant par quelle méthode nous allons les anéantir ou les laisser libres de mourir seuls dans les rues ensanglantées, oui, j'étais là-bas, quatorze mois, là où vous n'irez jamais, car ce n'est pas votre lot, c'est le mien, les officiers m'ont dit que j'avais besoin de repos, oui, de repos, et vous voyez, j'arrive, je suis ici, la gorge ulcérée par le chili, me voici, maintenant donnez-moi à boire, une bière bien glacée, deux, trois bières bien glacées, car j'ai si soif, si vous saviez combien j'en rêvais de ces bières, à m'y noyer quand on vit sur un lit de braises, quand dans la peur, dit-il, puis il se taisait, buvait avec férocité, s'empiffrait encore, et le père de Manuel répétait, soyez tolérants, vous qui avez tout, les enfants, soyez tolérants car vous ne pouvez même pas imaginer ce qu'il a vécu là-bas, vous ne le saurez jamais, et eux, ces jeunes, continuaient de rire et de danser sur la plage, et Tammy était parmi eux et je ne sais ce que ses parents, les écrivains, auraient pensé de leur fille, à la voir s'enivrer ainsi, fumer son cannabis, oui, qu'auraient-ils pensé, moi je ne faisais que regarder le garçon, si peu séduisant, si peu aimable, mais mes yeux ne le quittaient pas, car peut-être lorsqu'il repartirait ce soir-là, à la fin de la partie, soûl et si seul, vers les rues qu'il ne reconnaîtrait pas, car il était ici de passage, on ne savait trop comment il avait atterri dans l'île, il disait, pour voir un copain, un vétéran, mais semblait ne l'avoir jamais revu, ou ce camarade était-il mort, oui, lorsqu'il s'en irait, je savais qu'il serait vite oublié, que tous ceux qui dansaient sur la plage n'éprouveraient nulle envie de penser à ce visage, sous la sauce chili, non, qu'ils voudraient tous vite l'oublier, et lui, l'homme ou le garçon des quatorze mois d'enfer, hallucinait-il, délirait-il lorsqu'il disait à Mai, un cloaque, tu sais ce qu'est un cloaque, un bourbier où l'on use sa jeunesse, partout des embuscades, des femmes cloîtrées dont je sentais de loin la haine, ou n'était-ce qu'une méfiance enfiévrée par les attentats, les enlèvements, la torture, partout derrière des portes des femmes dont on aurait pu penser sous le voile qu'elles étaient toutes aveugles, tout en me transperçant du regard, nous marchons les uns et les autres dans les égouts où pourrissent les cadavres, un cloaque, ah, tu ne peux savoir ce que c'est, fille de riches, de mon camp militaire, je voyais tout, de mon camp qui portait le nom d'une ville, sous ces hauts murs ne protégeant personne d'où l'on ne peut voir l'horizon, sous les hauts murs du triangle de la Mort, j'ai eu dix-huit ans, sortant pour mes opérations, caparaçonné, casqué sous le fracas des hélicoptères, un cloaque je te dis, ah, une bière glacée, je veux une bière glacée, je suis en retour de patrouille, je peux voir à ma montre blindée que

175

l'heure se brouille, eux me disent, avance, avance, qu'attends-tu, gamin, je crois entendre de la musique country, cela provient-il de la base ou du ciel, nous allions par une route, sous les bombes, qui avait été baptisée Temple, c'est là que j'ai entendu cette musique, avance, marche, gamin, auriez-vous des t-bones que je puisse engloutir vite, comme pendant les repas sous la tente, une bière glacée, vite, disait le garçon si peu aimable, si peu séduisant, pensait Mai, mais quel miracle qu'il ne fût pas dans un cercueil sous une bannière, mais ici, debout devant elle, ayant faim, ayant si soif, quand nul ne semblait le voir, l'écouter, comme s'il était encore dans un cortège parmi les morts, ou comme si ce cortège était déjà prévu, annoncé, pensait Mai, dans un total anonymat et oubli de tous, les parents de Mai auraient-ils compris qu'elle soit émue par cet enfant guerrier, eux qui dénonçaient tout acte de violence, qu'elle entende à travers les hoquets du garçon l'incohérence de ses paroles, le cri d'une détresse démesurée, incohérente aussi et sans forme, celle d'un garçon ordinaire dont on avait fait un barbare, dont le visage semblait à Mai soudain barbouillé non plus de sauce chili, mais de sang, si peu aimable, si peu séduisant, il attrapait ses plats dégoulinants qu'il léchait, engloutissait, disait-il, comme on le faisait là-bas, si vite entre deux missions, si vite qu'on avait envie de vomir sur son fusil, et pendant que le garçon commandait encore des bières glacées au père de Manuel, Mai se souvint qu'elle n'avait pas embrassé sa grand-mère comme le lui avait reproché Mélanie, quelle inconvenance, oui, qu'elle n'eût pas embrassé sa grand-mère ce soir-là, oui, mais ne l'aurait-elle pas éveillée pendant sa sieste, chacun des sommeils légers de sa grand-mère se prolongeant un peu plus chaque jour, ainsi ne l'aurait-elle pas éveillée, les parents de Tammy, qui dînaient dehors tous les soirs, en rentrant demanderaient aux parents de Mai, où est Tammy, n'est-elle pas avec Mai, et les parents de Mai ne diraient-ils pas, Mai, où est Mai, n'est-elle pas avec Tammy, mais le plus inconvenant, ne serait-ce pas pour Mai de n'avoir pas pris le temps d'embrasser sa grand-mère, et plus encore d'éprouver quelque sentiment de tendresse ou de bonté envers un garçon si peu séduisant, si peu aimable, dont le métier serait toujours celui des armes, dont les crimes, les meurtres seraient désormais impunis, quelque part dans l'infantile conscience peu formée ou sans forme du jeune homme, pensait Mai, les parents de Mai auraient-ils pu concevoir qu'une vie soit mise au service du meurtre, cette vie du garçon qui avait eu dix-huit ans dans le triangle de la Mort, disait-il orgueilleusement, bien que personne ne l'écoute, les jeunes gens ne pensant qu'à danser, à s'amuser sur la plage, dans les secousses d'une ravageuse musique, de la sono nous entendions de la musique country, disait le garçon à Mai, et tes frères, toi, où sont-ils, demandait le garçon à Mai, et Mai pensa à Vincent dans son université propre, sur son campus verdoyant, Vincent qui étudiait la médecine, Vincent dont la vie studieuse tenait à un souffle irrégulier, d'irréguliers battements de cœur, Vincent dont on avait dit dès son enfance qu'il était condamné à une vie brève, son métier eût-il été comme pour le garçon au visage souillé de sauce chili, celui des armes, qu'il n'eût sans doute pas survécu, pensait Mai, n'était-ce pas inexplicable que l'un fût ménagé, sauvé par sa classe sociale quand l'autre ne le serait pas, qui sait, quelque obscur salut l'attendait-il, lorsque couché demain sur un tas de camarades tués, les bras en croix, sous le ciel torride d'un désert, il s'écrierait, je veux vivre, je veux vivre, que le bus climatisé me ramène vivant et non avec eux sous la bannière, ô ciel, aie pitié, ai-je encore mes jambes, mes bras, afin de fuir, et palpant sa chair intacte, il s'écrierait, ô ciel, je suis là, encore là, ainsi pensait Mai en regardant le garçon, lui aussi serait ménagé, sauvé, comme son frère Vincent, bien que jamais elle ne priât, elle en faisait pour lui la prière, que le garçon au visage souillé de sauce chili fût ménagé lui aussi, voilà les t-bones, mon garçon, mange, disait le père de Manuel, il tapait sur l'épaule du garçon, c'est pour vous, jeunes soldats, que j'ouvre partout mes discothèques Abri, disait le père de Manuel, dans les villes bombardées, détruites, j'ouvre partout des boîtes de nuit, afin de vous distraire, jeunes gens, afin que vous connaissiez l'oubli, si peu de temps, que vous dansiez, à vous tous les plaisirs de mes commerces illégaux, oui, à vous, il y avait cette musique country, dit le garçon, oui, je me souviens, ma plus récente discothèque, c'était à Beyrouth, disait le père de Manuel, et vivement le D.J. et le rock, il faut savoir se divertir en tout temps, à vous toutes les gloires, disait le père de Manuel, et le commerce de la guerre paie bien et partout, disait le père de Manuel, nous le savons tous, ne voulons pas l'admettre, mais le savons, partout des discothèques, des boîtes de nuit, au Liban, afin de vous faire oublier votre sort, voilà ce que je pense, disait le père de Manuel, tapant sur l'épaule du garçon, et soudain s'emparant d'un mouchoir, dans la poche de son jeans, épongeant le visage souillé de sauce chili du garçon, allons, viens danser et t'amuser avec nous, disait le père de Manuel, car en peu de temps on te rappellera là-bas pour un second quatorze mois d'enfer, hein, tu ferais mieux de danser, oui, viens donc te joindre à nous, il y avait cette musique country, dit le garçon, je croyais que cela venait de la base, comment retrouve-t-on l'aéroport d'ici, a-t-il été bombardé, car je dois repartir, oui, repartir, disait le garçon au père de Manuel, les discothèques, les boîtes de nuit, au Liban, un commerce éhonté que vous faites avec nos bras, nos jambes coupés, nos larmes, dit le garçon, c'est qu'il ne se sent pas bien, qu'il délire, dit le père de Manuel, venez, aidez-moi à le porter, afin qu'il puisse s'asseoir, qu'il puisse être plus paisible dans une chaise longue près de la mer, allez, viens, mon garçon, oui, il fallait que le garçon soit ménagé, sauvé, pensait Mai, marchant pieds nus sur la plage, ses patins à la main, il fallait que le garçon soit sauvé, oui, qu'il évite de s'endormir d'épuisement lorsqu'il serait couché demain les bras en croix sur ce tas de camarades tués, et qu'il puisse s'écrier en regardant le ciel torride, dans le désert, ô ciel, je vis, moi dont le visage est barbouillé, souillé de sang, puis-je le croire, je vis. Et Yinn, en voyant venir vers lui dans la rue Herman dans un fauteuil roulant, éprouverait un serrement au cœur, quelle saloperie, ce ne sera que pour quelques jours, dit Herman sur un ton furieux, enfin tu te soumets aux recommandations de ton médecin, dit Yinn, enfin tu agis de façon plus sensée, dit Yinn en posant sa main dans la chevelure hérissée d'Herman, qui secouerait vite la tête en criant, je ne veux pas de tes élans de pitié, Yinn, je ne suis pas un paralysé dans son fauteuil misérable, non, je laisse simplement ma jambe opérée au repos, c'est afin de mieux danser dans quelques jours, il sera bientôt temps que je reprenne mon tricycle dans la rue, et ma cape, as-tu pu recoudre ma cape, Yinn, pourquoi n'es-tu pas à ton atelier de couture plutôt qu'ici dans la rue près de moi, je t'attendais pour t'offrir un verre au bar, dit Yinn, je ne veux pas que tu sois seul, c'est une saloperie que tu aies à me promener dans cette poussette jusqu'au bar, s'indignait Herman dont le visage avait été maquillé avec soin, comme s'il était prêt à monter sur la scène le soir même, mais surtout, sous ce visage maquillé pourpre aux paupières vertes, Herman avait espéré se garder de la visibilité d'autrui, pendant qu'il manierait dans des gestes enragés les roues du fauteuil, de la maison à la rue, de la rue au bar où l'attendait Yinn, dans sa robe du soir décolletée des représentations de la nuit, non, jusqu'à ce que tu puisses marcher normalement, répéta Yinn, je ne veux pas te laisser seul, Herman, tu es trop imprudent, comment peux-tu te rétablir en étant toujours aussi imprudent, disait Yinn en faisant pénétrer dans le bar Herman, dans son fauteuil roulant, nous ne voulons tous que ton bien, Petites Cendres avait entendu la voix chargée d'une virile émotion contenue de Yinn, pendant qu'il parlait à Herman, lisant aussi dans ses yeux quelque neuf souci, ou inquiétude, pour Herman, qu'advenait-il de nos amis, semblait-il penser, la disparition de Fatalité le frappant d'une nouvelle peine, d'un chagrin sombre dont il eût voulu pleurer, quand il devait se retenir de le faire, sa très haute perruque noire comme la noblesse de sa tenue pour la nuit l'obligeant à quelque dédaigneuse hauteur qu'il ne ressentait pas, mais on chantait et dansait cette nuit, aucune interruption n'était permise, ne serait-ce que pour prendre du fauteuil roulant Herman dans ses bras, le distraire un instant de ce qui l'accablait tant, afin que sous les couleurs fermées de son maquillage on voie naître quelque blême sourire, on se bousculait déjà dans les escaliers qui menaient au cabaret, sous les ampoules scintillantes de la flèche où il était écrit que Yinn serait là cette nuit, chanterait, danserait pour un public déjà trop gourmand de lui, d'elle, pensait-il, oui, Petites Cendres ne lisait-il pas cette protestation, ce besoin de retrait dans les yeux de

Yinn, sous les noirs cils enroulés, sur la délicatesse de ses traits qui se froissaient, qu'advenait-il de nos amis, Fatalité, Herman soudain dans un fauteuil roulant, même si on savait que ce n'était que pour quelques jours, qu'advenait-il donc pour que soit chacun soit à la merci de quelque insoupçonnable désastre, que chacun soit soumis incessamment au déchirement de ses jours et de sa chair, pensait Yinn en regardant Herman, soudain ramassé dans un fauteuil roulant, lui qui était grand et fort, et dont la vitalité hier était d'une étourdissante émulation, qu'advenait-il quand l'amitié la plus vigilante ne pouvait plus prévenir l'arrivée inattendue des pertes ou des malheurs, mais ranimé par un verre de vodka qu'il avait bu d'un seul trait, Herman se levait du fauteuil roulant sur ses jambes branlantes, mes amis, disait-il, buvons aux diverses traîtrises de la vie, et surtout n'ayons pas peur du risque d'être heureux, enfin, Yinn voyait apparaître sur les lèvres d'Herman le sourire blême et un peu fatigué du convalescent que serait encore Herman pendant quelques jours, bien qu'Herman lui parût trop énergique et ne se refrénant pas, dans une aussi précaire condition, si tu veux bien te rasseoir, dit Yinn, cherchant du regard mon Capitaine qu'il ne voyait pas dans la salle enfumée du bar, où est le capitaine Thomas, car ces mots, mon Capitaine, n'étaient que pour lui-même lorsqu'il se retrouvait seul avec Thomas, il a passé la journée en mer à transporter des touristes dans son bateau, dit Robbie, s'il s'attarde, c'est qu'il adore la plongée de nuit, seul, après le départ des touristes, seul pour la plongée de nuit, dit Yinn, appelant aussitôt mon Capitaine de son cellulaire rouge, on ne va pas dans les profondeurs de la mer seul la nuit, dit Yinn, veut-il y rester, est-il aussi fou qu'Herman, vous n'êtes donc tous que des enfants, oui, dit Robbie en riant, nous sommes les tiens, nous sommes ta famille bigarrée, farfelue, tu ne peux rien y changer, Yinn posait son cellulaire sur le comptoir du bar, rien, dit-il, que le bruit de l'eau, sait-il, Thomas, même s'il a sa licence de capitaine, que les courants sont puissants en hiver, non, car c'est le printemps et nous allons sortir le cheval en papier mâché dans la rue, dit Herman, assez de ces processions sur les quais, de ces orchidées que nous avons semées dans les vagues, ces roses, assez, assez, dit Herman, cesse d'être aussi soucieux, Yinn, hé, Mère Samouraï, chacun sa vie, son destin, tu sais bien que Thomas est un maître sous l'eau, qu'on ne peut plus rien lui apprendre, non, rien, dit Robbie, il apprivoise même les requins, on ne peut rien apprendre de plus au capitaine Thomas, tu le sais bien, Yinn, disait Robbie qui dansait dans le bar avec la jolie naine qui ressemblait tant à une petite fille enjouée, elle serait au cabaret comme tous les soirs, applaudissant Robbie, et aux entractes, se laissant cajoler par lui, de cet amour abstrait de Robbie fait d'humanité, elle aurait l'impression d'être plus grande que tous les autres, si aimée de cet amour chaste qu'elle en irradierait, ce serait pendant ce temps trop long où Yinn attendrait, avant les bousculades vers l'escalier, l'entrée de mon Capitaine dans la salle enfumée du bar, sa blanche casquette de capitaine inclinée sur le front, oui, soudain il serait là, torse nu, un fin ruban couleur or fendant la visière de la casquette, la flamboyance de mon Capitaine étant là pour être admirée, contemplée comme au temps, il n'y avait de cela que quelques années, où il avait été un séduisant modèle international que l'on voyait partout dans les magazines, voyageant alors beaucoup, s'instruisant d'une variété de cultures, Yinn aimait que mon Capitaine conserve de ces jours de popularité une vocation pour l'élégance, qu'il reçoive sur son lit dans sa chambre extravagante, parmi ses livres et sa collection de tableaux, ses amis au champagne, qu'il converse avec eux comme s'il était un prince en robe de nuit, ce qui irritait Jason plaisait tant à Yinn, à ce qui subsistait encore en lui d'âme rêveuse et fantaisiste, quand parfois Jason lui semblait trop réel mêlé à un univers réaliste d'où l'on voyait peu de lumière, pensait Yinn, à part ce poudroiement des lumières, flashs de la nuit que dirigeait Jason vers la scène de sa cabine, chaque nuit, vers une scène où la répétition des gestes corrodait l'enchantement, puis soudain Yinn était diverti par le Suivant, comment lui, Yinn, avait-il pu rafistoler cette robe d'un vert trop foncé sur le corps du Suivant, ou était-ce le maintien relâché du Suivant, ses épaules courbées en avant qui le rendaient si maladroit, tu as vraiment l'air d'une drôle de fille, disait Yinn en corrigeant les plis de la robe, il faut que tu te redresses davantage, et sois plus gracieux, je t'en prie, tu n'es pas un collégien puni, mais une vraie dame, c'est que je ne sais pas, répondait le Suivant, se mouvant sous la robe avec un corps gauche, vraiment, les dames, je ne sais pas trop comment elles sont, tu as bien une mère, une sœur, disait Yinn, il y a bien en chacune d'elles de la beauté qui puisse t'inspirer, ou es-tu complètement dépourvue d'inspiration, je ne le crois pas car tu es chinois, et c'est ce qui séduit en toi, ta différence, la forme de tes yeux, leur couleur, la couleur de ta peau aussi, c'est ta coiffure, je crois que cela ne te va pas bien, je trouverai autre chose, dans la peinture chinoise, oui, qui te conviendra davantage, disait Yinn, il faut s'inspirer de l'art, oui, je le ferai, disait Yinn en rapetassant son ouvrage, comme s'il était sur le point de piquer d'aiguilles le mannequin de son atelier de couture, voilà, c'est déjà mieux ainsi, pour le piercing à la langue et au lobe de l'oreille gauche, j'approuve, oui, disait-il en effleurant d'un doigt les oreilles du Suivant, bien que ses pensées fussent ailleurs, vers mon Capitaine dans ses profondeurs marines, quand ce serait bientôt la nuit, et aussi vers elle, la sœur de Fatalité, qu'il avait bercée debout sur le quai, ils avaient tous les deux les cheveux au vent, l'heure de l'implacable rupture était venue, on avait jeté à la mer les cendres de son frère, et soudain la sœur de Fatalité s'effondrant dans ses bras, Yinn l'avait bercée debout, dans le vent, un long instant quand dans la fraîcheur de l'air, son humidité rafraîchie et pleine d'échos, résonnaient encore les paroles du révérend Stone, mes chers amis, que notre ami retourne à son Créateur, hélas, sur cette terre, la vie ne nous est pas donnée mais prêtée, mes chers amis, ne l'oublions pas, en ce jour d'accablement où l'ami, comme on sépare le pain, est séparé de l'ami, où la sœur est séparée de son frère, Yinn se détachant de la sœur de Fatalité pour se pencher vers les vagues d'où pointaient les tiges des orchidées, l'éparpillement des pétales sur l'eau agitée, pendant qu'Herman s'écriait, assez de sadisme, mon révérend, assez, nous savons tous trop bien que la vie nous est prêtée, ne le dites pas cent fois, c'est du sadisme, mon révérend, combien de femmes Yinn avait-il ainsi bercées, enlacées, dans la désolation de perdre un fils, un frère, oui, il fallait que cela ait une fin, que cesse le carnage de ces jeunes existences, quand Herman s'écriait encore, vous, hommes de Dieu, vous n'avez donc toujours que des mots de malédiction à la bouche, le vent avait emporté les paroles d'Herman, comme celles du révérend Stone sous de gros nuages gris, parmi les mouettes, les pélicans, et les douces tourterelles posées sur les poutres en bois des terrasses, mais à quoi bon revoir ces heures d'adieu à Fatalité, pensait Yinn, quand mon Capitaine entrait dans la salle enfumée du bar, sa casquette sur le front, une cigarette aux lèvres, suivi de ses chiens caniche et boxer, Petite et Oscar, retenus par leurs laisses, portant contre le froid du soir une chemise à carreaux, sans manches, mais avec ailerons, quand ces manches courtes, pour Jason, semblaient avoir été découpées pour l'exhibition de ses tatouages sur ses bras ronds, remarquait Yinn, Jason, homme de la terre, quand mon Capitaine était celui de l'eau, des mers insondables, Petites Cendres voyait soudain les longs bras de Yinn s'ouvrant pour accueillir son ami, percevant quelque nouveau détail à cet accueil, Yinn entraînant de ses mains mon Capitaine à l'extérieur du bar, du pas valsant qu'il avait sur scène, allons, rappelle-moi ce séjour en Chine, comment était-ce, demandait Yinn à mon Capitaine, j'étais dans une résidence d'eau, oui, on aurait dit qu'il n'y avait là dans cette résidence de Beijing qu'un spa et partout de l'eau sous des plantes vertes, et un arbre au plafond, c'était un lieu de thérapie par le thé guérisseur, la maison d'un empereur, la dynastie Qing, et mon Capitaine racontait, racontait ce faste de sa vie passée, mais le modèle atteint-il trente ans qu'on ne veut plus de lui, et vite on oublie sa sculpturale physionomie, disait-il en riant, et à Shanghai, demandait Yinn, les yeux pétillants, à Shanghai, mais Yinn n'écoutait plus mon Capitaine, son récit d'une dégustation du canard de Chine rôti à la broche dans une sauce d'abricots et d'amandes, se souvenant des premières années de sa vie en Thaïlande, né à Bangkok quand son père y était stationné, Yinn pensait à ces années les moins pauvres de son enfance, presque fortunées, pensait-il, son père ayant eu cette idée inventive de vendre de la gomme à mâcher, oui, dit soudain Yinn à mon Capitaine, avec l'oisiveté mon père devenait très inventif, et soudain nous étions les mieux habillés du quartier, et nous mangions à notre faim, mon père serait-il de retour avec nous sur le sol américain qu'il en serait bien autrement, sa passion pour l'aventure et les femmes, sa passion, pensif, Yinn se taisait, oui, la dynastie Qing et ses descendants, murmurait Yinn, raconte, demandait-il à mon Capitaine, tant qu'un homme a ses chiens et son bateau, il ne peut rien espérer de plus, disait mon Capitaine, écartant Yinn de ses pensées d'exil, l'amour en plus, c'est presque trop, qu'en penses-tu, Yinn, toi qui n'as pas de bateau mais l'homme le plus fidèle en ce monde, ton cher Jason, l'ironie de mon Capitaine ne distrayait pas Yinn, isolé sur le lointain continent de ses souvenirs, je me souviens du ciel bas sur les rizières et les canaux, disait Yinn, et de notre frêle habitation, on s'y rendait par une passerelle, mon père avait construit pour moi une estrade, on eût dit un théâtre minuscule, où je pouvais danser, chanter, mon père attirant à nous tous les enfants villageois, avec ses offrandes de gomme à mâcher aromatisée de menthe, vous verrez, mon fils Yinn sera un acteur, disait-il, car ce qu'il souhaitait le plus pour ses fils, c'était qu'ils ne soient pas destinés comme lui à une carrière militaire, que nous soyons plus libres que lui de choisir, ma mère exprimait alors beaucoup de fierté à nous voir dans nos habits orientaux qu'elle cousait elle-même, mes parents à cette époque étaient encore très unis, disait Yinn en baissant les yeux, j'étais très petit, mais je me souviens, et puis soudain nous avons tous été précipités ailleurs, déplacés, mon père, cet aventurier, s'est mis à la recherche d'une femme de sa race, l'une et puis l'autre, il y a pris goût, nous allions tout perdre, je serais vite le chef de famille, à ces mots qui définissaient bien Yinn, mon Capitaine répliquerait, mais, mon ami, tu es toujours un chef de famille, comment pourrait-il en être différemment avec toi, je ne suis pas mécontent de ces années de pauvreté, sans notre père, se reprit Yinn, ce fut un apprentissage des duretés de la vie, que je ne puis regretter, dit Yinn, car c'est ainsi que fermente l'âme et que l'on devient ce que l'on doit devenir, le bras de mon Capitaine entourait les épaules de Yinn, on y va pour un autre verre, demandait-il, pendant qu'ils marchaient tous les deux vers le bar, je n'aime pas voir cette ombre sur ton beau visage, Yinn, aurait-il voulu dire aussi, mais il ne dit rien, le Mékong, en descendant des glaciers du Tibet, se répand dans les forêts sèches du Laos, du Cambodge, de la Thaïlande, dit Yinn, mais nos ressources naturelles sont violentées, piétinées, disparaissent les éléphants d'Asie, le dauphin du Mékong, un si vaste territoire soudain mis en danger, de quoi peuvent-ils bien converser, pensait Petites Cendres en voyant mon Capitaine et Yinn rentrer à nouveau dans le bar, Petites Cendres étant aux prises avec un couple, un homme et une femme qui lui proposaient d'aller avec eux à la maison, et Petites Cendres s'y refusant, essaie de comprendre, disait l'homme à Petites Cendres, moi, c'est un homme que je veux pour la nuit, et ma femme aussi, nous avons les mêmes désirs, elle et moi, alors pourquoi refuses-tu de venir avec nous, question de nous amuser un peu tous les trois, es-tu prude à ce point quand nous, nous sommes ouverts à tout, tu ne t'ennuierais pas, tu sais, j'attends des amis ici, au bar, dit Petites Cendres, je n'accepte jamais cette sorte de proposition, ajoutait-il, s'éloignant du couple pour se rapprocher de mon Capitaine et Yinn, était-ce donc ce qui lui était offert, pensait Petites Cendres, déçu que Yinn ne détourne pas son regard de mon Capitaine, qu'il ne paraisse pas le voir, cette terne pitance du couple affamé de lui, pourquoi n'aurait-il pas droit, lui aussi, à un ami aussi distingué que mon Capitaine, un homme, un vrai, dont il sentirait, comme Yinn qui n'y faisait pas même attention, le poids d'un bras affectueux sur ses épaules, oui, était-ce donc ce qui lui était offert, partager la nuit de ce couple sans séduction, cette trivialité, cette banalité, non, Petites Cendres, pensait-il, ne méritait pas que cela, il lui semblait que son cœur suffoquait dans sa poitrine, qu'on l'humiliait avec plaisir, comme l'avait fait ce couple, si jamais tu n'as pas de lieu pour dormir, lui dit soudain Robbie, n'hésite pas à venir chez moi, chez nous, là où les filles sont déjà nombreuses, dans la maison de Yinn, dit doucement Robbie, tu ne peux pas toujours dormir sur le sofa rouge du Saloon Porte du Baiser, tu vas t'y défaire le dos, le sofa rouge, c'est bien, c'est bien pour moi, marmonna Petites Cendres, qui frémissait d'un bonheur interdit en songeant à cette proximité de Robbie dans la maison de Yinn, à la sienne lorsqu'il visitait Robbie dans son antre, car Petites Cendres entendait maintenant la déclaration de mon Capitaine à Yinn, je dois te dire la vérité, disait mon Capitaine à Yinn, je n'ai pas fait comme les autres à la cérémonie, je n'ai pas déversé les cendres de Fatalité à la mer, elles sont sur mon bateau, pendant ma plongée nocturne demain, peut-être, j'irai descendre très loin vers la faune du récif de coraux où je les déposerai afin que Fatalité puisse connaître enfin la délivrance, la libération de tant de chaînes qui l'ont ligoté pendant sa vie, je veux que Fatalité puisse parcourir les océans, loin, très loin, rejoignant les tortues de mer, les poissons-chats, oui, qu'il navigue sans fin parmi les océans, dit mon Capitaine, sachant que Yinn était offensé, choqué que les cendres de Fatalité ne soient pas toutes réunies, comment as-tu pu faire cela, Thomas, dit Yinn, ce n'est pas selon notre règle que les cendres de Fatalité ne soient pas rassemblées, et que deviendra Fatalité enfoncé si loin, pendant mes heures de plongée, dit mon Capitaine, si je vois un animal, une bête des eaux captive des cordages d'un bateau, je la délivre, il en sera ainsi pour Fatalité, qu'il soit enfin délivré, libre d'aller partout dans les mers, les océans, parmi les dauphins et les baleines, ce qu'il en reste encore, dit mon Capitaine, Fatalité était d'une espèce menacée, il doit rejoindre les siens, et Yinn dit, déconcerté par mon Capitaine, mais ce n'est pas selon la règle où toutes les cendres de Fatalité devaient être réunies sous un tapis de roses, je croyais que tu avais compris cela, Thomas, parfois on ne peut pas faire les choses selon les règles, dit Thomas, tous ne peuvent pas être aussi rigoureux et réglés que toi, Yinn, ah, ce que tu peux être entêté, s'impatientait mon Capitaine, viens dans les toilettes que je te parle seul, pourquoi cela serait-il une offense à la règle, hein, dis-moi, pourquoi, parce que toi, tu es la règle pour tout, non, l'instinct de liberté dépasse toute règle, ce que Yinn ne disait pas, pensait Petites Cendres, c'est qu'il redoutait que son ami descende si loin dans les profondeurs de l'océan, tenant d'une main de scaphandrier le sac contenant le peu de cendres de Fatalité, il sentait là quelque mauvais présage, Fatalité qui aimait l'air, le soleil, n'eût-elle pas préféré la surface de l'eau, d'où elle aurait pu voir le ciel, à ce tombeau marin si profond d'où ne lui parviendrait jamais le jour, l'ensoleillement des vagues, c'est un manquement à la règle, répétait Yinn, mais je respecte ta volonté, puisqu'il en est ainsi, puisque tu crois bien faire, dit-il, vaincu par la détermination de mon Capitaine, et soudain assailli avec mon Capitaine par un groupe de filles qui venaient de la rue témoigner leur sympathie, ce pauvre Fatalité, cette pauvre fille, disaient-elles en serrant dans leurs bras Yinn et mon Capitaine, tous les deux aussi familiers avec les filles ou les garçons, c'est si dommage, elle avait tant de talent, votre amie, au-delà de ces embrassades, accolades, qui malgré tout les fortifiaient, et dont ils avaient une cordiale habitude au bar, mon Capitaine et Yinn regardaient toujours à leur estrade, dans cette partie du bar dont les portes s'ouvraient sur la rue, Jason et ses musiciens, avec comme fond de scène l'ombre blanche du cheval immobilisé contre les rideaux de velours rouge, ce cheval qu'Herman sortirait pour les fêtes du printemps, disait-il, lorsqu'il n'aurait plus, pour épargner sa jambe, à rentrer chez lui en fauteuil roulant, ce qui était une saloperie, disait-il, une saloperie, mon Capitaine, Yinn, bien qu'ils soient attristés, mais n'en confiant rien l'un à l'autre, regardaient Jason, assistaient aux premières heures du théâtre de la nuit, quand de sa voix modulée Jason chantait, il n'était pas lourd car c'était mon frère, non, il n'était pas lourd, s'en va-t-il que je me sens écrasé comme sous la chute d'un arbre sur mes os, était-il près de moi, bien que j'aie à le porter parfois, jamais, non, il ne fut lourd, s'en va-t-il que je suis écrasé comme sous une masse, s'en va-t-il, voilà, dit Yinn, tout est en ordre pour la soirée, le spectacle est bien commencé, et posant vite un baiser sur les lèvres de mon Capitaine qui s'apprêtait à partir vers son bateau, ne lui disant rien, car cela n'eût-il pas été entretenir un mauvais présage, Yinn courut vers l'escalier, gravissant les marches comme s'il eût volé jusqu'à sa loge au cabaret. Viens, disait Tammy à Mai, prenant la main de Mai dans la sienne, viens, il dort, il ronfle dans sa chaise longue, qui est ce garçon à qui tu parlais, n'est-il pas un peu grossier, regarde comment il dort et ronfle, quand tout le monde danse autour de lui, sous les flambeaux que le père de Manuel allume à cause des moustiques, ou bien pour montrer que ce domaine est bien à lui, n'est-ce pas un domaine, Mai, mais je viens de recevoir un texto de maman, ils savent toujours où je suis, ou bien, s'ils ne le savent pas, ils écrivent, téléphonent sur mon portable, même de leurs conférences et séminaires d'écrivains, il faut qu'ils me harcèlent, ne crois pas que j'aie trop consommé de ces martinis, ne crois pas cela, c'est surtout fumer que j'aime, oui, pourquoi lui parlais-tu à lui quand Manuel était là qui voulait danser avec toi, il t'aime, Manuel, même si tes parents ne veulent pas que tu le voies, mon père, l'historien, l'écrivain est aussi très sévère avec moi, c'est parce que nous sommes des filles, mes frères, ils font bien ce qu'ils ont envie de faire, moi, ils me persécutent, tu ne penses pas que je suis grosse, Mai, trop de seins, de hanches, il faut que je maigrisse, mais je n'arrête pas de manger, tiens, ce soir, c'est incroyable tout ce que j'ai avalé, poissons, steaks, glaces, autant que ce garçon, oui, en me mettant un doigt dans la gorge, je pourrai rejeter tout cela dans un buisson, je ne puis rien garder dans mon estomac tant j'ai peur d'être grosse, c'est autour des hanches surtout, il ne faut pas, maman est mince, il faut que je sois mince comme maman, maman est belle et sait tout, j'ai du mal en classe, un peu plus et ils vont croire que je suis retardée, c'est que je vide le réfrigérateur quand ils ne sont pas là, ce n'est pas une preuve d'intelligence, tu comprends, Mai, m'écoutes-tu ou pas, pourquoi il t'intéresse, ce garçon, dans son maillot kaki, ce n'est pas quelqu'un pour toi, pense à ta famille, ta mère a téléphoné, ta mère téléphone toujours sur le portable de maman, c'est parce que nous sommes des filles, oui, pense à ta famille, Mai, qu'ont-ils tous à nous persécuter, tu le sais, toi, ils parlent de m'expédier quelque part où j'étudierais avec plus d'assiduité, comme si j'étais un colis, c'est odieux d'être une fille, d'avoir des parents protecteurs, dans le Nord, oui, de m'expédier dans le Nord, j'en mourrais, je te dis, les flambeaux sont allumés sur la plage, c'est l'hiver, il n'y a pas de moustiques, le père de Manuel veut montrer à tous qu'il est riche, on peut s'enrichir sans lire aucun livre, le père de Manuel n'est pas instruit, dit maman, et puis son trafic ou son commerce, dit maman, ce n'est pas légal, et son influence sur les mineurs comme nous est néfaste, dit papa, comme nous sommes dans le noir, je vais tout dégobiller, ils ont immigré ici sans un sou, et puis voilà, on peut s'enrichir en étant malhonnête, dit maman, oh, mon estomac, oh, j'ai mal, que va dire maman, mon short sexy, moulant tout sali, que va dire maman, elle vient tout juste de me l'acheter en me disant, ne pourrais-tu pas, Tammy, t'efforcer de perdre un peu de poids, ressembler davantage aux filles de ton âge, elle m'amène pour des soins spéciaux à l'hôpital afin que je perde un peu de poids, non, mon problème, ce n'est pas la perte de poids même si je me sens trop grosse, c'est que maman dit que je dois acquérir un poids plus normal, elle me voit menue quand je ne le suis pas, oh, c'est affreux, j'ai tout sali, que vont-ils encore dire de moi, si maman savait combien je me sens grosse, elle m'aimerait moins, elle ne dirait pas qu'elle m'aime tant, car l'amour, c'est prédateur si on vous aime trop, quand vous êtes une grosse fille laide, mais tu n'es ni grosse ni laide, tu es comme toutes les filles, dit Mai, se demandant comment Tammy pourrait rentrer chez ses parents, son short, son t-shirt couverts de vomissures, pourquoi as-tu bu tous ces martinis au café, dit Mai, maintenant Manuel devra te ramener dans sa voiture jusqu'à la maison, non, je ne veux pas, dit Tammy, ils verront la Mercedes de Manuel, ils vont tout découvrir, encore une fois, et savoir que je me vide l'estomac à mesure pour maigrir, ils vont tout savoir et je ne veux pas, je ne veux plus des soins spéciaux à l'hôpital, on dirait qu'ils veulent me mortifier devant les infirmières, toi tu es si décontractée, Mai, comment fais-tu, je te vois patiner boulevard de l'Atlantique, toujours si décontractée comme si tu n'avais pas de soucis, je voudrais savoir patiner comme toi, Mai, mais je suis trop lourde, ce que j'aime, c'est d'être enfermée dans ma chambre, avec mon album de rappeurs, ma musique et mes morts, dit Tammy, de quels morts parles-tu, demanda Mai, je ne parle pas de ma famille, qui est vivante, non, de mes morts, ceux qui sont les miens, je me demande où ils sont, où ils vont, dans quel éden, quel paradis, tu sais, lorsqu'ils ne se réveillent plus, car moi je parviens toujours à me réveiller, même si mes parents disent que je pourrais partir avec mes folies dans une overdose, les soins spéciaux à l'hôpital, ils croient que cela peut m'aider, rien ne peut m'aider, je le sais, moi, que c'est le rêve, le sommeil qui me font vivre, en rêve, j'aime mes looks, je me sens mieux, ce rêve-là qui ne ressemble à rien, ce sont des morts, on les oublie, moi je ne les oublie pas, je pense à ce qui devait composer leur dernier petit-déjeuner qu'ils n'ont pas pris seuls mais avec leurs enfants, une portion de muesli, du lait, c'était dans un manoir où ils se levaient tard, où ils étaient terriblement seuls, souvent, la nuit, ils avaient leurs répétitions, ils sont des dieux et soudain on les oublie, moi, non, je me souviens de tout, ils vivaient dans leur maison comme à l'hôtel, servis par leur cuisinière, des domestiques, toujours avec le même sentiment de solitude, de fatalité, peut-être, qu'un matin viendrait où ils ne pourraient plus se réveiller, rappeurs géniaux, les autres les oublient, moi, non, ce sont mes morts, ils avaient des yeux de biche, ces yeux me regardent dans la nuit, et soudain dans le silence de ces matins sans réveil, leurs enfants crient, papa, papa, et ils pleurent car ils comprennent tout, leur prince dort dans son lit, ne respire plus, les ambulanciers se désespèrent, moi je n'oublie rien de leur histoire, non, rien, dit Tammy, toujours leur musique est avec moi, nuit et jour, et même si les sauveteurs les suppliaient de se lever, d'ouvrir les yeux, ils avaient décidé que le monde du sommeil était le plus beau, celui où ils éprouvaient le plus de paix, c'est bien en vain que l'on s'affole autour d'eux, sous leurs paupières transparentes, si pâles, ils rêvent, ils ont les plus beaux looks, les plus beaux corps, le monde entier les a vus danser jusqu'à l'extase, il faut qu'ils puissent dormir, maintenant, ne plus ressentir ce qui est si lourd autour d'eux, ce qui, lorsqu'ils sont réveillés et en pleine conscience, les rend si fragiles et excitables, qu'ils soient rois de la pop ou souverains rappeurs, j'entends leur musique qui bat à mes tempes, jour et nuit, soudain l'oxygène ne monte plus à leurs cerveaux, tant leur sommeil est épais, on ne peut plus les réanimer, mais moi je les vois, les entends, les vois, oui, sur mes vidéos ils dansent dans leurs jeans noirs, leurs blazers noirs, n'arrêtent jamais de danser et de chanter, voilà mon estomac qui me dérange encore, ils disent, mes parents, que je souffre d'anorexie, les visites à l'hôpital pour les soins spéciaux, c'est affreux, les autres filles et garçons sont cadavériques, c'est pitié de les voir, quand moi je suis si grosse, tu as remarqué, les seins, les hanches, quand je veux ressembler aux rappeuses, n'être qu'un cœur dans une enveloppe d'os et de peau, rien d'autre, et chanter, chanter, mais tu es comme toutes les filles, répétait Mai, ni grosse ni laide, si tu ne veux pas que Manuel te reconduise chez tes parents, dans sa voiture, tu devras me suivre sur mes patins, et Mai songeait combien ce serait pénible de tirer derrière elle Tammy jusqu'à la maison de ses parents, que diraient-ils lorsqu'ils la verraient dans un pareil état, ou bien seraient-ils encore absents de la maison, à des conférences et séminaires, la discordante voix de Tammy grinçait, suppliante à son oreille, amène-moi loin d'ici, Mai, oui, loin de tout, oui, Mai, et Mère dit, qui est là et qui veut entrer dans la chambre, Marie-Sylvie, dites-moi, est-ce mon ami Justin, ce fils de missionnaires, qui est né et a grandi en Chine, est-il revenu, est-ce bien lui, demandait Mère à Marie-Sylvie de la Toussaint, est-il venu se joindre à la procession des musiciens noirs dans la rue, je n'aime pas trop ce son du tambour, dit Mère, Justin, oui, n'est-ce pas Justin dans son habit de lin, sous le chapeau, je reconnais son visage hâlé, qu'il semble jeune et qu'il marche allègrement vers moi, mais laissez-le entrer, Marie-Sylvie, pourquoi hésitez-vous, et Marie-Sylvie de la Toussaint dit de son ton bourru qu'il n'y avait personne, que Mère ferait mieux de dormir, non, personne, dit Marie-Sylvie de la Toussaint, est-ce que je dois laisser pénétrer ici dans votre chambre un inconnu, un étranger, dit Marie-Sylvie de la Toussaint, votre fille Mélanie me congédierait, aucun inconnu, étranger ne peut venir ici dans votre chambre, mais vous avez peut-être soif, je vais vous verser à boire, ainsi elle n'est pas venue embrasser sa grand-mère, cette petite démone, eh bien, elle le regrettera, j'ai toujours su qu'il n'y avait rien de bon dans cette enfant, Vincent viendra, Vincent sera dans quelques jours près de vous, Esther, Vincent, dans quelques heures, oui, dit Marie-Sylvie de la Toussaint, car en Vincent vous avez, Esther, le plus aimant des petits-fils, plus encore que sa mère n'ai-je pas toujours veillé sur sa santé, mon enfant, dit Marie-Sylvie de la Toussaint, n'est-il pas le mien autant que celui de Mélanie, Vincent, Vincent, c'est bien comme elle de sortir et on sait quel milieu de délinquance elle fréquente, hein, nous le savons, sans avoir embrassé sa grand-mère à l'agonie, mais que dites-vous, insensée, dit Esther en s'asseyant dans son lit, je ne suis pas à l'agonie, ou Mère n'avait rien dit, ayant la certitude maintenant que la servante avait volé ses bijoux, les présents de Mélanie qui lui étaient si chers, que cette femme était peut-être aussi troublée que son frère Celui qui ne dort jamais, qu'elle avait accueilli dans sa maison cette voleuse démente, de même que son frère, que longtemps elle avait nourris et logés, si c'est Justin, il faut le laisser venir dans la chambre, dit Mère, autoritaire soudain, nous avons toujours été liés, lui et moi, très liés, un philosophe, mon ami humaniste, dit Mère, nous avons encore tant à nous dire, et Mélanie me dit qu'Augustino est revenu pour moi de l'Inde, il a beaucoup écrit à Calcutta, dit ma fille, je me souviens maintenant que cette musique qu'avait écrite Franz pour cette église, si loin dans le Finistère, m'avait paru un requiem, Franz a dit, non, Esther, je suis incapable d'écrire une musique qui soit désespérée, c'est une cantate, oui, dont les airs, les récitatifs, les chœurs sont très profanes, avait dit Franz, une cantate telle la célébration de mon petit-fils Yehudi, dans une récente composition pour piano, une cantate pour le dernier enfant que j'ai eu avec ma très jeune épouse Rachel, celui qui porte le nom de Wolfgang, ne les entendez-vous pas, ces petits qui piaillent à votre porte, jouent, qu'avez-vous fait, Esther, de votre spécialisation en musique, rien, dit Mère, je ne me souviens que maintenant que je possédais quelques dons, avec la naissance de chacun de mes enfants, j'ai oublié, peu à peu, vous voulez donc peupler la terre d'anges musiciens, mon cher Franz, c'est bien comme vous, toujours aussi démesuré dans vos désirs, Yehudi et maintenant Wolfgang qui a déjà appris ses notes, que vous tenez sur vos genoux en étendant les petits doigts sur le clavier, c'est bien comme vous, Franz, cette volonté d'imposer à tous la joie, une volonté qui n'est plus la mienne, cher ami, souvenez-vous, c'était le jour de la naissance de mon petit-fils Vincent, et parmi vos connaissances, quelqu'un m'a demandé ce que je pensais de ces notes noires dans les manuscrits de Beethoven, j'ai dit que je n'en savais rien, peinée de cette ignorance, ces notes noires remplies de deuil, il me semble les revoir, mieux les saisir, maintenant, exsudent de ces notes la colère, l'indigne frustration de la surdité, était-ce là le désespoir dont nul ne veut, et surtout pas vous, Franz, n'y a-t-il pas dans ces notes illisibles et crochues le cri de l'impotence, la revendication d'une vie qui ne soit pas entachée d'une fin vexante, dégradante, dites, mon ami, ces notes, n'est-ce pas ce qu'elles expriment, maintenant, je le sais, me souvenant de ma spécialisation en musique dont je n'ai rien fait, car longtemps j'ai eu l'illusion que ma famille était tout pour moi, pourtant j'en suis venue un jour à croire que je serais méprisée par ce milieu artistique qui était celui de Daniel et Mélanie, le mépris de son intelligence, voilà ce qu'une femme craint le plus, et surtout par ses propres enfants, et vous, Franz, que diriez-vous de ce manuscrit aux notes noires, enflées et colériques, que diriez-vous, qu'elles sont soulevées par l'espérance, vous dans votre optimisme trop éclatant, que diriez-vous, Franz, et en se levant de son lit pour marcher jusqu'à la fenêtre, Mère vit Wolfgang et Yehudi qui couraient avec Franz sous les arbres, sous la voûte jaune des frangipaniers, qu'ils soient toujours ainsi, pensait Mère, jouant dans son jardin, tout près de son pavillon, mais ce même jour de la naissance de Vincent, Julio n'avait-il pas prévenu Mère de l'arrivée près du port des Blancs Cavaliers, il faut fuir, car ils savent que vous appartenez, avec vos enfants, à une ligue antifasciste, avait dit Julio, ils sont partout, aux portes des hôtels où logent vos amis, à la marina, oui, les Blancs Cavaliers étaient en ville, avait prévenu Julio, qui n'avait pas vu cet insigne nazi sur la coque du bateau de Samuel, il fallait fuir, ils étaient partout, disait Julio, on ne voyait ni leurs yeux ni leurs visages sous leurs masques blancs, et Mère n'avait-elle pas dit à Julio de cesser de s'inquiéter ainsi, en vain, en ce jour où venait de naître Vincent, mais ces Blancs Cavaliers seraient-ils maintenant de retour, rôdant près du portail, là où jouaient Wolfgang et Yehudi, où paradait Franz avec ses petits, les juchant sur ses épaules, regardez, ma chère Esther, voici ma cantate, la voici, Wolfgang et Yehudi, plus que ma musique, n'est-ce pas là mon accomplissement le plus louable, qu'en dites-vous, et Mère souriait à Franz à la fenêtre, en disant, revenez me voir plus souvent, est-ce vrai qu'ils sont tous les deux aussi précoces que vous l'étiez, Wolfgang et Yehudi, est-ce vrai, mais n'y a-t-il pas une tristesse, mon cher ami, à penser que même aussi prodigieux que vous l'étiez à leur âge et parcourant le monde comme vous l'avez fait, d'une salle de concert à l'autre, oui, une infinie tristesse à penser qu'ils vous remplaceront, que demain ils seront les pianistes, chefs d'orchestre que vous ne serez plus, vous qui pourrirez sous la terre, n'y a-t-il pas là quelque légitime tristesse, Franz, dans cette pensée, vous dont l'optimisme est si éclatant, comment pouvez-vous répondre à cette question, tiens, la pluie, un orage, dirait Franz, il faut que nous repartions, ma chère Esther, dirait Franz, au revoir jusqu'à demain, ma chère Esther, nous voici déjà tout mouillés, eux ne sont pas comme moi, ils aiment la pluie, l'orage, voyez-les qui rient quand nous sommes inondés, venez, les enfants, allons jusqu'à la voiture dont je dois remonter le toit, il faut m'attendre, ne pas courir trop vite, ils croient dans leur naïveté que je suis aussi jeune qu'eux, eh bien, j'y crois moi aussi par instants, et de son pas sautillant Franz s'en allait avec ses petits sous les bras, vers sa voiture délabrée, dont il remonterait le toit. Et Petites Cendres se sentit observé par un homme assez jeune au front dégarni, au sourire carnivore, veux-tu venir à mon hôtel, lui demandait l'homme, oui, que pour une heure si tu veux, de la poudre ou du cristal, j'ai tout ce que tu veux, je suis un architecte de passage ici, soudain je me sens très seul, parmi vous qui trinquez et faites la fête, est-ce un lieu gai, ici, on le dirait, j'ai remarqué tes ongles, tu as des mains de soigneur, j'ai besoin de tes mains pour masser mes vertèbres, au bureau je suis toujours penché sur mes plans et dessins, rien de plus incarcérant, je te dis, avec plusieurs femmes et hommes sous mes ordres, quelle vie terne, tu ne peux pas savoir, vous êtes tous bien délurés ici, mais ne vous ennuyez-vous pas, tes mains, elles ont sans doute toutes les qualités, je voyage toujours avec mes huiles apaisantes, je ne veux rien d'autre que tes mains sur mes épaules, le long de mon dos, je ne fais cela que pendant mes déplacements, recourir à un masseur, oui, un masseur qui serait toi, je veux dire, avec tes mains, tes ongles sur ma peau, il me semble que je pourrais oublier le bureau, ceux qui travaillent pour moi et qui me reprochent de ne pas assez les payer, que faire, j'ai tout ce qu'il te faut, tu

sais, je suis un peu *high* en ce moment, voilà pourquoi je
peux te parler, j'aime les Noirs, bien que tu ne sembles pas
l'être tout à fait, et tes mains surtout, voilà ce que je regardais
avec tes amis, me disant, il me faut ces mains-là sur mon dos,
oui, il me les faut, et que finissent tous mes tracas, un grand
bureau, des employés qui se plaignent de tout, non, c'est trop,
je ne voudrais pas t'effaroucher, je ne veux pas de sexe, seulement tes mains, tes ongles, et qui sont ces musiciens qui
chantent, tes amis, tu n'es pas seul, toi, si j'ai une tête étrange,
un sourire étrange, c'est parce que je suis un peu *high*, alors
ne sois pas effrayé, je suis un homme docile, et qui s'ennuie,
c'est tout, et que se passe-t-il dans la pièce du sauna, veux-tu
me suivre là-bas, des films pornos, cela ne m'ennuierait pas,
que se passe-t-il de l'autre côté de cette porte du Saloon, ah,
un sauna, y glisser ma fatigue, tu ne peux pas savoir, le sexe,
cela m'ennuie vite tant c'est une chose limitée, ce qu'il me
faut, c'est un contact, un vrai contact, je viens de l'Ohio, dit
l'homme, veux-tu me suivre dans le sauna de ce Saloon, vers
le sauna où je pourrais macérer un peu, et toi avec mes huiles
apaisantes, tu pourrais étendre sur mes vertèbres tes doigts
agiles, quelle bénédiction du ciel ce serait, et Petites Cendres
emprunta une cigarette à l'homme, la fuma à ses côtés, mais
sans doute était-ce ce sourire d'aspect carnivore, il ne voulut
pas le suivre, rassuré que Robbie soit toujours près de lui,
Petites Cendres dit, mon Capitaine a raison, il faut que Fatalité puisse voyager, car c'était une vagabonde, répondit Robbie, et surtout, Petites Cendres, ne pars pas avec cet homme,
s'il tremblote ainsi, c'est parce que c'est un drogué, je comprends que tu aimes dormir sur le sofa rouge, je comprends
que d'ici tu puisses tout voir, mais il faut faire sortir cet
homme d'ici, Yinn ne veut d'aucun de ces pourvoyeurs

autour de nous, il les appelle les acheteurs cadres qui, parce qu'ils ont tant d'argent, se paient tout, souvent c'est sur des pauvres qu'ils s'offrent ce luxe, ainsi, pensait Petites Cendres, Yinn est d'une limpide honnêteté, rien ne peut donc ternir son image ni sa réputation quand la chute de Petites Cendres était si visible que même un architecte vicieux pouvait tenter de le conquérir, il est vrai que ses ongles lui étaient favorables, et ses cheveux, alors pourquoi Yinn remarquait-il si peu son charme, bien que ce fût un charme dévasté, mais qui donc le savait mieux que lui-même, ou Yinn pouvait-il tout pressentir, comme le font les anges, pressentant tout peut-être du fardeau de chaque destinée, mais ne pouvant en alléger aucune, sinon par quelque bref signe consolateur, d'un ordre si spiritualisé et éthéré que ce signe serait pour nous à peine saisissable, tel ce sourire de Yinn impalpable et lointain ou son indifférent baiser sur la joue de Petites Cendres, soudain, entre deux représentations, Yinn redescendait l'escalier de bois, une robe plus courte flottant sur ses genoux, les épaules nues sous les bretelles de la robe, Petites Cendres l'apercevant de dos dans la rue auprès de Geisha, Cœur Vaincu, admirant la perfection des épaules, des omoplates dont tressaillaient les muscles pendant que Yinn arpentait la rue, parmi les filles, parlait aux clients, ces promenades sur le trottoir qu'il eût tant voulu éviter, pensait Petites Cendres, mais il y avait tant d'exigences dans ce métier, disait Yinn, ne fallait-il pas s'y plier afin qu'augmente la clientèle de la nuit, celle qui assisterait aux spectacles jusqu'à l'aube, était-ce une vie, disait Geisha, de rentrer chez soi à cinq heures, de dormir deux heures avant d'aller faire son yoga sur la plage, pour dormir encore jusqu'à si tard l'après-midi, c'est surtout qu'avec la mort de Fatalité régnait la déprime, qui se lèverait pour les jus de fruits du matin, la mère de Yinn, bien sûr, on était si déprimé, disait Geisha, qu'on ne voulait plus rien faire, que pleurer dans ses draps, la tête sous l'oreiller, quand la mère de Yinn implorait chacun de se lever et de se nourrir, apportant elle-même les repas dans les chambres en disant, cela suffit, mes enfants, cela suffit, ce fut une mauvaise semaine, une autre recommencera comme se lève chaque matin le soleil, que l'on soit chagriné ou pas, la mère de Yinn, sachant que son fils discipliné serait à son atelier de couture dès dix heures le matin, s'inquiétant qu'il ne dorme jamais assez, surtout avec Jason, elle avait tant de fois condamné ce mariage, et voici que Yinn lui disait non sans arrogance, maman, ne te souviens-tu pas combien tu as aimé mon père, ne te souviens-tu pas de toi amoureuse, n'as-tu pas épousé mon père quand tous te le défendaient, tes parents, ta race, maman, ne te souviens-tu pas, tes traditions, maman, n'as-tu pas toujours dit que l'amour doit être plus fort que deux pays en guerre, l'amour, disais-tu, doit tout surmonter, toute épreuve, ce fils Yinn, avec ses idées modernes, que ne lui disait-il pas, que le mariage, les fiançailles étaient pour toutes et tous, ainsi était sacré son mariage avec Jason, était-elle donc d'une génération si ancienne pour ne rien comprendre à ce qui se produisait naturellement aujourd'hui, disait-il, partout on se mariait, dans toutes les villes, tous les pays, que savait-elle, cette mère aux antiques coutumes, de ce qui se passait aujourd'hui, pourquoi se bornait-elle à ne rien voir, n'évoluait-elle pas avec les mœurs, j'étais une femme, et lui, ton père, un homme, disait la mère de Yinn, voilà qui est compréhensible, eh bien, comme moi, tu étais une femme orientale qui épouse un Blanc, qu'y a-t-il de si différent, lui dirait Yinn, la mère de Yinn connaissant à l'avance toutes les explications de Yinn, le lisant comme un livre, disait-elle, mais toi, quand tu as rencontré Jason, il avait déjà une femme et trois filles, disait la mère de Yinn, t'a-t-il vu ce jour-là, était-ce à Rome, qu'il dit n'avoir jamais vu une aussi belle femme, il a dardé ses yeux sur toi pour ne plus te quitter, même lorsqu'il a appris en te dévêtant que tu étais un garçon, voilà, c'est l'amour, maman, c'est l'amour, disait Yinn, triomphant, comment peux-tu expliquer cela autrement que par l'amour, le sentiment amoureux qui est plus fort que deux pays en guerre, disais-tu, c'est toi qui as mis cette idée dans ma tête quand j'étais enfant, et que j'étais, moi, Yinn, l'enfant de cet amour si fort et irrésistible, ce qui est vrai, Prince Thaï, répliquait la mère de Yinn, tu as été l'enfant de cet amour-là, plus encore que tes frères, je ne le nie pas, mais pourquoi faire de ton mariage avec Jason une cause politique, sociale, n'est-ce pas suffisant que tu sois marié avec lui, n'est-ce pas pour ta mère déjà assez intolérable de cohabiter avec Jason qui jamais ne m'aide pour les courses, tiens, encore hier, il s'est cru utile en achetant chez le marchand de fruits des bananes vertes, lesquelles sont toujours sur la table de la cuisine, car elles ne mûrissent pas, des bananes vertes, voilà qui est Jason, ton mari, où cela te mènera-t-il de défendre tous ces gens-là que tu défends, transsexuels et autres, le mariage est une institution formelle, ce n'est pas pour tout le monde, tes idées, maman, sur la sexualité n'ont pas bougé depuis cent ans, disait Yinn, et pendant ce temps des femmes, des hommes sont héroïques à ta place, et souvent ils te dépassent de plusieurs générations, Yinn citant à sa mère les noms de ses héros, héroïnes militantes, Del Martin, sa partenaire Phyllis Lyon, consacrant leur vie entière à ce combat acharné pour l'égalité de tous, et se mariant enfin, à leur mairie de

San Francisco, les mairies seraient bientôt pleines de ces nouveaux mariés exclus depuis si longtemps des cérémonies du mariage, disait Yinn à sa mère, partout on verrait la foule de ces couples se réunir, ces couples dussent-ils attendre jusqu'à l'aube de leur vieillesse pour connaître ce droit, qui n'a pas besoin d'une vie stable, à deux, maman, pourquoi tant de gens seraient-ils privés de ce droit si simple, il faut protester, comme le fait Herman, disait Yinn, oui, manifester dans la rue comme il le fait, Herman peut faire ce qu'il veut, disait la mère de Yinn, ce n'est pas mon fils, mais toi, que tu ailles manifester dans les rues, en Californie, je ne veux pas, il pourrait t'arriver malheur, ils finiront bien par tous se marier sans toi, heureusement que te voilà bien occupé dans ton atelier de couture, disait la mère de Yinn, que deviendrions-nous avec tes idées modernes, mon fils, un manifestant, en plus, mon Dieu, comme Herman, qu'ai-je fait pour avoir un tel destin, se lamentait la mère de Yinn, ces conversations, disait Robbie à Petites Cendres, se déroulaient le matin entre Yinn et sa mère, la mère de Yinn assise à son tabouret, sur cette plate-forme, entre ces deux escaliers conduisant à l'atelier de couture de Yinn, la mère et le fils conversant ainsi sans que le tumulte de leurs désaccords assombrisse ce respect qu'ils éprouvaient l'un pour l'autre, même si le ton de leurs voix montait de plus en plus jusqu'à ce que Yinn s'écrie, maman, retourne à ta chambre, laisse-moi seul, inutile d'essayer de te convaincre de quoi que ce soit, tu ne veux pas changer, non, tu ne veux pas, car c'était ainsi que Yinn commençait ses journées, disait Robbie à Petites Cendres, de son atelier de couture, ses doigts déliés couvrant les tissus et les étoffes, jusqu'à ce que Robbie fût debout devant lui, ne sachant comment accommoder à son corsage, pour le soir, ses seins en plastique, ses boucles d'oreilles, sa perruque de fille ingénue, que les doigts de Yinn furent là, sur son corps, à le couvrir de caresses aussi neutres que vives, et la fleur d'hibiscus au corsage, n'oublie pas, Robbie, disait Yinn à Robbie bâillant de sommeil, jusqu'à ce que Yinn fût là habillant Robbie, le rajustant, afin qu'il fût prêt pour le soir, qu'il apprît comment se présenter sur scène, ainsi, disait Robbie à Petites Cendres, débutaient les journées dans la maison de Yinn, quand dormaient encore Geisha, Cobra et les autres, quand dans les chambres s'exécutaient les vidéos, les films, nostalgiques danses et chants de Fatalité dans la chambre de Robbie, gros plans d'une reine, la beauté de son visage sous les larmes, celle de Greta Garbo, sur un écran géant, que contemplait Jason, bien qu'il fût déjà assis sur l'un des côtés du lit, devant son ordinateur, ce creux dans le lit, celui de Yinn, lui semblant encore empreint de sa chaleur, et sur lequel il posait sa main. Et Samuel, enfant, accompagné de sa mère et de sa grand-mère, Jenny n'était-elle pas là aussi qui veillait sur eux tous, descendait en ski de scintillantes pentes sous un ciel bleu, c'était à cette station de sports d'hiver dans les Alpes-Maritimes où ils allaient chaque année, pourquoi dois-tu descendre si vite, disait la grand-mère de Samuel, elles étaient rieuses, resplendissantes, si jeunes encore, Mélanie, Esther, Jenny, tous dans leurs habits d'hiver, ils avaient cette odeur du froid, de la neige, et Samuel skiait si bien déjà, disait sa mère, choyé, aimé, le seul enfant de la famille qu'on eût emmené cette fois pour ces vacances sportives, et ce sommet vertigineux des pentes, comment Samuel pouvait-il être aussi heureux, tant aimé, choyé par ces trois femmes, sa mère, sa grand-mère, Jenny, qui vivait encore à la maison, sa grand-mère répétant encore, pourquoi toujours si vite, Samuel, je ne suis pas aussi habile que toi, et soudain le ciel était gris, une brise glacée venait des pics neigeux, du silence des montagnes, et la grand-mère de Samuel perdait un ski dans une descente trop brusque de la piste, c'est que bouillonnait une tempête de neige fine, poudreuse, d'une blancheur embrasée, aveuglante, et Samuel entendait sa propre voix d'enfant appeler sa mère, sa grand-mère, Jenny, et nulle voix ne lui répondait, seul l'écho des montagnes, et en se réveillant le cœur palpitant, sa mère, sa grand-mère seraient-elles en danger, Samuel avait senti près de lui, dans le grand lit, ces deux fronts amis, sa femme Veronica, son fils Rudie, l'un blotti contre l'autre et dormant d'un même paisible sommeil, il les avait embrassés, pressés contre lui, le cœur palpitant d'une folle alarme, soudain, Mélanie, Esther, il devait se lever, réserver un vol pour le soir, partir vers elles, Mélanie, Esther, quand le ciel était si gris sur New York, quand le traversait une brise glacée, et ne vous énervez pas, Esther, je vais remettre le CD afin que vous écoutiez votre musique, c'est une sonate pour violon et piano, Schubert, cela fait plusieurs fois que vous l'écoutez, si j'étais vous, je m'en lasserais, Esther, je n'aime pas cette musique, vous le savez, le blues dans la rue, c'est ce que je préfère, et ce son fatal du tambour, en écoutant encore inlassablement cette musique, vous n'entendrez donc rien de ce que j'ai à vous dire, disait Marie-Sylvie de la Toussaint à Mère qui écoutait, assise dans son lit, les mains sur un livre, si calme que Marie-Sylvie en était toute déroutée, la sonate pour violon et piano qui hérissait la gouvernante, qu'avez-vous tant à me dire que je ne sache déjà, semblait dire Mère à Marie-Sylvie de la Toussaint, et Marie-Sylvie de la Toussaint dit, je sais, vous savez tout, le vol des bijoux, que je suis une voleuse et peut-être une démente comme mon frère Celui qui ne dort jamais, les bijoux, c'est pour m'enfuir de votre maison où je ne veux plus servir personne, la démence de mon frère, c'est à cause d'eux, des bourreaux, dans cette embarcation, ce radeau où nous allions à notre perte, je me rappelle que nous avons été rescapés, sauvés, ce fut par un prêtre, je me souviens, et de votre bonté en ouvrant pour nous votre maison, je me souviens, ne croyez pas, Esther, que j'aie oublié, ce prêtre dans l'embarcation a empêché que l'on coupe nos doigts, nos mains, mon frère tombant de l'embarcation, ne sachant pas nager, délirant et assoiffé, ces meurtriers dans notre rafiot ont voulu lui couper les mains, les doigts afin qu'il ne remonte pas avec nous, voyous des prisons qui s'étaient échappés, ils ont voulu réduire le nombre des passagers, et y sont parfois parvenus quand l'un de nous était balayé par une vague d'eau salée, cette eau salée qui pouvait nous faire mourir si on la buvait, l'aspirait, c'est la raison de la démence de mon frère, de ma rage contre vous, votre famille, Vincent, non, mon cher enfant, non, mais pouvez-vous seulement comprendre cet amour entre lui et moi, Vincent, tant de fois comme mon frère, il a failli périr étouffé, pauvre petit, et combien de fois ne l'ai-je pas bercé dans la douleur, et consolé, dans votre villa, vos jardins, votre pavillon, comment pourriez-vous savoir, qu'est-ce que ces quelques bijoux pour vous, dites-moi, Esther, quand dans peu de semaines, de jours, vous ne serez plus avec nous, je sais que vous êtes une femme charitable, bienveillante, j'entends que vous pourriez même me pardonner d'avoir agi ainsi, si vous connaissiez davantage mes motifs, ce que j'ai vu et subi sur cette désastreuse traversée, nous n'étions que des paysans, n'avions que nos chèvres sur les coteaux, et ce qui nous attendait serait pire que tout, allions-nous demeurer là, à la Cité du Soleil, et être tous décimés ou partir, sous le fouet des dictateurs, qui de nous si faibles pouvait se révolter, partir, oui, et ceux qui se sont enfuis avec nous, sur les rafiots, les radeaux, étaient aussi des voleurs, des meurtriers évadés des prisons, et ils ont voulu nous couper les mains, les doigts, car mon frère ne sachant pas nager, ne pouvant plus remonter dans l'embarcation, mon frère, et entendant ces paroles de Marie-Sylvie de la Toussaint, bien qu'elles fussent muettes, mais Mère ne les entendait-elle pas, ce visage de la gouvernante étant tout près d'elle, pendant que Marie-Sylvie défroissait un oreiller, ou versait l'eau de la carafe dans un verre, de ses gestes pressés, Mère dit à Marie-Sylvie, qui sait, si vous me les aviez demandés, je vous les aurais sans doute offerts, ces bijoux, si vous aviez eu davantage confiance en moi, oui, eût dit Mère, bien que tout ce qui me vient de ma fille Mélanie me soit si cher, qui sait, j'aurais pu vous dire, ces bijoux sont à vous, n'est-il pas temps que je renonce, oui, à ces objets précieux, n'est-il pas temps, mais calme, très calme, les mains posées sur un livre, Mère écoutait la sonate pour violon et piano de Schubert, n'osant pas prononcer ces paroles, se disant qu'elle les prononcerait peut-être plus tard, se contentant de dire à voix basse à Marie-Sylvie de la Toussaint, merci, merci pour tout ce que vous faites pour moi, merci. Et Herman avait dit à Yinn, il faut qu'elles se joignent à nous pour le défilé avec le cheval blanc dans la rue, et qu'elles puissent danser sur scène, ne serait-ce que pour la dernière fois ces sœurs, ces frères de Fatalité, comme l'a fait Fatalité cette nuit-là, chancelant sur ses talons aiguilles comme sur des échasses, mais fidèle à son métier jusqu'à la fin, quelle bravoure, notre Fatalité, j'irai les chercher toutes dans leurs repaires, disait Herman, là où la ville les a parqués, dans des appartements, des logements à part, telle une colonie de lépreux, les voici médicamentés jusqu'à l'écœurement, se demandant comment elles peuvent digérer tant de pilules à la fois, en quelques heures, ceux-ci ne sont plus en santé, tiennent à peine debout, vieilles carcasses de jeunes gens écroulés, à bout de souffle, ils comptent les jours, dans leur désœuvrement, le dessèchement de leurs peaux variolées, pourquoi ne seraient-ils pas des sujets d'expérimentation médicale, tels des animaux de laboratoire, hagards ils attendent la mort entre eux, n'allant plus à la mer, ne sortant plus, une agglomération d'animaux pestiférés, j'irai les chercher toutes, afin qu'elles chantent et dansent au cabaret une fois encore, qu'elles marchent, défilent dans la rue, dans la dignité de leurs costumes de jadis, tes costumes, Yinn, oui, je le ferai, car toutes, bien que cachées, mises à l'écart, sont les sœurs de Fatalité, et qu'elles soient avec nous, dans la rue, défilant, majestueuses, dans tes robes, tes pendentifs, tes colliers, comme l'a fait Fatalité, ne connaissant plus la fatigue, la honte, seulement l'honneur d'être jusqu'au bout une artiste, ou une princesse, sans déchoir jamais de ce rang, car je te le dis, Yinn, il n'y a pas d'amour pestiféré, il n'y a personne qui mérite ce sort de l'opprobre, non, et Yinn avait dit à Herman, va chercher les filles là où tu peux les trouver, mais plusieurs sont à l'hospice d'où elles refuseront de sortir, et je les vêtirai du mieux que je pourrai, émettant le doute toutefois qu'il fût peut-être trop tard, oui, je ferai tout pour les rendre belles et jeunes, dit Yinn, bien qu'il soit peut-être trop tard, ce sont des fleurs bien frêles, Herman, bien qu'on les croie vénéneuses, je sais bien que ce n'est pas vrai, mais quoi faire si c'est ce qu'elles pensent d'elles-mêmes, avait dit Yinn, si elles sentent que tout craque à l'extérieur, Jamie me sera d'un bon conseil, je ne peux tout faire seul, tu m'en demandes trop, Herman, soudain, ces frontières, on ne peut pas les repousser plus loin, tu oublies que nos corps ne sont pas éternels, oui, ils le sont, dirait Herman, la preuve, c'est que je suis là, surmontant très bien, comme tu le vois, la fleur noire à ma jambe, le chirurgien dirait, plus brutalement, un cancer des os interrompu à temps, oui, nous sommes éternels, quand nous le voulons, et elles, dans leurs parcs, ne peuvent plus vouloir, espérer, elles ne peuvent plus rien ressentir, il faut les sortir de là, toutes, toutes, leur dire à toutes, c'est fini pour un soir, une nuit, d'être branchées à vos tubes, d'essuyer vos toux dans vos mouchoirs, finies ces pneumonies qui vous ébranlent, finies ces piqûres de la peau comme si vous étiez grignotées par des mouches, finie cette chair tavelée, et Yinn écoutait Herman, en pensant encore à cette exaltation de naufragé, chez mon ami, mais c'est une exaltation rédemptrice, peut-être faut-il que j'y sois attentif, Yinn ne pouvant imaginer tableau plus désolant que ce dernier défilé dans la rue ou sur la scène de son cabaret, sous les flashs or et mauves de Jason, de plusieurs Fatalité à la fois, quand la vision d'une seule, son agonisante Fatalité, l'ultime nuit de sa vie, le ravageait encore d'une douleur inapaisable et violente, il dit à Herman, oui, tu en demandes trop, mais la décapotable blanche de Jamie, dont nous pouvons disposer tous les soirs en promenant les filles à travers la ville, aurait une allure noble en allant les quérir là où elles sont dans leurs repaires, leurs refuges, peut-être consentiraient-elles à ce que je les habille, les maquille, oui, peut-être, pour une courte nuit, disait Yinn à Herman, le temps de reprendre espoir, dit Herman, Fatalité a défié son destin jusqu'au bout, elles doivent résister, se tenir debout, voilà, je laisserai l'invitation ouverte, dit Yinn, à qui veut participer à cette représentation, je ne forcerai personne à venir, et Jamie viendra les chercher dans sa voiture, mais je ne puis aller contre les lois de la nature, dit Yinn, celles de la détérioration de la maladie, je ne puis aller contre ces lois, tu le sais bien, Herman, tu leur offriras une cuirasse, une protection qu'elles ont perdue, dit Herman, et soudain serait-ce vrai, pensait Yinn, pourrait-il rendre immobile le mal, même pendant quelques heures, par cette anesthésie de la beauté qu'il prêterait à chacune, à chacun, tout ne valait-il pas mieux que leur infâme cachette dans laquelle se décomposaient leurs corps branchés sur des tubes de verre, respirant à peine, quand dehors l'air serait bientôt plus doux, les jours plus longs, Herman et Jamie avaient lancé l'appel, et peu à peu Yinn avait vu monter vers sa loge ces hommes qui n'étaient plus des hommes ou des femmes, mais des ombres, peut-être, se tenant aux rampes des escaliers comme s'ils allaient en déchoir, vite Yinn avait rembourré ces corps ou leurs ombres de florissants tissus, il avait maquillé ces visages aux joues hâves de carnations roses, les têtes étant trop cahoteuses, d'un abord squelettique, il les avait coiffées de fastueuses perruques, nul n'avait voulu danser ou chanter, mais défiler dans la rue avec Geisha, Cobra, Cœur Vaincu, Robbie, oui, ne serait-ce pas comme autrefois, au temps où elles étaient encore des artistes que l'on enviait, dans leur victorieuse insolence, ne serait-ce pas ainsi, oui, comme autrefois, parmi les autres, Geisha, Cobra, Yinn, Cœur Vaincu, Robbie, à cette tâche inespérée de refaire des corps neufs dont il eût relevé toute trace de blessure, Yinn avait reconnu en le vêtant, et parce que ses yeux étaient toujours aussi beaux, Flavian, celui qu'Herman avait tant aimé, Flavian, le seul qui fût si jeune, mais en l'aidant à descendre vers la rue, Yinn sut qu'Herman ne le reconnaîtrait pas, Yinn avait cru indispensable aussi de voiler le regard de Flavian de teintes jaunes, d'une tout autre lumière que celle des yeux noirs ou très bruns de Flavian, afin qu'il fût pour Herman tout aussi méconnaissable, Flavian n'avait-il pas supplié Yinn dans un souffle de l'épargner, car Herman, me voyant aussi amaigri, ne m'aimerait plus, dit-il, et c'est ainsi que Yinn avait dissimulé le regard, les yeux de Flavian, afin qu'Herman ne le reconnaisse point, qu'il ne voie en lui qu'un garçon ou une fille un peu défraîchie, pendant ces quelques heures de réjouissance dans la rue, parmi les autres, où les ombres des uns et des autres allaient se fondre comme parmi les étoiles dans le ciel nocturne, Herman, applaudissant à ce défilé dans son costume d'ange aux ailes tombées, fripées, de la seconde partie de la nuit, sans savoir que Flavian était là, tout près de lui, marchant à quelques pas, avec ce regard dont Yinn avait déguisé le désespoir, ce regard que Flavian emporterait avec lui, le désespoir n'y étant plus, pensait Yinn, car il avait revu Herman, ce n'était que pour lui-même, mais il l'avait revu, et son affliction en était adoucie, comme si Herman l'avait embrassé en disant, taisez-vous tous, l'amour pestiféré n'existe pas, il n'y a ici que des hommes atteints d'incompréhension par les autres, contaminés par leur dédain, leur froideur, et voici Flavian parmi eux, vulnérable et brisé, et il est mon ami et le sera toujours, ces mots, Flavian avait cru les entendre en se réanimant, levant la tête vers les étoiles, quand Yinn pensait, est-ce bien ce que je vois et que ne voit pas Herman, un défilé de fantômes, quelque vision hantée de ces inexplicables fantômes de la nuit de Goya, de ses eaux-fortes aux traits noirs, ou d'un noir sanglant, celles qui s'intitulent

*Les Désastres de la guerre*, est-ce bien ce que je vois sous les robes, les manteaux, les masques aux carnations roses, les lèvres pulpeuses que j'ai dessinées, un défilé de mes Fatalité, sur leurs échasses, pas une, mais trois, quatre, cinq Fatalité, procession de défuntes, de mes princesses déjà mortes, est-ce bien ce que je vois et que refuse de voir Herman, ce tableau si désolant de mes agonisantes fées sur le trottoir, où iraient-elles, telles Fatalité voûtant leurs dos, leurs épaules sous la mante, la robe aux fils d'argent, la dernière représentation achevée, retourneraient-elles à la clinique du médecin Dieudonné, ou à quelque hospice un peu à l'écart de la ville, ou, comme l'avait fait Fatalité de façon grandiose, dans un appartement éclairé toute la nuit d'une ampoule électrique donnant sur la rue, vers leur chambre où sous un éclairage jaune, sur une table de chevet, elles hésiteraient entre la bouteille de médicaments qui les ferait dormir et quelque aiguille transmettant d'un jet son ailleurs, ses limbes moites d'un sommeil tout aussi blanc qu'il l'était pour les dormeuses, incurable et précis, serait-ce ainsi que Petites Cendres, qui avait bien pris garde de ne pas défiler avec les filles, sentirait soudain sur lui le regard de Yinn quand il marchait un peu loin des autres, le long de la rue, ce regard de Yinn se posant soudain longuement sur lui, s'attardant sur son dos, ses épaules, comme si Petites Cendres se souvenait soudain de la sentence du médecin haïtien qu'il avait longtemps oubliée, ce regard, qu'était-ce, une pitié ardente, amour ou pitié dévorante de Yinn, Petites Cendres, non, ne savait comment le définir, bien qu'il en fût secoué, ou était-ce que Yinn, devant le défilé des filles, ne savait comment traduire ses sentiments pour des condamnés, ou des prisonnières échappées de leurs donjons pour une nuit, pensait Petites Cendres, se sentait-il soudain maladroit, empiétant sur le drame d'autrui, avec son art du maquillage, dissimulateur des plus vilaines flétrissures sur la chair innocente, ou ce regard de Yinn voulait-il conquérir Petites Cendres, lui inculquer dans la détresse quelque regain de vitalité, quelque temps d'espérance ou de répit, car chacune des filles n'était-elle pas marquée de son sursis, comme l'était Petites Cendres, se promenant libre sous un ciel étoilé comme si la véritable aventure pour chacune, chacun était de vivre pleinement chaque instant de sa vie, et non le contraire, affronter le fait que le délai était dépassé, fini, et qu'aucun instant ne serait plus au-delà de ce terme, ou parce qu'il fallait se détendre de toute atmosphère lugubre, ne céder qu'à la joie des filles, pendant leur parade dans la rue, Yinn regardait Petites Cendres comme s'il fût prêt à bondir derrière lui pour le taquiner, ce qu'il faisait parfois au bar, dans des accolades de surprise en disant à Petites Cendres, heureux de te voir, ami, fouillant de ses doigts magiques le dos, les épaules de Petites Cendres, et puis disparaissant aussitôt vers la rue dans ses robes flottantes, présence d'un baume si vite évanoui, car dès qu'il était dans la rue, Yinn ne devenait-elle pas la star de tous, bien que ce souhait ne fût pas le sien, n'était-elle plus dans son désarroi mais toujours sérieuse, à son métier, que l'impersonnelle créature que tous voyaient en elle, les passants ou futurs spectateurs de son numéro, la touchant, la palpant afin de voir si elle était bien réelle, avec un irrespect qui la drainait, bien qu'elle fît l'effort de ne rien ressentir de l'ambiguïté de tous ces contacts, conservât sa majesté, penchât à peine la tête comme sous quelque affront immérité, ou pendant que les filles rehaussées de chapeaux de plumes, dans leurs robes aux verdoyantes couleurs, pendant que défilaient ces belles hautaines de Yinn, de sa création, de son invention, Yinn revoyait-elle son rêve de la nuit, aux côtés de Jason, quand Fatalité lui apparaissait comme le plus maussade des spectres, furieuse, oui, lui disant, pourquoi viens-tu troubler mon sommeil, Yinn, pourquoi, laisse-moi te parler, s'écriait Yinn, que je puisse me rapprocher de toi, non, criait Fatalité, je ne veux pas que tu me voies, et celle que Yinn serrait de force dans ses bras n'était plus sa Fatalité, mais une forme étrangère vêtue de cendres et d'un laid costume que Yinn n'eût jamais fabriqué pour elle, regarde ce que je suis devenue, dirait-elle, cette horrible Fatalité, imprenable, tous ces trous dans mes vêtements, et en dessous un corps livré aux cendres, pourquoi troubles-tu mon sommeil, Yinn, cruelle, tu es cruelle, dirait-elle, et en entendant ces mots, cruelle, cruelle, Yinn se réveillerait dans son havre, avec Jason à son cou lui demandant, mais, ma chérie, que se passe-t-il, oui, il faut te rendormir, ce ne fut qu'un mauvais songe, tu crois que ce ne fut qu'un songe, dirait Yinn, sortant de cette eau trouble des rêves habités par les morts, j'ai vraiment cru que Fatalité était là, mais une autre, pas celle que nous avons tous connue, ce rêve allait-il enfin se dissiper, en cette nuit où la vie devait triompher de toute humiliante adversité, où les filles seraient des reines vues et admirées, quand Herman manifestait à Yinn son contentement, ce qui était rare, bravo, Yinn, disait Herman en étreignant Yinn à l'étouffer, quel défilé splendide, les passants sont ravis, étonnés, et je le suis aussi, n'est-ce pas un peu carnavalesque, voulut ajouter Yinn, quand nous savons tous que pour plusieurs d'entre elles ce sera bientôt la fin, mais silencieux, il regardait Herman, dans son costume aux angéliques frisures, ce costume, dit Yinn, trop de franges qui tombent au hasard, il me faudrait le réparer, Herman dit en se moquant de Yinn, c'est ainsi, je suis un ange qui tombe en morceaux, voilà pourquoi m'attend dans le coin sombre du bar, là-bas, ma poussette afin que je ne me défasse pas trop en rentrant chez moi, mais écoute-moi bien, Yinn, d'ici deux semaines, je marcherai sur mes deux pieds solides jusqu'à la maison, ce que tu ne comprends pas, Yinn, c'est qu'il faut montrer ce que les gens préfèrent ne pas voir dans leur lâcheté, tiens, si le photographe noir Roy DeCarava n'avait jamais photographié, à une époque où le racisme était bien ancré et traditionnel, des danseurs noirs, des musiciens, l'artiste de Harlem a levé le rideau, nous le levons, nous, oui, s'il avait négligé de le faire, le monde n'aurait jamais su qu'ils étaient là, soudain l'expérience intime du photographe fut collective, il fallait voir qui était là, sous le rideau, qui l'on ne voulait pas voir vivre, exister, chanter, danser, jouer de la trompette, toute une population longtemps invisible, tu m'entends, Yinn, ce qui est camouflé par complaisance doit être vu, ce qui n'est pas dit doit être dit, le photographe en soulevant le rideau sur des danseurs noirs dans les rues de Harlem semblait dire, saviez-vous que des gens existent ici, ceux dont vous n'aimez pas la couleur, les voici dansant sous des lumières au néon, chantant sous la pluie, ou jouant de la trompette, saviez-vous qu'ici, quelque part dans leur enclave, votre mépris n'a jamais su les atteindre, qu'ils ont eu le courage de vivre librement, à travers ces murs de votre invisibilité à tous, le rideau étant soulevé par le photographe, l'intimité de ces scènes allait rejaillir partout, on ne pourrait plus nier l'existence des danseurs, musiciens noirs dans les rues de Harlem, mais bien avant, longtemps avant, il avait fallu commencer par un panneau où il avait été écrit en rouge et jaune, Arrêtons le lynchage, arrêtons le lynchage, afin qu'on voie bien partout ce que ces mots signifiaient, et qui a fait cela, des hommes, des milliers d'hommes révoltés criant, il faut que cela soit visible, autrement vous l'oublierez, à travers les années, il y a moins de cent ans on lynchait encore, il faut se le rappeler, par des moyens de pression visibles, insoutenables car la nature humaine a tendance à oublier ses crimes, disait Herman à Yinn qui soudain pensait à mon Capitaine, sur son voilier, n'écoutait plus Herman, en sortant de son cauchemar de la nuit où Fatalité lui avait paru si outragée, Yinn n'avait-il pas été reconnaissant de voir, de son côté du lit où il avait allumé la lampe pendant que se rendormait Jason, cette photographie de mon Capitaine et de lui-même, dans son cadre de bois, mon Capitaine, Yinn à vingt ans, le bras de mon Capitaine enveloppant l'épaule de Yinn, tout près sur la même étagère, il y avait une photographie plus récente de Jason, en habit de soirée, enlaçant Yinn, dans l'une de ses robes les plus excentriques, cela était d'autant plus ironique, pensait Yinn, que Jason abhorrait s'habiller, mais n'avait-il pas consenti à le faire pour cette photographie publicitaire, laquelle annoncerait les représentations d'une soirée de fête, ainsi Jason semblait bouder un peu, ou éprouver quelque timidité bien qu'il fût souriant, tenant Yinn par la taille d'une main ferme, ces deux photographies dans leurs cadres de bois avaient redonné à Yinn sa confiance dans l'avenir, et la confirmation de son bonheur dans le présent, ce qui l'avait frappé aussi, bien qu'ils fussent photographiés ensemble par Jason, il n'y avait que dix ans de cela, c'était leur jeunesse, celle de mon Capitaine, près de lui, leurs deux jeunesses, Yinn, mon Capitaine, qui n'était plus celle de leur trentième année, les cheveux sur les épaules de Yinn, ou les cheveux courts de mon Capitaine, étaient encore semblables aujourd'hui, pensait Yinn, mais que de fraîcheur dans leurs regards, une douceur sans désir de conquêtes qui s'était peut-être éteinte, ou trop affirmée dans le cas de mon Capitaine, avec sa vie de mannequin professionnel qui avait suivi, quant à Yinn, n'était-il pas alors plus oriental et plus raffiné, dans ses traits, très bronzé sur cette photographie, la pâleur rose de mon Capitaine, de son visage contre le visage de Yinn n'exagérait-elle pas la couleur cuivrée de ses joues, de son front légèrement bombé, cette différence raciale entre Yinn et mon Capitaine que comblaient leurs sentiments affectueux, à toi pour toujours, mon cher Yinn, avait écrit mon Capitaine sur la photographie, n'était-elle pas visible, bien qu'admise et compensée par cette tendresse qu'éprouvaient l'un pour l'autre les deux hommes, pensait Yinn, il était étonnant que Yinn en fût soudain conscient, et qu'il fût frappé de cette révélation que, comme il l'avait dit à sa mère, l'amour n'était-il pas plus fort que tout, non, ce qui le touchait, pensait Yinn, c'était que Jason, mon Capitaine et lui, Yinn, étaient sereins, pleins de vie, qu'ils étaient là à jouir de leurs existences, quand Fatalité n'était plus avec eux, et que dans la rue paradaient de presque défuntes princesses, les siennes, ses sœurs et ses amis, et que pour cette continuité de la vie, mon Capitaine, Jason, Geisha, Herman et toutes les autres, non, on ne devait pas pleurer, non, on ne devait pas, pensait Yinn, la vie étant cette suite de réincarnations, peut-être, des âmes errant d'un monde imparfait à un autre qui le serait moins, ne connaissant que celui-ci, on ne pouvait concevoir qu'il y en eût un meilleur, pensait Yinn, et même en celui-ci non dénué de splendeurs, à moins d'être fauché vif par le malheur, ne pouvait-on pas être partiellement maître de ses jours, garder ce pouvoir de se métamorphoser soi-même

comme l'avaient fait Yinn, mon Capitaine, Jason, l'embarras
de Jason dans ses vêtements sur la photo ne rappelait-il pas
à Yinn ces sobriquets de la méchanceté qu'avait subis Jason
de la part de ses camarades dans une cour d'école, Jason, gros
garçon, l'avait-on appelé, n'eût-on pas cru que sur cette photographie, dans son cadre de bois, revenait pour Jason ce
souvenir lacérant des petits camarades ricaneurs criant, gros
garçon, gros garçon, tant il semblait soudain désenchanté
sous cette pelure de l'habit de soirée, quand il avait tant voulu
plaire à Yinn qui l'avait doté d'une épaisseur de vêtements
dont il ne voulait pas, lui qui était toujours bras nus, gros
garçon, semblait-il entendre pendant qu'on le photogra-
phiait, comme si les petits camarades ricaneurs de la cour
d'école fussent encore là, voilà ce qu'exprimait le sourire flou
de Jason, pensait Yinn, l'appréhension des coups reçus, mais
la transformation de Jason, c'est qu'il s'était redressé, avait
appris à se battre, tel Yinn parmi les gangs dans les rues de
Los Angeles, il avait déjoué les insultes et les coups, et n'était-
ce pas cela vivre, toujours posséder ce droit de se refaire, de
changer, de même mon Capitaine avait transgressé son rôle
de modèle adulé pour adopter une vie plus sauvage sur l'eau
où souvent il serait seul, bien qu'il n'aimât pas à ce point la
solitude, disait-il, et retournât vite à ses amis, mais quand
donc, pensait Yinn, mon Capitaine avait-il senti cette fissure,
avant de tout recommencer, n'était-ce pas après un défilé de
mode où, visitant des designers et couturiers qui avaient
acheté plusieurs villas au Brésil, dans une région côtière de
Santa Catarina, c'était en regardant la mer, devant la lagune,
sur une plage, oui, dans une ville très chic, parmi ces artistes
et intellectuels, adulé et aimé pour son corps quand jamais
ne cessaient, dans ces maisons de milliardaires, parties dans

leurs clubs, quand atterrissaient leurs jets privés, à quelque distance des plages au sable si fin et poudreux qu'on voulait languir là jusqu'à l'inertie, disait mon Capitaine, sur cette plage très privée, Ponta dos Ganchos, pendant qu'on l'adulait, l'aimait pour ce qu'il n'était pas, que la main d'un homme explorait son corps, c'est là que Thomas, mon Capitaine, avait senti le dénouement de cette vie de lucre dont il avait été trop longtemps captif, la main de l'homme sur sa cuisse l'avait éveillé de la torpeur dans laquelle il gisait depuis plusieurs jours au soleil, pendant qu'il abusait de l'alcool comme de tous les plaisirs, il y aurait près de trente plages à visiter, disait l'homme, toutes privées, et mon Capitaine, devant la multiplication de ces plages, la dépravation de tous ces paradis destinés à la richesse, avait éprouvé un étourdissement, celui d'une ivresse repue qui soudain le faisait chanceler de honte, oui, avait dit mon Capitaine à Yinn, j'ai soudain senti qu'il me fallait renaître ou mourir de cette fétidité, de mes excès de vanité, d'adulation, que mon corps en avait assez, car n'était-ce pas ainsi, pensait Yinn, chacun était le maître de la démarche de son destin, où l'était-il, quand, comme Fatalité, un malheur le fauchait à vif, l'était-il, mes couleurs sont le bleu, le doré, le vert et le tendre, chantait Robbie, à la tête du défilé, sa perruque blonde ondulant sur son large front, le voici drapé dans une robe à plis qu'il remonte comme il veut jusqu'à sa culotte noire en satin, pensait Yinn, trop sexy pour l'occasion, mais que faire avec Robbie, voir Robbie, ses tournures, ses diableries, ses indécences rieuses, c'était ne plus éprouver ces vains serrements de cœur où, comme si elles étaient dans un coffre, les larmes sont en réserve, oui, c'était cela, pensait Yinn, et que lui avait dit Robbie qui le fit sourire encore, toi et tes rêves de réincarnations,

Yinn, songe un peu à Fatalité à qui l'on demanderait vers quelle vie elle aurait aimé s'élancer, encore une fois, capricieuse et toujours hésitante, elle n'aurait su laquelle choisir, et la question fondamentale de son existence n'avait-elle pas toujours été la même, où dois-je aller, à qui dois-je appartenir, tel un petit chien égaré, on l'aurait vue revenir penaude vers cette vie même qu'elle venait de quitter, qu'en penses-tu, Yinn, change-t-on à ce point d'une vie à l'autre, ne serait-ce pas trop de dépaysement pour notre Fatalité de se retrouver soudain dans la vie d'une femme vertueuse, pense au choc que ce serait pour elle, les mots moqueurs de Robbie emplissaient l'air de la nuit, oui, mes couleurs sont le bleu, le doré, le vert et le tendre, chantait-il, le cortège des filles avançait sous les étoiles, oui, il y avait là beaucoup d'ordre, pensait Yinn, c'était un beau cortège, et bien ordonné, pensait Yinn, il faudrait en féliciter Herman, oui. Et dans la lumière de la nuit, en allumant toutes les lumières de la terrasse et du jardin, le tableau de Nora, lequel était si ample qu'il pouvait à peine être transporté dehors par une seule personne, bien que Nora parvînt à le faire seule de toute la force de ses bras, mais en se plaignant que ce fût trop lourd, ce tableau, un autoportrait que Nora achevait d'exécuter, n'était-il pas d'une matière trop ondoyante sous un ciel que la nuit chargeait peu à peu de brume, n'absorbait-il pas, avec les taches d'huile du pinceau, la liquidité des couleurs de la piscine, contre le ciel, et ne serait-ce pas trop dramatique, l'expression des yeux, surtout, ces yeux de Nora qui semblaient soudain agrandis sous des cernes bleus, l'unique ride creusant les tempes, comment l'omettre, les cernes, la ride, même si elle avait peint ce tableau pour sa petite-fille, afin que ce portrait de Nora fût toujours près d'elle dans sa chambre, avait dit Greta, près de son enfant à mesure qu'elle grandirait, et ne serait-ce pas inopportun, pensait Nora, cet ample autoportrait, au-dessus du lit de Stéphanie, mais non, maman, avait dit Greta, Stéphanie t'adore, et pire, n'était-ce pas chez Greta le désir d'immortaliser sa mère, c'est donc qu'elle la croyait plus mortelle, qu'elle ne voyait pas en sa mère la femme encore jeune qu'elle était, il fallait chasser ces pensées, se concentrer sur les yeux, oui, une expression trop dramatique, ces yeux, dans la chambre d'une petite fille, ne serait-ce pas gênant, inopportun, pendant qu'elle étudierait, lirait, déjà l'enfant avait près de treize ans, à cet âge, Nora n'était plus une petite fille, elle voulait devenir chirurgien comme son père, ils étaient en Afrique, déjà l'accompagnant partout, elle l'aidait avec ses malades, à près de soixante ans une femme était encore jeune, Greta l'apprendrait un jour, les mains de Nora, souvent écorchées en ce temps-là, ses ongles qu'elle rongeait, attendant que cet homme eût pour elle un regard, une pensée, dès l'automne tu seras avec ton frère au pensionnat, en Europe, oui, quémander une pensée, un regard à cet oracle maussade, toujours agacé par nous, même pendant que ma mère lui servait ses repas, disant qu'il devait vite partir, être secourable, dans la brousse épineuse s'en aller, partir, tu seras, oui, tu deviendras, oui, une fille instruite, éduquée, la repoussant, quand elle était si habile, de ses mains guérisseuses, oui, lui disant, ce n'est pas pour une femme, non, si les yeux ont cette expression dramatique, c'est que le pli ou la ride est trop prononcé, un peu de blanc ici, et ce blanc sans trop d'éclat, pourquoi pas le spatuler avec le doigt, la blouse de peintre de Nora, enfilée vite sur un maillot de bain, mais elle savait qu'elle ne pourrait plus dormir, maintenant, trop de détails ressurgissant du tableau attiraient son attention, la blouse bleue était si maculée de couleurs et de taches qu'on eût dit une toile abstraite, pensait Nora, un vêtement si rigide désormais qu'il ne pourrait plus être lavé, quelle joie, oui, cela eût été de pouvoir dire à son mari à sa descente de l'avion, demain à l'aéroport, le tableau pour Greta est fini, mais il n'en serait pas ainsi, et la comprendrait-il qu'elle eût mis encore tout ce temps, l'emploi du temps de Nora se dissolvant en mille tâches, courses, monologues avec ses enfants au loin devant l'ordinateur, quand remuait l'image, soudain ils étaient là, puis ils disparaissaient, c'était comme leurs vies souvent si inaccessibles pour Nora, dont ils préservaient l'inaccessibilité, car ils vivaient tous si loin d'elle, revenant à la maison de leurs parents quelques fois par an, mais si loin, ils résidaient tous si loin, bien qu'elle leur téléphonât tous les jours sur son portable, qu'elle les vît presque quotidiennement à l'écran de son ordinateur, mais on eût dit qu'ils n'étaient pas là vraiment, disant les uns, les autres, tout va bien, maman, au revoir, je dois sortir maintenant, la petite doit aller à sa leçon de danse, au revoir, maman, à demain, chère petite maman, comment va ton tableau, tu y arrives, c'était cela, ils n'avaient pas le temps de s'arrêter à ce qu'elle avait à leur dire, ils avaient leurs vies, comme si ces vies n'étaient pas un peu les siennes, aucun d'entre eux n'était comme elle, une artiste, malgré l'école de musique, ils n'avaient pas persévéré dans ce domaine, quel avait été le but de sa vie sinon son mariage avec Christiensen, sa famille, et maintenant qu'on avait agrandi la maison, qu'on en avait construit une autre juste pour eux, viendraient-ils plus souvent, elle eût aimé savoir ce qu'ils faisaient tous les jours, à chaque heure, oui, sinon ne rien savoir pour une mère, c'était une sensation d'éparpillement, de perte de contrôle de ses moyens, ou que son propre destin fût incontrôlable, futile, inutile, peut-être, comment leur expliquer cela, ou bien accueilleraient-ils son explication avec indifférence, l'essentiel, c'est qu'elle les ait tous mariés, non, ce n'était pas exactement ce qu'elle avait fait, mais elle se réjouissait que ses filles aient de bons maris, quant à Hans, il avait une charmante famille, mais il était agent de bord, quand était-il près de sa femme et de ses enfants, d'ailleurs, le père, le fils, leurs avions ne sillonnaient-ils pas le ciel en ce moment, pas sur le même continent, leurs avions sillonnaient le ciel, mon Dieu, il ne fallait pas penser à cela, vivre était un danger continu, certaines pensées devaient rester dans l'ombre, un coup de pinceau ici, ou avec les doigts étendre ce bleu clair sur le canevas, qu'eût fait Georgia O'Keeffe avec ce tableau, elle l'aurait refondu autrement, dans une chaude boue de couleurs en arc-en-ciel, elle n'eût pas peint la réalité qu'elle voyait devant elle, ce visage de Nora, la couleur trop ensoleillée de la peau, les yeux agrandis sous le cerne bleu, ou les yeux bleus sous un cerne gris, qu'était-ce, elle se fût lancée comme Georgia O'Keeffe, à l'âge de vingt-sept ans, dans l'inconnu, sa réalité, elle l'eût conçue avec une palette, de l'intérieur, quand Nora ne pouvait reproduire que ce qu'elle voyait, ou si elle avait réussi parfois à définir dans ses tableaux sa réalité intérieure, n'était-ce pas lorsqu'elle avait peint les silhouettes de ces femmes africaines, celles de son souvenir, ce n'étaient que des lignes noires, oui, debout, austères sous un ciel orange, d'un orange abrasif, c'était cela, oui, ce jour-là elle avait su que, comme O'Keeffe, oui, elle se lançait dans un vide d'où pourrait surgir la réminiscence absolue, celle des formes africaines dormant dans son subconscient, mais O'Keeffe n'avait-elle pas recherché les trésors de cette réminiscence sans se lasser, quand Nora s'était interrompue, ne voulant pas aller plus loin, qui sait quel troublant inconnu elle éveillerait avec ses recherches des formes, des couleurs, n'était-ce pas toujours risqué, ce serait s'engager dans une terre ou un océan aux bouleversants dommages, non, et puis n'était-ce pas désagréable de penser que l'œuvre d'O'Keeffe ait été décrite dès le début comme une œuvre féminine, qu'on ait souligné le genre avant la qualité, que les critiques n'aient pas salué d'abord un maître de l'avant-garde, il y avait aussi beaucoup dans les tableaux d'O'Keeffe, ces rouges et oranges abrasifs, ils n'étaient pas africains comme tout ce que longtemps Nora avait peint, mais l'artiste les portait en elle, ces rouges, ces oranges dans le flot de son sang, comme une femme qui eût porté le monde, les couleurs de ses entrailles, oui, étaient-ce cela les rouges, les oranges abrasifs que peignait aussi Nora, dans ses premiers tableaux, avant qu'elle n'ait peur d'aller trop loin, en ce sens, oui, on pouvait dire qu'O'Keeffe peignait les eaux rouges de la femme, sa fertilité, mais non que son art fût littéralement féminin, ce qui forcément l'amoindrissait, oui, Nora eût aimé lui dire, demain, dire à Christiensen en le voyant, accourant vers lui à l'aéroport sous son chapeau de paille, oui, je l'ai fini, le tableau, l'autoportrait pour la chambre de Stéphanie même si je n'aime pas trop l'expression des yeux, ils sont trop étroits, je ne sais pas, une expression rentrée, on dirait, des yeux bleus bien peints, oui, que manque-t-il donc, se refusent-ils trop à voir et à comprendre, bien qu'ils semblent regarder droit devant eux, on ne sait trop ce qu'ils expriment, sinon une volonté vivace, un désir de rapidité, regardant tout trop vite et ailleurs, vers ce qui viendra, je n'aime pas, non, que l'expression voltige ainsi, trop de blanc autour du bleu du regard sans doute, j'y reviendrai, non, Christiensen, rien encore n'est terminé, rien, elle décevait ceux qu'elle aimait, bien que son esprit, ses mouvements fussent toujours d'une telle vélocité, femme avide de vivre, mais ses enfants ne disaient-ils pas qu'elle faisait tout trop vite, c'était amenuisant, oui, qu'elle fût ainsi, ne pourrait-elle prendre le temps de se reposer, quand dormait-elle une nuit complète, jamais, lui demandaient-ils, c'était cette pression en elle d'une urgence continue, accaparante, toujours l'air d'une gamine, disait son mari, il appréciait son goût, qu'elle fût presque toujours aussi mince, pas comme il y a cinq ans quand pendant des vacances ses filles laissant sécher leurs jeans et maillots au soleil, près de la piscine, elle les avait essayés l'un après l'autre, quelle similitude charnelle, avait-elle pensé, le jeans un peu tendu sur le ventre, et ses filles riant, tu vois, maman, tu es toujours aussi jeune, pas comme il y a cinq ans, se modelant si intimement à elles, enfants sorties de sa chair, bien que Marianne, sa cadette, eût exprimé une réticence, maman, tu vas étirer mon jeans, ce n'est plus pour toi, je suis plus grande que toi, elle se résignait maintenant à ne pas recommencer ce jeu qui lui semblait d'une combative vanité, ils lui reprochaient d'être trop longtemps au soleil, sa peau s'y crevasserait, née avec le soleil, il lui fallait sentir sa chaleur toute la journée, que cela la brûle, que le soleil fasse partie de son bouillonnement intense, quand elle faisait tant de choses à la fois, dans toutes les directions, disaient ses enfants, eux ne savaient pas combien elle éprouvait ce fautif sentiment de les décevoir tous, qu'elle soit en train de peindre ou qu'elle se consacre à l'une de ses œuvres de charité, en ville, ou qu'elle achète trop de cadeaux pour ses petits-enfants, elle savait qu'elle les décevait tous, et qu'elle se décevrait toujours elle-même plus encore, voici que Mélanie et Daniel lui demandaient de venir visiter Esther, dans son pavillon, Mère eût été si réconfortée de revoir Nora, Christiensen avait déjà rendu visite à Esther plusieurs fois, avant de partir pour le Niger, elle non, elle, Nora, si elle ne voulait pas rendre visite à Esther, c'est qu'elle craignait de la décevoir, d'ailleurs Esther la plaçait trop haut, elle ne savait pas combien Nora était une femme, une amie décevante, une mère décevante aussi, ils étaient chez Tchouan et Olivier en ce jour de l'anniversaire d'Esther, Nora promettant à Esther qu'elle retournerait en Afrique, Nora promettant, promettant tout, le fils de Tchouan était le D.J., quelle musique assourdissante, se plaignait Olivier, la terre rwandaise croule sous ses morts, avait dit Nora à Mère, j'y retournerai, revoir le pays mais savoir soulager, guérir comme l'a fait mon père, je reviens de là-bas mais j'y retournerai, avait dit Nora, décevante, déçue, se jugeant de trop partout où elle eût dû apporter son aide, non, elle savait qu'elle n'irait pas, ne repartirait pas, il y avait désormais trop à faire ici, en pensant aux enfants, et puis ce portrait pour la chambre de Stéphanie qui n'était pas encore terminé, penser aux enfants, leur parler chaque jour de son ordinateur, rien de tout cela n'était spectaculaire ou ne valait la peine, mais c'était son devoir de permanence, de durée certaine, qu'ils puissent tous sentir qu'elle était là pour eux, comment eût-elle pu dans les circonstances se résoudre à repartir vers tant d'inconfort, de luttes quand l'engourdissait peu à peu le bien-être tropical de son jardin, sa piscine, ses deux maisons, dont l'une toute nouvellement restaurée, inciterait bien un jour ses enfants à venir passer de plus longues vacances auprès de leurs parents, cela dont elle ne pouvait être sûre, et puis venaient souvent les amis pour qui elle préparait d'exquis dîners, avec tant de soin qu'elle avait peu de temps pour s'asseoir à table avec eux, debout dans sa cuisine elle prêtait une oreille distraite à ces conversations, des amis si connaisseurs, faute de savoir mieux faire, elle les interrompait d'une remarque qui les décontenançait, selon son mari, disait-elle d'une voix qui se voulait forte, imposante, selon son mari, et la phrase se déclamait toute seule, lorsque Christiensen était à la maison, elle parlait moins, sachant qu'il la réprimanderait devant les autres si elle se trompait dans ses observations ou ses remarques, ou l'acuité de ses perceptions, mais non, ce n'est pas comme cela, dirait-il avant une explication prouvant l'utilité de son immense savoir, Nora l'écouterait en silence, se disant qu'encore une fois elle avait déçu ses amis, qu'elle n'était pas aussi brillante qu'eux, et elle se mettait soudain à en vouloir à tout le monde, Christiensen, les amis, oui, ils ne lui laissaient aucun espace, un déferlement de repas exquis, mais on ne lui laissait pas son espace à elle, ainsi elle ne s'affirmait jamais comme elle aurait dû le faire, ainsi elle avait pris la décision de ne pas rendre visite à Esther, sachant qu'elle pourrait décevoir cette dame vénérable, oui, mais maman est très souffrante, avait dit Mélanie, nous ne pouvons plus compter les saisons comme autrefois, maman est, c'était là aussi ce que Nora ne voulait pas voir, que la mère de Mélanie ne fût plus cette femme qu'elle avait connue, saine et dominante, ce qu'était Nora maintenant, saine et dominante, non, Nora ne pouvait pas assister à la décrépitude d'un être qui lui était cher, si un jour on lui apprenait le dépérissement de sa santé, elle ne le supporterait pas, elle avait autrefois surmonté de graves épreuves, sur ce plan-là, quand les enfants étaient petits, mais jamais plus, non, pensait-elle, c'était l'une des déclarations dépareillées qu'elle faisait souvent lorsqu'on parlait dans sa maison de la maladie, de la mort, non, elle, non, elle aurait une autre solution, une solution définitive, et on lui disait vite de se taire, elle, Nora, penser ainsi, oser le dire, on lui disait vite de se taire, peut-être était-ce enfin, pensait Nora, une façon de tâter le degré d'amitié de ses amis envers elle, ils l'aimaient puisqu'elle les scandalisait avec cette idée, elle ne pouvait donc les surprendre que par la provocation, dire des choses qui les choquaient, leur semblaient aberrantes, puisque c'était ainsi, pourquoi mesurer chaque parole, non, Christiensen mesurait bien ses paroles, mais Nora, pourquoi l'eût-elle fait, si elle voulait qu'on l'écoute, qu'on sache qu'elle était aussi brillante que son mari, et en outre plus intuitive que lui puisqu'elle était une artiste, elle n'avait pas la compétence de Christiensen, mais pourquoi ne percevait-on pas qu'elle méritait mieux que personne de vivre à ses côtés, Christiensen était un économiste et un diplomate compétent, telle était sa profession, il était qualifié pour démêler les relations humaines entre les pays, les nations, Nora, toujours plus modeste dans son rôle, emballant longtemps ses enfants, sa maison, d'un pays à l'autre, apprenant vite une langue, qu'ils soient en Italie ou en Russie, elle devait toujours se hâter dans leurs fréquentes installations, pensait-elle, refusant la présence d'une bonne, ramenant une jeune fille au pair, parfois, sa maison toujours ouverte aux amis africains de son mari, à leurs familles, Nora, modeste mais prenant peu à peu cette assurance des femmes de diplomates, planifiait, organisait la vie de chacun, osait de plus en plus affirmer ce qu'elle pensait, ne mettait-elle pas tout sur pied, l'école pour les enfants, les visites et réceptions, dans la ville, le pays élu, sachant que le retentissement de tout ce qu'elle organisait, vivement, avec son enthousiaste célérité, ne durerait pas, rien ne durait que sa passion pour la peinture, ses portraits, auto-portraits, voyageant avec elle, s'intégrant au programme, et maintenant qu'elle était enfin installée, que son mari ne les trimballait plus avec lui, quand les enfants étaient tous des adultes bien mariés, oui, que cela fût fait enfin, qu'ils fussent tous casés, pourquoi cet arrangement sans fin de son existence la décevait-il autant, c'est que, comme Christiensen, elle vieillissait, dans quelques années ses enfants parleraient d'eux comme de vieux parents, ce qui était inadmissible, quand ils étaient tous les deux au seuil d'une maturité qui ne serait pas toujours orchestrée autour de leur progéniture, ou des voyagements de Christiensen, une maturité arrangée pour eux-mêmes, leurs loisirs, leur repos, bien que Christiensen détestât cette pensée des loisirs et du repos, il ne s'arrêterait pas, pourquoi le ferait-il, disait-il, on ne lègue ses connaissances qu'en étant actif, Socrate s'était-il jamais arrêté dans son enseignement, que savait-elle de Socrate, elle n'avait pas étudié aussi longtemps que son mari, c'était une autodidacte emportée par le mouvement de la vie depuis ce jour, oui, ce jour, et c'était bien à cause de lui, son père, le grand chirurgien en Afrique, ce jour où il avait dit, tu peux bien, oui, les commencer tes études de médecine, mais tu n'en auras pas la capacité, tu peux bien, oui, pourquoi n'aurais-je pas cette capacité, pourquoi, quelque chose en toi, qu'avait-il dit, est indécis, souffre d'une étourdissante indécision, avait-il souligné en elle une fragilité de l'esprit, qu'avait-il voulu dire, et si cela était vrai, cette indécision, ou voulait-il dire qu'elle ne savait pas réfléchir, qu'elle était irréfléchie, et ne valait rien pour des études prolongées, ou qu'elle ne valait rien du tout, ne l'avait-il pas condamnée à n'être qu'une femme, une mère, une épouse, était-il un homme perfide, ce père, bien qu'il s'entendît bien avec Christiensen, complicité ou duplicité du père ou du mari, contre elle, l'étaient-ils, elle se trompait, c'était trop injuste de penser ainsi, Christiensen l'avait toujours poussée à exposer ses tableaux, c'est lui qui s'ingéniait à trouver les galeries, à louer le talent de sa femme, il était irréductible si elle passait plusieurs jours sans peindre, mais comment eût-il su combien sa déception était profonde puisque soudain, et c'était si récent, ils avaient été si heureux, toutes ces organisations et planifications, dont la vie de Nora était composée, ne lui plaisaient plus, avaient soudain pour elle une saveur d'amertume, c'était sans doute cela, cette nouvelle maturité, si peu prometteuse, qui l'attendait, pendant que son mari serait toujours aussi reconnu pour sa compétence et d'une exemplaire efficacité, plus encore dans les années futures, encore, quand elle aurait l'impression de régresser vers quelque rêveuse contemplation artistique, devant ses tableaux, ou éprouver ce qu'elle éprouvait maintenant en pensant aux œuvres d'O'Keeffe, cette impuissance à faire aussi bien, à ne pas vouloir imiter non plus ce qui lui semblait trop libre pour elle, dans la forme, et Nora se souvenait d'Esther lui disant dans ce jardin, chez Tchouan et Olivier, quand la musique était assourdissante, vous retournerez, vous retournerez, je regrette beaucoup, ma chère Nora, pour la malaria qui vous a fait tant de mal, mais voyez le courage des femmes, même affaiblie vous n'avez pas cessé de soigner ces misérables enfants sidéens, et beaucoup n'ont-ils pas survécu grâce à vous, survivent encore, vivront plus longtemps, songez à cela, Nora, votre courage, même affaiblie par la malaria, c'est qu'à cet instant là-bas, parmi mes enfants, ceux qui n'étaient pas les miens et que je tenais dans mes bras, que je lavais, changeais et soignais, c'est qu'à cet instant-là, avait dit Nora à Mère, c'est que j'étais en plein épanouissement, et n'étais pas déçue par moi-même ni par les autres, moi qui suis agnostique comme le sont mes enfants, on eût dit que me guidait quelque Dieu qui n'eût qu'un seul langage pour tous, qu'une seule parole pour tous, et que ce fût partout la même, aimez sans compter, sans savoir qui vous aimez, j'étais dans ce moment solaire de ma vie où se déployaient toutes mes capacités, avait dit Nora à Mère, oui, toutes mes capacités, et mon esprit n'était plus irrésolu, ne connaissait plus l'angoissante division, indécision qu'avait perçue mon père, qui sait, peut-être avec raison, c'était sans doute le plus exaltant moment de ma vie, même si j'étais si affaiblie qu'il m'a fallu revenir, et c'était elle, Esther, la mère de Mélanie, que refusait de visiter aujourd'hui Nora, craignant de la décevoir, que lui eût-elle dit qui n'eût été maladroit, longuement elle eût parlé de ses enfants, certes les mariages tenaient, mais encore fallait-il la persuasion des psychologues et thérapeutes, c'est sans doute parce que Marianne avait consenti à se marier trop tard, toute à sa profession, d'abord, quant à Greta, elle en était à son second mariage, et Stéphanie vivotait entre deux parents, que séparaient toujours deux pays, mais aujourd'hui vivaient ainsi beaucoup d'enfants de divorcés, eût dit Nora, pourquoi ces liaisons, ces mariages manqués, coupés par le divorce, quand Nora avait toujours été monogame, n'était-ce pas là la seule droiture, fidélité que l'on doit à l'homme qu'une femme aime, en était-il de même pour Christiensen qui voyageait tant, certaines choses, oui, devaient rester dans l'ombre, si on commençait à douter, tout tremblait en vous, vous n'étiez plus en sécurité nulle part, j'ai une extrême confiance en mon mari, eût dit Nora, ce qu'elle disait, oui, à ses amis, douter de son mari eût été une offense à son intégrité, et Christiensen était d'une intégrité totale envers les siens, c'est comme pour Greta, eût dit Nora, elle a enfin trouvé l'homme qui sera pour toujours le sien, soudain la parole de Nora était prompte, presque agressive, pour toujours, toujours, tout doute quant à l'avenir du mariage de Greta s'effaçait ou devait s'effacer, être gommé de la pensée des autres, qu'il y eût parfois des disputes, des querelles dans ce mariage de Greta avec l'homme nouveau, il fallait comprendre la personnalité si forte de sa fille, Greta ayant hérité du tempérament impulsif, accéléré de sa mère, où pour elle dans l'existence rien n'allait jamais assez vite, ni assez bien, quand l'homme qu'elle aimait, ainsi en était-il avec Nora. Christiensen était un homme calme, réfléchi, posé, n'était-ce pas singulier que la mère et la fille fussent si proches dans leurs choix et comportements, eût dit Nora, mais pourquoi Nora eût-elle confié à Esther, qui dirait bientôt adieu à ce monde, ces encombrants soucis au sujet de ses enfants, qu'eût-elle pu dire qui puisse la réconforter, rien, il n'y aurait plus rien à dire, c'était la fin de la vie, la vieillesse, une horreur impitoyable qui vous cernait les uns après les autres, quand Nora était encore saine et dominante, réparait dans la vie de ses filles ce qui avait été décousu, raccommodait telle incompréhension entre son fils et sa belle-fille, allons, mes chéris, tout ira bien, leur disait-elle, réparatrice, guérisseuse, partout, en tout, mais auprès d'Esther elle eût été si décevante, non, n'eût su quoi lui dire, la vieille dame la plaçant toujours trop haut, idéalisant ce qu'elle n'était pas, il fallait bien l'avouer, son séjour en Afrique avait été un échec, voilà ce qu'elle eût dit à Esther, le plus difficile pour nous, les femmes, c'est la certitude de notre échec, en presque toute chose, sauf la maternité, et Mère, comme dans le jardin, dans ces sentiers aux roses rouges chez Tchouan et Olivier, Mère n'eût-elle pas dit, vous vous trompez, ma chère petite, vous vous trompez, pourquoi vous aimez-vous si peu, je ne comprends pas, et Nora n'eût pas dit ou nommé ce rejet du père, non, elle ne l'eût pas fait, par lâcheté sans doute, elle eût peut-être dit à Esther, vous savez, je peins, je peins, le peintre O'Keeffe a su faire un saut insensé, risqué dans l'abstraction, moi pas, je suis obsédée par les visages, les corps, les autoportraits, les portraits, en tant que matière rigoureusement décrite, traduite, pensez à ce visage d'O'Keeffe qu'on ne nous montre que dans sa vieillesse, cheveux et traits tirés, tête austère de sexe indéterminé, était-ce par défi que le vieux peintre alors a consenti à ce qu'elle soit ainsi photographiée, tenant à une telle neutralité comme si elle était le vieux Rembrandt, afin qu'on ne voie plus d'elle que l'essentiel, la beauté du front trop grand, la ligne volontaire des lèvres, son art surpassant l'austérité de son visage, de sa tête, de son corps soudain de sexe indéterminé quand elle avait été une femme sensuelle, désirable, provocante pour son mari et ses amants, l'art austère dépassant toute image fixée par les hommes, soudain austère, oui, dépouillée comme allait le devenir son visage, sa tête, oui, Nora eût dit à Mère, je peins, je peins, mais suis si peu satisfaite de moi, et Mère lui eût dit, pourquoi, mon enfant, vous aimez-vous si peu, et ce regard d'Esther, cela, non, Nora ne l'eût pas supporté, les moribonds avaient de ces regards vitreux, lointains, cela, non, Nora ne l'eût pas supporté, voilà pourquoi elle n'irait pas rendre visite à la mère de Mélanie, Esther que Nora avait connue encore forte, dominante, solide, dirigeant toute sa maisonnée, pas au bord de cela, au seuil de, non, pas, elle n'irait pas rendre visite à Esther à cette heure si grave, ou peut-être attendrait-elle encore quelques jours, ah, ce blanc éclaircissait le tableau, et l'expression des yeux était moins dramatique, ainsi, les yeux semblaient moins agrandis, sous le blanc bleuté des paupières, c'était bien, pensait Nora, il fallait espérer maintenant que son mari aimerait le tableau, il fallait espérer. Et Herman dit qu'il fallait maintenant sortir dans la rue le cheval blanc sur ses roues, un trottoir pailleté d'étoiles d'or comme au temps de Noël accueillerait le cheval dont Robbie déjà tirait la bride, et sentant toujours le regard de Yinn couvrir son cou et ses épaules, Petites Cendres vit que ce regard inquiet de Yinn parcourait aussi le groupe du défilé, comme si Yinn avait craint quelque insubordination du destin subitement à travers ces élans de bonheur des filles, de toutes ces Fatalité rassemblant leur procession autour du cheval blanc, symbole de la résurrection du printemps, Yinn craignait-il qu'avec leur santé plus que déclinante, les filles aient déjà trop bu de ces boissons au rhum que leur offraient Herman et Jamie, et que soudain toutes aient à courir vers les toilettes, tachant leurs robes et mantes de la nuit, ou se sentait-il triste en songeant à mon Capitaine, à sa descente vers les profondeurs de l'océan, avec les cendres de Fatalité, de cette main de scaphandrier, mon Capitaine déposerait parmi les coquillages roses des récifs de coraux et les poissons aux lignes fluorescentes le petit sac vite tiraillé par les eaux, les cendres parsemées telles des graines de vie, les pépites de feu du dernier sommeil dans la végétation marine de Fatalité, mais que cette tristesse abatte Yinn, il savait aussi qu'il n'y céderait pas, déjà il entraînait vers la rue Filippo le Mexicain, qui pleurnichait sur son verre, au bar, allons, tu ne veux pas faire la fête avec les autres, n'en es-tu pas à ton cinquième gin, mon ami, je pleure sur Fatalité, dit Filippo, mais aussi sur moi-même car mon mari qui a soixante-cinq ans me maltraite à son party de Noël, il a dit, pas de Latinos ici, ils font tous trop de bruit, pas de Latinos ici, que des Blancs, voilà comment il me maltraite, tu me vois, Yinn, n'ai-je pas un beau visage, des lèvres bien charnues aimant le corps des hommes, regarde-moi bien, j'ai trente ans, lui c'est encore un bel homme athlétique, il est toujours à son gym, des muscles, il en a, c'est le gym ou le journalisme, il n'arrête jamais d'écrire, saute à toute minute dans un avion en première classe pour ses reportages, il m'a acheté une maison, tu sais, là, rue Bahama, il vient quand il passe par ici, mais il est presque toujours ailleurs, au Brésil, en Espagne, j'ai un métier subalterne, nettoyer les rues, poser les fenêtres quand les vitres ont été cassées par les enfants de la rue, il le sait, quand je serai légal, je pourrai voyager avec lui, il a promis que je serais légal, bientôt, dit-il, mais nettoyer les rues, c'est un métier subalterne, je le sais, Yinn, comme tu vois il m'habille bien, je ne manque de rien, j'aime mon vieux mari, mais quand il dit, pas de Latinos ici, pour le party, je pense chercher ailleurs, oui, parce que comme tu vois, Yinn, j'ai un visage aimable, je suis un garçon honnête, tu vois mes grosses lèvres, elles pourraient bien plaire à quelqu'un d'autre, qui ne me dirait pas, je ne veux pas de Latinos ici, non, ils font trop de bruit, oui, pauvre Fatalité, je pleure sur elle, mais sur moi-même aussi, pauvre petit Filippo, je me dis, un garçon honnête et à qui son mari fait tant de peine, il m'insulte, Yinn, tu comprends, il m'insulte, déjà que ce n'est pas amusant de nettoyer les rues, avec toutes ces crottes et ces déchets, penché sur mon balai, tous les matins, à l'aube, je n'aurais pas à travailler, il ne veut pas, il peut tout payer pour moi, tout, mais même en subalterne, nettoyant les rues à l'aube, je veux lui faire comprendre que je suis fier, que dans mon pays on est fier et honnête, que je suis un garçon indépendant, maintenant peux-tu m'offrir un autre gin tonic, Yinn, je le mérite bien, pauvre Fatalité, pauvre petit Filippo insulté par son mari, ah, pauvre moi, se lamentait Filippo, pendant que Yinn l'amenait dehors, vers Herman, Robbie, tirant la bride du cheval blanc en papier mâché, Yinn se dégageant peu à peu de sa tristesse comme s'il eût compris, pensait Petites Cendres, que même en l'absence de Fatalité, en l'absence de toutes les Fatalité qui défilaient dans la rue, car ne savait-il pas qu'il les perdrait toutes, il vaquerait à ses occupations fières, comme le faisait Filippo, dans ce rôle ou cet emploi où il représenterait les siens, qu'ils soient morts ou vivants, Yinn incarnerait cette chaîne successive de la vie que rien ne peut interrompre vers un avenir de plus en plus évolué, croyait-il, était-ce pour ce principe de l'évolution des hommes sur la terre que Yinn était le prince du Nouvel An chaque année, ou sa princesse, filmé par de nombreuses caméras pendant qu'il entrait d'un pas prudent sur ses talons aiguilles les plus effilés dans une barque vacillant sur la vague, la première vague souvent tumultueuse du nouvel océan, celui du premier janvier au froid saisissant après quelques journées de chaleur, en décembre, fracassant la première bouteille de champagne de l'année dans cet air aux froideurs hivernales, en s'écriant, bonne année à toutes, à tous, oui, était-ce pour cette raison, pensait Petites Cendres, qu'il était le garçon d'honneur ou sa demoiselle quand se mariaient deux femmes, qu'elle était, elle, Yinn, celle qu'on appelait partout pour ces festins des événements amoureux, même lorsqu'ils se déroulaient en secret, dans un simple échange de baisers, Yinn atterrait sa mère en étant cette demoiselle d'honneur des mariages les plus saugrenus, disait-elle, comme si cela eût été naturel que des gens de même sexe se marient, ce fils avec ses idées, sa modernité, c'était trop pour une mère, parfois, oui, disait-elle, c'était trop, et toute la maison de Yinn bruissait alors, disait Robbie, de ces furieuses altercations entre la mère et le fils, lesquelles ne réveillaient pourtant pas Geisha ni Cobra blotties dans leurs oreillers, ni le soupirant vieux chien dans ses couvertures sur le lit de Jason et Yinn, disait Robbie à Petites Cendres, la maman de Yinn ne considérait-elle pas soudain son fils tel un gentil dépravé, il était bon, affable, ses manières la plupart du temps étaient gracieuses, lorsqu'il ne pirouettait pas en soulevant sa jupe au Vendredi Décadent du Saloon Porte du Baiser, dans une danse un peu crue qu'elle lui reprocherait, ne répondait-il pas que c'était dans l'espoir d'attirer la clientèle lente de la semaine, tu n'as pas à leur montrer la dentelle de ton string, argumentait-elle, ainsi on peut te voir jusqu'au nombril, mais même si Yinn avait hérité des traits fins de sa mère, disait-elle, dans sa bénigne dissipation, ses danses érotiques teintées d'ennui, de langueur, car son enfant, avec Jason comme compagnon de lit, ne dormait pas assez, non, son sommeil était toujours accaparé et en crise, c'était la cause de ces danses dans la rue du Saloon au Vendredi Décadent où il retrouvait d'autres travestis, de ces danses soporifiques, nonchalantes de Yinn, quand il s'ennuyait tant, dansait en dormant debout, oui, même en héritant de la finesse de sa mère, c'était sans doute à son père dissipé qu'il ressemblait le plus, disait-elle, vexée qu'il en fût ainsi, un gentil dépravé aux idées trop modernes, voilà ce qu'était Yinn, comme son père, et maintenant le voici garçon ou demoiselle d'honneur, en plus, complice des mariages défendus, à quoi ne devrait-elle pas s'attendre maintenant, disait la maman de Yinn à Robbie, oui, à quoi d'autre, qu'allait-il inventer de plus pour tourmenter sa mère, et Robbie disait à Petites Cendres que la tolérance de la mère de Yinn était sans doute beaucoup plus étendue qu'elle ne l'avouait à son fils, qu'elle aimait surtout le rabrouer, que, dans cette longue habitation qu'ils partageaient elle et lui avec d'autres, les séances sur le tabouret ne suffisaient plus, qu'elle ne le voyait pas assez, rabrouer son fils était un devoir impérieux une fois par mois, afin que la mère de Yinn voie de plus près son fils, lui rappelle qu'elle pouvait commander, ici, régner, gouverner. Et voici ma chambre, disait Tammy à Mai, enlève tes patins car le plancher a été ciré hier, il y a ta mère qui a encore téléphoné, vois la messagerie qui s'allume, pourquoi téléphonent-ils sans cesse quand il n'est pas encore minuit, dit Mai à Tammy qui plongeait déjà sous la douche, on entendait le bruit de l'eau sur le carrelage, je repars tout de suite, dit Mai, dès que tu sortiras de la salle de bain, je dois partir, regarde, dit Tammy qui réapparaissait devant Mai dans l'une des chemises blanches de son père qui semblait la recouvrir entièrement, rien ne paraît plus, ils n'y verront rien, mes parents, rien, je me sens mieux, ne pars pas tout de suite, je veux te montrer ma chambre, dit Tammy, pourquoi ne viens-tu jamais me voir, il faut que je sois ivre pour que tu viennes, dans cette bibliothèque il y a les livres qu'ont écrits mes parents, on dit que maman écrit avec un scalpel, je ne veux pas lire ses livres, papa est un historien, il n'écrit pas avec un scalpel, je n'ai pas peur de le lire, mais maman, tous ses livres sont là, dans la bibliothèque, tu vois, eh bien, je ne veux pas savoir ce qu'elle pense de moi, non, je ne veux pas, les doigts de Tammy parcouraient, comme en les fuyant, les volumes de la bibliothèque, toi, tu lis les livres de ton père, demandait Tammy, moi, je ne le ferais pas si j'étais toi, car papa dit qu'Adrien, son ami qui est critique littéraire, est souvent dur pour les livres de ton père, il les trouve excessifs et obscurs, très obscurs, je ne les lirais pas si j'étais toi, j'ai la tête qui tourne, mais toute lavée maintenant, ils n'y verront rien, ils ont déjà téléphoné plusieurs fois en demandant si j'étais ici, Tammy, Tammy, n'oublie pas d'être à la maison avant minuit, quant à toi, Mai, ton père ne veut pas que tu rentres sur tes patins, il est trop tard, dit-il, la brume a augmenté boulevard de l'Atlantique, il te recommande de revenir en taxi, ou te propose de venir te chercher, mais ne pars pas tout de suite, Mai, jamais tu ne viens me voir, comme si nous n'étions pas à la même école, toi et moi, c'est parce que je consomme du hasch, les filles qui ne consomment pas de hasch ne me fréquentent pas, à l'école, mais je pensais que toi et Manuel, je pensais, j'étais sûre, c'est donc toujours ton Emilio que tu préfères, comment peux-tu le voir, ses parents l'ont envoyé à l'école catholique espagnole, et maman dit que si je ne change pas, j'irai à l'école des catholiques moi aussi, j'ai faim, as-tu un peu faim toi aussi, Mai, alors ce garçon tout en kaki, le marine, pourquoi étais-tu près de lui, il était couvert de sauce chili, c'était répugnant, moi il me faisait peur, il faut que j'oublie tout ce qu'il y a dans le réfrigérateur, sinon je vais encore grossir, tu vois, mes hanches se sont élargies, et Mai dit à Tammy qu'elle était vraiment trop maigre, elle semblait toute fondue dans la chemise blanche de son père, pourquoi ne manges-tu pas si tu as faim, dit Mai, tu es vraiment trop maigre, je suis élargie de partout, dit Tammy, et c'est pour l'oublier que je consomme le haschisch de Manuel, de son père, sur leur plage, oui, quand nous sommes seuls, il ne faut surtout pas qu'on nous voie, je sais que dans ses livres maman se plaint d'avoir une fille comme moi, qu'elle ne sait plus quoi penser des enfants d'aujourd'hui, de mon frère, de moi elle ne sait plus quoi penser, je ne lirai jamais ses livres, je ne veux pas savoir ce qu'elle pense de mon frère et moi, Mai regardait Tammy assise sur son lit dans la chemise évasée de son père, lorsque s'entrouvrait la chemise, on voyait son maillot tout orné de lettres scintillantes où il était écrit ROCK STAR, je t'ai dit d'enlever tes patins, dit Tammy, mouvant ses seins pointus sous le maillot ROCK STAR, maman vient de faire cirer le plancher, oui, mais si je mangeais quelque chose, je ne pourrais pas le garder dans mon estomac, dit Tammy, demain j'irai aux soins spéciaux avec maman, ils me feront manger de force, ils ne voient pas que je suis si grosse, que je n'ai plus le droit de rien absorber, si tu voyais ces filles aux soins spéciaux, on dirait des squelettes, et qui ne pèsent presque rien, c'est une tragédie, dit maman, veux-tu devenir comme elles, Tammy, me dit-elle, est-ce là ce que tu veux, je n'aime pas le son de sa voix quand elle me parle ainsi, au retour dans sa voiture, et je commence à pleurer, si je pleure, je sais qu'elle va se taire, tu vois, ici sur les murs, et sur ma vidéo, ce sont mes héros, mes amis, et regarde-le qui danse, je n'arrête jamais l'image ni la musique, il a les plus beaux looks, les plus beaux jeans noirs, regarde-le danser, le chapeau noir sur ses yeux de biche, et vois son poster sur le mur, tu vois ces mots que j'ai écrits sur le poster, MIKE, JE T'AIMERAI TOUJOURS, et il semblait à Mai que Tammy toute légère ondoyait entre les murs de sa chambre sonore, qu'elle n'était presque rien, entre ses posters et sa musique, une bulle, on eût dit une bulle, pensait Mai, quand dehors une puissante végétation grimpait le long des murs de la maison, dans une humidité suffocante, dans cette cacophonie de la chambre, on ne pouvait plus entendre la sonnerie des portables, celui de Tammy ou de Mai, seules clignotaient les lumières rouges des messageries, Mai répéta qu'elle devait revenir à la maison, c'était à quelques coins de rue, sur ses patins, en longeant le boulevard de l'Atlantique elle serait chez elle, oui, assez tôt pour aller embrasser sa grand-mère comme chaque soir, sa lampe de poche pénétrant les lignes brumeuses, le long du boulevard, si près, la maison de ses parents était si près et son père ne fermait le portail à clé qu'à minuit, regarde-le qui danse inépuisablement, dit Tammy, n'est-ce pas merveilleux, voici les photos de mes héros sur le mur, regarde, ce sont les héros de Columbine, ils portent des fusils, ils vont tuer et ils vont mourir en ce vingtième jour du mois d'avril, ils vont tuer des écolières comme nous, comme toi et moi, s'ils sont mes héros, c'est parce que personne n'a pitié d'eux, tu vois ce cercle de sang autour de leurs visages, c'est moi qui l'ai peint, personne n'a pitié, puis ils vont retourner l'arme contre eux-mêmes, maman dit que c'est malsain, ces visages, ces photos, ces fusils sous le cercle rouge du sang qui sera versé le ving-tième jour du mois d'avril, comme c'est malsain que je sois fascinée par eux, qu'ils sont atroces, voici leurs visages, Eric et Dylan, mes héros qui n'ont personne là où ils sont partis, qui étaient des dieux, avant le jour de leur massacre, qui jugeaient que le monde dans lequel ils vivaient était un trou absurde, oui, des dieux avant qu'ils ne soient si déprimés tous les deux, ils voulaient le pouvoir et le contrôle, ils voulaient, oui, si dépressifs sans que leurs parents le sachent jamais, et soudain ce pouvoir et ce contrôle, qu'en ont-ils fait, des armes entre les mains, c'était si facile, soudain, cette fusillade, si facile, tentant de se dire que des armes entre les mains ils pouvaient tuer des filles comme toi et moi, des garçons, j'ai dit à maman que cela pouvait arriver à tout le monde, la colère, la rage, Eric et Dylan, qui avait pitié d'eux, qui a pitié d'eux, maman a dit, j'arracherai ces photos sur le mur de ta chambre, je ne veux pas que ma fille soit fascinée par des criminels, et j'ai dit à maman, avant d'être des criminels, c'étaient des enfants, comme mon frère et moi, j'ai dit à maman, il faut les regarder longtemps, regarder leurs photos en demandant pardon pour eux, en ayant pitié qu'ils aient cela de si meurtrier à faire dans la vie pour disparaître aussitôt, le fusil en plein cœur, afin que, plus vengeurs encore, ils ne reviennent pas, sur les campus des collèges, plus vengeurs, oui, car si leur dépression, leur désespoir n'est pas absous, ils reviendront ce soir, demain, ils reviendront, c'est ce que j'ai dit à maman, ce sont mes icônes pour le souvenir, expliquait Tammy à Mai, quand clignotaient sur les portables, le portable de Mai, celui de Tammy, la lumière rouge oscillante des messageries, avant de se prendre pour des dieux, ils étaient comme toi et moi, Eric et Dylan, et nul ne savait ce qu'ils pensaient, dommage qu'ils aient été amis, qu'ils se soient rencontrés, disait Tammy, le premier jour de leur rencontre, la rencontre d'Eric avec Dylan, le premier jour fut le premier jour de leur Apocalypse, oui, disait Tammy, et Mai vit qu'il y avait d'autres photos et images sur ces murs, dans la chambre de Tammy, moins obsédantes et sinistres, des images presque douces, celle d'un léopard amur, d'un panda géant léchant son petit, Tammy avait écrit au crayon rouge sous les photos du léopard amur et du panda géant et son petit, NOUS NE SOMMES PLUS QUE QUELQUES-UNS SUR LA TERRE, sous la photo du panda et de son petit, elle avait écrit à l'encre rouge, QUI NOUS ADOPTERA, tout près de la vidéo où chantait et dansait sur l'écran son prince rock dans une mobilité d'une éternelle grâce, car bien que sa musique, ses pas soient si déchirants pour Tammy, elle s'endormait, se levait avec lui, l'entendait tout le jour dans ses écouteurs, ayant parfois la sensation, disait-elle à Mai, que ce prince dansait sur sa poitrine, sur la pointe même de son âme, et que c'était pour toujours, mais ses parents seraient-ils de retour à la maison dans la nuit qu'ils exigeraient le silence dans la chambre de Tammy comme dans la chambre aussi bruyante de son frère, peu importe, elle aurait ses écouteurs, tout près de celui qui dansait d'un pas, d'une danse éternelle, pensait Mai, il y avait les photos d'un petit garçon en salopette blanche, chandail rayé bleu et blanc, dans les bras de son père, se souriant l'un à l'autre dans une bienheureuse entente, et à peine quelques mois plus tard, on voyait le même petit garçon devenu immortel, disait Tammy, pour son salut devant le corbillard de son père, quand le même petit garçon avait été foudroyé par le malheur mais ne pouvait l'exprimer, devant se tenir tout droit, avec son salut de la main droite, de sa petite main touchant ses cheveux, inclinant un visage pleureur qui refusait de pleurer, un prince dont tous avaient admiré le courage, qui ne pleurait pas bien qu'il eût tant envie, c'était là dans la chambre de Tammy que ses icônes, ses princes étaient à l'abri, qu'ils étaient immortalisés, disait Tammy à Mai, qu'ils pouvaient bien pleurer en paix de leurs silencieux sanglots, un petit garçon dont le père a été assassiné, comment ne pourrait-il pas pleurer, un petit garçon-roi dont l'oncle serait assassiné, tant de fois il lui avait fallu être là, à répéter son salut, ne pouvait-il pas pleurer doublement, la chambre de Tammy était le lieu du déversoir de ses larmes, pensait Mai, avec ces larmes de Tammy qu'elle ne se permettrait pas, pas plus que le petit garçon royal sur la photographie, pas plus. Et Mère se souvint de ce rêve, c'était comme en ce temps des fêtes de Noël, dans la maison de Charles et Frédéric, était-ce même un rêve, elle y était il y a quelques instants, oui, la porte verte du jardin n'était pas fermée et Charles, Frédéric, les accueillaient tous, Caroline, Jean-Mathieu, Mère, Justin, Jacques et son ami Tanjou, Adrien et Suzanne, quelle homogénéité dans ce groupe, pensait Mère, ou Frédéric était-il au piano, car on entendait sa musique, celle qu'il jouait parfois pour ses amis, ou rajeuni, toujours avec sa discrète séduction à laquelle Mère ne pouvait résister, Charles était-il accompagné de Cyril, n'était-ce pas à leur retour de l'Inde, quand ils s'aimaient encore, bien que Cyril fût toujours aussi jaloux de Frédéric, même lorsque Frédéric le recevait dans sa maison, c'était en une saison favorable, pensait Mère, aux amours, aux passions, les disputes s'atténuant malgré la collision des sentiments, n'était-on pas plus joyeux en cette période de l'année, plus conciliants, plus ravis de vivre, que de lustre dans la maison de Charles et Frédéric, c'était toute cette lumière qui avait conquis Mère, l'avait poussée à venir, et que la porte verte ne fût pas fermée, quand on entendait monter de la rue les voix des amis qui marchaient vers la maison, et que tous s'écriaient, bonsoir, Esther, bonsoir, vous voici enfin parmi nous, Caroline étant la première à prendre son bras, vous me manquiez tant, disait-elle toujours, Jean-Mathieu me parle de vous tous les jours, vous savez que nous étions ensemble en Angleterre pour notre livre sur les poètes anglais, ces poètes que j'ai photographiés, vous vous souvenez, Esther, l'un d'eux, vous vous souvenez, l'un d'eux, ah, combien j'en fus désolée, je revois le crayon qu'il tenait entre ses doigts, Mère écoutait la voix perchée de Caroline, car c'était bien elle, Caroline, dans ses beaux vêtements, sous son chapeau suranné, c'étaient bien eux tous, Justin, Laura, sa femme, et leurs enfants, et Mère disait enfin à Justin ce qu'elle avait tu trop longtemps, oui, dans votre livre sur Hiroshima, c'est vous qui avez raison, ce n'est pas mon amie Caroline qui ne peut saisir vos convictions car elle n'a jamais été pacifiste comme vous, ne le sera jamais, vous connaissez Caroline, elle est ou a été une femme de pouvoir ou aurait aimé l'être et n'a jamais pu se ranger de votre côté à cause de cela, je tenais tant à vous le dire, Justin, Caroline avait déjà franchi la porte de bois qui était toujours du même vert éteint, elle embrassait Jean-Mathieu, soulevait son écharpe rouge afin de mieux l'embrasser, que j'aime cette écharpe que vous portiez en Italie, disait-elle, oui, Mère pouvait entendre sa voix perchée, et la voix basse de Jean-Mathieu qui disait, il a tant plu, il y a toute cette eau dans mes souliers, les rues débordent d'eau, mes cadeaux sont tous trempés, et Mère pensait, il a beaucoup plu, que tout est lumineux ici, elle était toujours dans le sentier, ne sachant pas si elle devait aller jusqu'à l'intérieur de la maison, émue de voir la bicyclette d'un vert rouillé toujours à sa place contre la clôture du même vert rouillé, la bicyclette de Charles qu'il n'utilisait que le dimanche, Frédéric disait que Charles écrivait ses poèmes géniaux sur cette bicyclette, le dimanche, la tête levée vers le ciel et risquant toujours un accident, oui, ainsi il a écrit *Un monde corrodé par les cendres*, disait Frédéric, et sur cette bicyclette il a récité ce poème, comme lorsqu'il récitait Dante ou Blake, pour Adrien et Suzanne, ce poète saltimbanque finira par tomber ou se casser le cou, disait Frédéric, ajoutant que Charles était le plus grand poète incompris de sa génération, allons, allons, il n'est pas aussi incompris que cela, disait Adrien, même s'il n'a pas encore été nommé comme moi poète national, c'est un titre, un honneur, mais rien dont il faut tirer quelque vanité, depuis l'âge de quinze ans qu'il publie son œuvre poétique, Charles a reçu les honneurs les plus importants, de quoi se plaint-il encore, mais mon ami ne se plaint jamais, disait Frédéric, c'est un ascète de la poésie avant tout, son désintéressement est sa vertu, était-ce donc vrai, pensait Mère, que reprenaient ainsi leurs conversations, leurs mots oubliés d'autrefois, qu'elle les entendait tous bavarder sous les chandeliers scintillants, dans la maison de Charles et Frédéric, pendant qu'ils se rapprochaient tous de la table lourde de fleurs, acacias, mimosas, dehors, sous la tonnelle, et ces parfums des fleurs, des arbres fléchissant sous leur poids, était-ce vrai qu'elle fût là à les respirer de nouveau, dans une exaltante sérénité, et eux disaient tous, mais pourquoi vous tenez-vous là, dans le sentier, ma chère Esther, venez, venez parmi ces scintillantes lumières, ils disaient, oui, venez, Esther, qu'attendez-vous pour vous joindre à nous, et c'était là sur le parquet pendant que Jean-Mathieu enlevait ses souliers, un scorpion, s'écriait Caroline, et il va vers vous, disait Caroline, je suis une bête plus grosse que cette petite chose assoiffée après le temps sec, disait Jean-Mathieu, qu'on le transporte dehors avec un balai, et Edouardo eût apporté le balai du jardin, mais Caroline avait déjà écrasé de la semelle plate de sa sandale le scorpion, et Jean-Mathieu en avait éprouvé de la tristesse, allons, Caroline, pourquoi avoir fait cela, avait-il dit comme si soudain il eût été en face d'une autre Caroline, d'un acte de cruauté injustifiable de la part de Caroline en qui il voyait une déesse, comment avez-vous pu faire cela, disait encore Jean-Mathieu, une grosse bête comme moi ne peut pas en tuer une plus petite, si minuscule, et qui a soif en plus, voilà pourquoi elle a été attirée par toute cette pluie dans mes souliers, Mère les entendait tous, oui, c'étaient bien eux, aucune altération dans leurs voix, leurs attitudes, et ils venaient vers elle en disant, bienvenue, Esther, bienvenue parmi nous, dans une éblouissante clarté ils venaient vers elle, la pressaient de s'approcher davantage, sous les scintillants chandeliers dans la maison de Charles et Frédéric où enfin elle, qui les avait tant aimés, les voyait tous réunis, un groupe si homogène dont jamais plus elle ne serait séparée, pensait Mère, quand tout était pareil à autrefois, la verte porte de bois, la clôture au vert rouillé, la bicyclette du même vert rouillé contre la clôture dont Charles ne se servait que le dimanche, écrivant ses poèmes géniaux sans les écrire, les récitant dans l'air parfumé, la tête levée vers le ciel, comme si Mère eût été là à entendre cette voix de Charles, Charles sur sa bicyclette dans la ville déserte, très tôt le matin, le dimanche. Et tu as vu ce regard de Yinn sur mes épaules, mon dos, comme s'il me désignait pour, comme si, tu as vu, disait Petites Cendres à Robbie qui tirait vers la rue la bride du cheval blanc en papier mâché, tu as vu, Robbie, que ce cheval est lourd, dit Robbie, tu as vu son regard se poser sur mon dos, mes épaules, comme si, répétait Petites Cendres, et Robbie dit à Petites Cendres, ce regard n'était pas pour toi, on entendit dans le défilé des filles une toux à peine audible, mais une toux, et vite Yinn s'alarma, et son regard se figea, qui toussait ainsi, mais c'était à peine audible, perceptible, oui, ce fut comme un tremblement d'effroi pour chacune, et soudain son regard se figea, ou Yinn s'enragea-t-il soudain, et son visage, ses yeux prirent cette couleur pâle, comme sous le coup du froid qui fait pâlir, oui, s'enragea-t-il que mon Capitaine ne fût pas avec nous, qu'une partie des cendres de Fatalité fût dispersée ailleurs, mon Capitaine agissant sans le consentement de Yinn, et Robbie dit que mon Capitaine, au gouvernail de son voilier à l'heure du soleil couchant, se préparant à jeter l'ancre, eût sans doute hésité soudain, le léger paquet des cendres de Fatalité sur ses genoux, avant de descendre dans ses souples habits de caoutchouc, hésité devant cette tâche, oui, l'océan, ses profondeurs violées par les détritus, les cadavres de tant d'oiseaux aux ailes tranchées par les moteurs des bateaux pendant les courses sur l'eau, le tombeau des mammifères marins que des cordages avaient ligotés, la pensée de toutes ces agonies pendant que se refermaient les yeux d'émeraude des bêtes disjointes et captives, lui qui connaissait bien les dommages faits au récif de coraux, lui qui savait tout de l'immense ensevelissement des poissons sous ce piratage destructeur, il eût hésité soudain à ensevelir dans ces décombres Fatalité, car c'était là par notre faute, disait-il, que tout périssait, ses coraux et ses animaux, sur ces fonds de glaise rose de nos mers, de nos océans, il eût cherché pour Fatalité une oasis loin de ces ossements, ossements de plastique et de verre, cordes souillées d'huile et de plomb enterrant tant de vies animales, les enserrant dans leurs pièges dont elles ne pouvaient plus s'évader, dans ce brouillard rose des eaux, plus bas, dans un ruissellement de poissons argentés, il eût rendu à Fatalité sa liberté, parmi les courants en apparence limpides et clairs, il eût dit, adieu, va, mon ami, oui, disait Robbie, il eût hésité, et Jamie dit qu'il avait des manteaux longs pour les filles et que celles qui avaient froid pourraient déjà se réchauffer dans la blanche limousine qui ferait le tour de la ville, elles diraient, debout, nous préférons être debout dans la limousine, Jamie serait le chauffeur, c'est que Yinn avait entendu cette toux, à peine perceptible, audible, quand la nuit ne faisait que commencer, disait Robbie, un instant il avait eu ce regard fixe, atterré, dit Robbie, et Petites Cendres répéta que le regard de Yinn, oui, s'était posé sur lui, sur ses épaules, son dos, parce qu'il se tenait à l'écart des autres, pourtant, Petites Cendres avait toussé, bien que ce fût imperceptible, à peine audible, et Robbie dit, non, ce n'était pas toi, ce n'était pas toi, c'était la toux d'une des filles pendant le défilé devant le bar, bien que ce fût à peine perceptible, audible, on se demande comment Yinn l'a entendu, on se demande bien, disait Robbie à Petites Cendres. Et Lou entendit la voix de son père, que disait-il là-haut, sur le pont de son voilier, que les filles dormaient dans la cabine sur le lit pliant, oui, qu'elles dormaient, tels deux angelots, disait-il à Noémie d'une voix triomphale, celle du séducteur qu'il était lorsqu'il parlait à Noémie, pensait Lou, il n'empruntait cette voix que pour elle, Noémie, jamais pour sa mère, Ingrid, car il savait qu'Ingrid, la mère de Lou, en eût aussitôt perçu le ton de fausseté, Ingrid n'aimant pas plus que sa fille qu'Ari eût cette voix de séducteur pour quelqu'un qui n'était pas elle-même, c'était donc ce qu'il croyait, Ari, que Lou et Rosie étaient endormies, quand tanguait le voilier à la marina, dans la brume sur l'eau, ce n'était pas vrai, car seule Rosie dormait, pensait Lou en posant sa main sur l'épaule de Rosie bien endormie, elle qui avait l'habitude de se coucher tous les soirs à huit heures avec son petit frère, cette Rosie qui n'était qu'un bébé après tout, il était normal qu'elle soit complètement endormie, ses cheveux répandus sur son visage, comme des plumes, car ce n'était qu'un poussin, cette Rosie, comme lorsqu'elle était dans la parade de Noël, parmi tous les autres de sa classe dans un camion où on n'avait vu que des poussins rouges et bleus, Lou n'aurait jamais accepté qu'on la déguise en poussin pour la parade, les coqs étaient dans un autre camion avec les moutons, les poussins comme Rosie étant toujours de plus petite taille, même pour le ballet annuel de l'école, Rosie incarnait un poussin, avec plusieurs autres poussins à sa traîne, il faut dire qu'elle était à la maternelle en ce temps-là, pensait Lou, Rosie dormait comme le font les bébés, et Lou pensait à la proposition de son père, dormant parfois une heure puis se réveillant pour écouter, épier chacun des mots que dirait son père à Noémie, sur son portable, parfois ces mots venaient jusqu'à elle, parfois ils ne venaient pas, quand il parlait à Noémie en murmurant, chuchotant, ou quand une faible brise les transportait plus loin, ces mots si pénibles à entendre de son père, Ari, en fait Ari disait sur son portable qu'il ne savait ce qu'il ferait avec Lou, si elle s'entêtait ainsi, était toujours aussi impolie, continuait de détester que son père fût amoureux d'une autre femme que sa mère, en fait, disait-il à Noémie, je ne sais plus quoi décider, ni entreprendre, disait-il, pour ma fille, non, je ne sais plus, que dis-tu, Noémie, qu'elle doit être sévèrement corrigée, oui, je sais, oui, la correction, vraiment je ne sais plus quoi décider, entreprendre, disait-il, lui qui n'avait jamais corrigé Lou, en tirant sur ses paupières Lou ne dormirait pas, il lui fallait réfléchir longuement à cette proposition de son père, Ari était un homme de suggestions et de propositions, il ne corrigeait jamais Lou, ni pour ses manières à la table, ni pour ses grimaces, il la félicitait pour son bulletin d'italien, d'espagnol, et ajoutait encore des cours à son programme très chargé, la natation, l'équitation chez sa grand-mère, les leçons de violon et de piano, il y avait de quoi ne pas dormir chaque nuit car les journées étaient toujours trop courtes, il suggérait, proposait, mais à la fin les journées étaient toujours trop brèves pour tout ce qu'il suggérait et proposait, et Ingrid avait bien raison lorsqu'elle disait que c'était trop, que sa fille n'était ni un ordinateur ni une machine, que son père était un programmeur insensible, oui, c'est maman qui avait raison, pensait Lou, mais Lou devait réfléchir à ses propositions et suggestions, qu'avait-il dit, insinué, oui, Lou, ma petite Marie-Louise, que dirais-tu d'une semaine chez maman, et d'une semaine à New York avec Noémie et moi, je dois terminer une sculpture dans un parc, ainsi tu serais plus souvent avec moi, qu'en penses-tu, Lou ?

Il fallait donc ne pas se tromper et savoir bien choisir parmi ces propositions et suggestions d'Ari, et ne pas peiner Ingrid, avec Ari c'était toujours confortable et illimité, avec Ingrid, on vivait à trois serrés dans un appartement, avec Ari la maison était aérée et grande, c'est lui-même qui l'avait dessinée et construite, tout était illimité chez Ari, l'écran de son ordinateur était le plus grand, la chambre de Lou aussi, vivre confortablement n'est pas un défaut, disait Ari, et cela ne semblait pas juste pour maman, dont la maison n'était ni confortable ni illimitée, on y était serré et à l'étroit, dans la chambre avec son frère Jules, Ingrid elle-même semblait toujours se priver de tout pour ses enfants, oui, il fallait bien réfléchir à ces propositions d'Ari, et maintenant son père parlait de résider à New York, en plus, et avec Noémie, qui sait s'il ne pensait pas faire un enfant avec Noémie, disait la mère de Lou, qui sait ce qu'ils mijotaient, ces deux impertinents, Noémie, Ari, et quel serait le sort de Lou, sous ces toits variables et incertains, oui, disait la mère de Lou, c'est auprès de ta maman que tu dois être, Lou, en tirant sur ses paupières, Lou pensait qu'elle resterait éveillée, bien que tout fût silencieux soudain dans la cabine et sur le pont du voilier et qu'elle n'entendît plus la voix de son père, et ces mots dont il eût dû avoir honte en les prononçant sur son portable, vraiment, Noémie, je ne sais ce que je ferai avec ma fille si elle continue ainsi à s'opposer à moi, vraiment, je ne sais plus ce que je ferai avec Lou, ces mots, même en étant éveillée, Lou ne les entendait plus, elle n'avait donc plus qu'à se rendormir, sa main sur l'épaule de Rosie, Rosie qui était son bébé et son poussin. Et boulevard de l'Atlantique, Mai patinait d'un mouvement régulier, sa lampe de poche coupant de ses jaunes reflets la brume sur la mer, l'accumulation d'une brume épaisse, tout le long de sa route, laquelle semblait coller à la peau, quand c'est à peine si l'on entendait les vagues, pensait Mai, tant percutait encore aux tempes de Mai la musique de Tammy, *Billie Jean* ou *Thriller*, quand dansait encore sous ses yeux l'homme aux lunettes noires sous son chapeau noir, les plus beaux looks, les pas les plus sexy, regarde-le bien, avait dit Tammy, nuit et jour, il est avec moi, qu'avait dit Tammy, que lorsque ses parents revenaient de ces soirées et nuits dehors, en ville, c'était alors, après ces rencontres alcoolisées avec leurs amis, toujours les mêmes disputes et querelles, la conclusion de ces querelles n'était-elle pas toujours la même, qu'ils avaient eu trop d'enfants, que le frère de Tammy et Tammy étaient de trop, pour les aînés, cela allait toujours, mais les deux derniers, Tammy et son frère, le frère adolescent qui avait tâté de l'héroïne, maman avait saisi les aiguilles dans sa chambre, disait Tammy, et Tammy et son hasch, les deux derniers, c'était trop, disaient les parents de Tammy envenimés de colère, ou n'était-ce pas plutôt la mère de Tammy qui accusait son mari de lui avoir fait trop d'enfants, Tammy, son hasch et sa maigreur forcenée, c'était trop, avait dit la mère de Tammy, c'est que nous étions jeunes et avons peu réfléchi, disait le père de Tammy, ce sont nos enfants et nous les aimons, ils sont là maintenant, comment ne pas les aimer, disait le père de Tammy, tu n'as jamais pensé à moi, disait la mère de Tammy, je voulais une famille mais pas des enfants déchus, comme les deux derniers, tu ne vois en moi qu'une mère, pas l'écrivain que je suis, ils ne me laissent aucune paix, Tammy et son frère, aucune paix, je n'ai plus la force d'écrire quand je les vois, c'est une déchéance de passage, disait le père de Tammy, il faut les soutenir, ce sont nos enfants, nous étions jeunes et encore à l'université lorsque nous avons eu nos enfants, nous sommes les premiers coupables de leurs erreurs, nous étions trop sous le coup de la passion pour réfléchir, et ils parlaient ainsi pendant des heures, disait Tammy, mesurant l'un contre l'autre le poids de nos naissances, de nos vies, sachant, comme le disait ma mère, que nous n'aurions jamais dû naître, que nous n'étions, mon frère et moi, que des parasites de la société, que cela s'annonçait mal pour nous deux, ma mère, un écrivain à succès qui nous avait, nous, mon frère et moi, à qui pouvaient-ils nous montrer, nous étions si indésirables, et nous protégeant davantage de son affection, mon père répétait que nous étions ses enfants, non des parasites, ce n'était pas vrai, de beaux enfants choqués et perturbés, peut-être, mais ne faudrait-il pas moins sortir et passer plus de temps près d'eux, je crains, disait mon père à ma mère, qu'encore une fois tu sois au bord d'une dépression, c'est de nos excès et de tes dépressions successives que souffrent d'abord nos enfants, ne le vois-tu pas enfin, disait mon père à ma mère toujours trop excédée par nous, mon frère et moi, ma mère disait enfin qu'elle quitterait cet homme, mon père, nous laisserait seuls avec lui, que loin de nous tous elle pourrait enfin terminer son livre, qu'elle ne serait plus assaillie par mon père et nous, ses enfants jetables qui n'auraient jamais dû naître, ainsi ils se disputaient tard dans la nuit, disait Tammy, Mai avait bien de la chance, disait Tammy, d'avoir des parents qui l'appréciaient, mais demain Tammy retournerait sur la plage privée de Manuel, la plage de son père, oui, à moins qu'un jour les policiers n'en viennent à passer les menottes au père de Manuel, mais c'était un pourvoyeur averti, disait Manuel, rien de plus averti et prudent, disait Manuel, et la vie était belle sur la plage de Manuel, disait Tammy, à ne rien faire au soleil, nager, se reposer, à moins qu'un jour Manuel et son père ne soient escortés ailleurs, loin de leur propriété, menottes aux poignets, à moins que, mais ils étaient si avertis, prudents, que, non, cela n'arriverait pas, disait Tammy, et regarde mon Prince qui danse et chante, à jamais, quand on le croit endormi dans quelque infini trompeur, regarde-le, Mai, les plus beaux looks, les pas les plus sexy, sous ses lunettes noires, son chapeau, et c'est cette musique, de la chambre de Tammy, qui parvenait jusqu'aux tempes de Mai, pendant qu'elle patinait, d'un mouvement régulier, sa lampe de poche éclairant de ses reflets jaunes la brume sur la mer, le long de la route, Mai se disant qu'il n'était pas si tard après tout, pas même minuit, pas si tard, après tout, et que faisait encore la gouvernante Marie-Sylvie de la Toussaint dans le pavillon de sa grand-mère, à cette heure, car depuis quelque temps ne passait-elle pas la nuit dans la chambre d'Esther, la mère de Mai ne parvenant pas à mettre à l'écart l'importune créature, ou était-ce que Méla-

255

nie éprouvait quelque immuable confiance en cette femme, pensait Mai, ou serait-ce cela, une mère crédule dont abusait la gouvernante, s'abreuvant de cette confiance, de cette candeur de Mélanie qui ressentait toujours si vite une culpabilité devant les pauvres, oui, que faisait encore Marie-Sylvie de la Toussaint dans la chambre de sa grand-mère, pensait Mai, et le mari de Filippo apparut au bar dans un manteau hivernal, en disant à Robbie, à peine suis-je de retour de mon reportage dans les pays froids que Filippo se plaint de moi, vous êtes tous invités à mon party, les garçons, et toi aussi, Robbie, c'est qu'il boit trop, tu comprends, Robbie, je ne veux pas de ses amis toujours soûls, à ma table, dans ma maison proprette, non, je ne veux pas, cette écume de bière sur mes nappes brodées, non, je ne veux pas, j'ai tout fait pour lui, Filippo, et sans cesse il se plaint de moi, tu me connais, Robbie, j'aime Filippo, ses frères et sœurs, sa mère aussi, j'aide toute la famille, m'est-il reconnaissant, non, toujours à gémir sur son sort, où est-il maintenant, ce vilain garçon geignard, il en est bien à son septième gin, dit Robbie, cherche au fond du bar, tu le verras qui larmoie dans l'espoir de trouver un second mari, il dit à tous, voyez mon visage plaisant, mes lèvres charnues, il faut que je le ramène à la maison, dit le mari de Filippo, les larmes de Filippo, ça salit tout, les traces de ses doigts sur ma nappe blanche, lui et ses amis soûls, ça salit tout, mais c'est faux que je ne veux pas de ses copains latinos chez moi, lui qui est si choyé, comment peut-il dire cela de moi, Filippo, dites-moi, les garçons, avez-vous vu mon Filippo, là-bas, dans le sauna, dit Robbie, il est là-bas, et se tournant vers Petites Cendres, Robbie dit, non, ce n'était pas pour toi, ce regard de Yinn, une des filles a toussé, c'était à peine audible, une des filles a été prise d'une fièvre sou-

256

daine, on ne sait laquelle, les autres l'ont assise dans la limousine, car elle ne pouvait plus tenir debout, c'était sans doute la plus fière, la plus coquette, mais on ne sait laquelle, Yinn a demandé ce qui se passait, elles ont dit, rien, tout va bien, elles ont poursuivi leur tour de la ville, l'une d'elles a dit, merci, Yinn, c'est un enchantement cette nuit sous les étoiles, avec les manteaux de Jamie nous n'avons plus froid, elles ont évoqué leurs nuits illuminées d'autrefois, sur les trottoirs, au cabaret, offrant encore à la nuit les visages de leur insomnie, presque sans rides, sous le fard, tant tout était si semblable à hier, dit Robbie, les mêmes dons pour la danse, le chant, tout si semblable à hier, et presque aussi jeunes qu'hier, n'eût été ce qui les saccageait en dessous, quelque petit signe ravageur dans la voix, le maintien, mais si semblables à hier, fonceuses et téméraires, dit Robbie, comme elles l'ont toujours été, comme l'était Fatalité, l'une d'elles a dit, sans doute la plus fière, la plus coquette, eh! dis-moi, Yinn, tu te souviens quand tu étais à court de tissus de velours pour l'une de nos nuits de Noël, il a fallu te résoudre à une telle économie de velours rouge que nous n'avions plus que des boucles comme cache-sexe, un Noël en bikini, quand il faisait froid, tu te souviens, Yinn, combien nous avions ri, quelques nuages de neige sur la tête, oui, tu te souviens, Yinn, des capuchons, mais des corps frissonnants dans le vent de décembre, peu importe, désirables à croquer, dit Robbie, oui, tout était si semblable à hier, les mots coquins, les sourires peinturés, les rires, oui, les rires, dit Robbie, si semblables à hier, n'eût été ce qui les ruinait en dessous, d'irréel, de si peu palpable qu'il valait mieux ne pas y penser, dit Robbie, afin que tout continuât à bien se dérouler, dans ce drame de la joie, oui, que tout fût à la perfection, comme le voulait Yinn, dans cette tragédie du bonheur, comme le voulait Yinn, et Jamie, le grand patron de l'établissement, tous deux ayant puisé dans les privations de leur enfance, Yinn et Jamie, un penchant pour la féerie, le cabaret, la rue, le bar, les trottoirs et jusqu'au rivage de la mer pour Yinn et son embarquement sur une barque, le Premier de l'an, sur des souliers ou des bottes presque aussi hautes que ses jambes, dans une robe de soie rouge, tout était pour eux le théâtre d'un fantastique incarné avec minutie dans la chair, pour les sens de tous, disait Robbie à Petites Cendres, et Petites Cendres revit Yinn, tel que le décrivait Robbie, en ces nuits de Noël, son corps glacé sous la boucle de velours rouge, dans ce tressaillement du froid qui lui était si inconnu que toute sa peau semblait devenir de marbre, cette vision, bien qu'elle fût glacée et de marbre, incendiait Petites Cendres, car c'était en incendie, en brasier que marchait vers la rue Yinn, dans une pose aussi théâtrale que détachée, sous les dorures d'un bikini, ou la boucle de velours rouge, avançant dans la rue comme s'il eût été un présent, un incandescent cadeau que Petites Cendres n'aurait qu'à prendre, ou cette descente dans la barque aurait-elle lieu le Premier de l'an près de la mer, elle n'en serait que plus incendiaire contre l'océan, dans le chevauchement des vagues, sous les feux artificiels de la nuit, ses boules d'argent vite éteintes, des colliers luminescents coulant au cou, aux bras de Yinn, comme s'il eût allumé lui-même cette nuit de feu et ses sortilèges sur l'eau, comme il allumait et dirigeait lui-même cette nuit un ballet de fées, au cabaret, dans les rues de la ville, sur les trottoirs devant le bar, bien qu'il craignît sans cesse que l'une de ces fées, dans ce ballet d'une magie parfois trop lente, ralentie par la fatigue de chacune, fût manquante, ce qu'il surveillait de près, dit Robbie, et Yinn dit qu'il se souvenait, oui, de ces nuits de Noël quand il avait été à court de velours rouge, de rubans, c'était ainsi à la fin de l'année, disait-il, il avait confectionné tant de costumes que soudain du velours, de la soie de Chine, il n'en trouvait plus, qu'eût-il fait sans les armoires à trésors de sa mère qui conservait tout, le dépannait promptement, voilà, mon fils, assez pour que les filles soient décentes, disait-elle, ne t'avais-je pas dit de ne pas dépenser autant, ne te l'avais-je pas dit, le velours, la soie coûtent cher, et tu en as été trop prodigue, heureusement que ton Jason ne me coûte rien, avec ses maillots sans manches, et son bermuda dont il ne change jamais, sauf pour la nuit du Premier de l'an où il veut être en smoking, on voit bien que c'est pour te faire honneur pendant que tu es entouré de caméras, y a-t-il de quoi être honoré, dis-moi, à se faire filmer presque tout nu dans une barque, parce que c'est le Premier de l'an, c'est sans doute lui, ton père, qui t'a appris à vivre ainsi dans un monde de fantaisies, oui, c'est sans doute lui, en plus tu auras froid, mon fils, oui, qu'eût fait Yinn sans sa mère qui conservait tout, disait-il, folles nuits de Noël, disait Yinn aux filles dans la limousine, folles nuits, répétait-il, folles nuits, et tout en patinant vers la maison, Mai vit au clignotement rouge de son portable qu'elle avait reçu un message de Tammy, raccrochant le portable à sa ceinture, elle pensa qu'elle le lirait plus tard, l'un des posters, dans la chambre de Tammy, n'envahissait-il pas son esprit, voici que cette présence à la fois douce et affligeante de Tammy lui faisait oublier les devoirs dus à sa grand-mère, pensa-t-elle, ce n'était pas bien, non, qu'il en fût ainsi, Mai aimait l'ordre, et Tammy vivait dans le désordre, on ne savait trop lequel, comme pour la grande fiancée de juin, il y avait dans le désordre de Tammy une lumière qui attirait, celle de ses yeux anxieux peut-être, et debout devant le poster, couverte jusqu'aux pieds de la chemise blanche de son père, dans son maillot rocker, Tammy disait à Mai, regarde mon Prince dont les cheveux s'enflamment bien qu'il ne perde pas contenance, même dans l'ambulance il refusera qu'on lui enlève son gant blanc, ce gant sur une main ensorceleuse, miraculeuse, la main du miracle et des dons divins, était-ce l'écran qui était rouge pendant qu'on le filmait, dansant, chantant, soudain ses cheveux, ses longs cheveux étaient en flammes, car il venait vers nous, comme un brasier, un incendie, des brûlures au deuxième et troisième degré, regarde mon Prince dont la tête est en flammes, mais ne perdant pas contenance, regarde, Mai, et on le croit endormi dans un infini trompeur, disait Tammy, tu pars déjà, je te texterai, au sujet de mon frère et moi, je te texterai, bonne nuit, Mai, tu n'as pas peur de patiner seule boulevard de l'Atlantique dans la nuit, tu n'as pas peur parfois, Mai, Tammy dansa dans la chemise de son père, son maillot rocker en dessous, disant à Mai, dois-tu vraiment partir, c'était à Los Angeles, quand nul ne s'y attendait, toutes ces flammes, une chevelure en feu, et il n'a pas perdu contenance, avait dit Tammy à Mai, pourquoi pars-tu si tôt, Mai, et voltigeant, la pensée de Mai allait de Tammy, dans la longue chemise blanche de son père, au poster de l'homme s'embrasant, sur un écran rouge, comme s'il était cloué au soleil couchant, l'homme, le prince de Tammy, dans une chambre isolée, sous une végétation touffue de palmiers et de bougainvilliers, à Tammy seule dans sa forêt humide, quand il était presque minuit, pas encore si tard après tout, pensait Mai, s'il n'y avait eu encore toute cette brume sur l'océan, boulevard de l'Atlantique, toute cette brume qui collait à la peau de Mai, pendant qu'elle patinait à longues enjambées, lui semblait-il, vers la maison, le pavillon où dormait peut-être déjà à cette heure sa grand-mère, et il faudrait demander à sa petite-fille, pensait Mère, elles étaient si familières, se comprenaient si bien, Esther et Mai, disait Mélanie, oui, il faudrait lui demander, mes bijoux, mes médaillons, dis-moi, Mai, ne sont-ils pas dans leur coffret, tu ne peux savoir, toi, tous ces mauvais rêves que l'on peut faire à mon âge, ces fantasmes que l'on peut voir surgir, comme si soudain notre imagination trempait dans toutes les laideurs, tu ne peux savoir, toi, Mai, tu es si jeune, plutôt que d'entrer dans la pureté d'un monde quelque peu surnaturel, ce sont ces revenants de la laideur qui nous obsèdent, ces revenants de la médiocrité, ou la hantise que nous ayons autour de nous des ennemis, je dirai à ma petite-fille, pensait Mère, tu sais, il n'y a pas que ces laideurs, je les ai tous revus, dans la maison de Charles et Frédéric, Caroline a été la première à venir vers moi, les lampes scintillaient, j'allais vers ces sillons scintillants, partout, oui, autour de moi, que leur tendresse, et sais-tu ce que m'a dit Caroline, rien de si différent, ma chère amie, m'a-t-elle dit, il ne faut s'appliquer qu'à mieux faire, en toute franchise, Esther, on n'exige de nous que d'avancer, ce qui n'est pas si simple quand on est perclus de ses habitudes, habitudes de mesquinerie, avarice et autres, j'avance donc peu même si cela est exigé de moi, ce qui me frustre, c'est que je ne peux rattraper la générosité de Jean-Mathieu, sa bonté à mon égard pendant toutes ces années, je ne peux rattraper ces abus que j'ai fait de lui, car je n'en prends conscience que maintenant, ne l'ai-je pas souvent humilié, moi et ma discrète fortune, souvenez-vous de mes paroles, ma chère Esther, rien de louable, je vous assure, rien de très différent, vous me reconnaîtrez car je serai la première à venir vers vous, avait dit Caroline à Mère, vous me reconnaîtrez car en me voyant vous direz, ma chère Esther, voici Caroline, sous son chapeau suranné, voici Caroline qui a aplati ce pauvre scorpion dans la maison de Charles et Frédéric, d'un coup brutal de la semelle de sa sandale, voici Caroline, vaniteuse et avare se moquant des soucis d'argent de Jean-Mathieu, vous me reconnaîtrez et vous vous direz, c'est bien elle, Caroline, rien de très différent, avec tous ses défauts, c'est bien elle, Caroline, qui me tend la main en disant, venez, venez sans crainte, et Mai s'écrierait que les bijoux, les médaillons, inestimables cadeaux du cœur de Mélanie à sa mère, n'étaient plus dans le coffret, Mère l'entendrait protester, dans la chambre, contre cette femme, Marie-Sylvie de la Toussaint, ne l'ai-je pas toujours dit qu'elle était méchante, il faut compatir aux malheurs passés de Marie-Sylvie et de son frère, dirait Mère, ma petite-fille, il est temps maintenant que tu apprennes à compatir, tu n'as jamais été, toi, sur un rafiot, sur les vagues de l'océan à la dérive, sans pays et sans foyer, il est temps que tu apprennes à compatir, ma petite-fille, dirait Mère, sachant qu'elle parlerait sans doute ainsi en vain, ce n'était pas encore un langage compréhensible pour Mai, et Mère dirait aussi à Mai, tu sais, dans le coffret, il y a aussi des lettres que j'ai écrites à Augustino, comme autrefois, j'ai toujours continué cet échange de lettres entre nous, même si, depuis quelques mois, Augustino ne m'écrit que bien rarement, mais ton frère a une carrière d'écrivain et toute une vie devant lui, je ne puis lui en tenir rigueur, je crois pourtant, ma chère Mai, que les générations ne séparent pas les êtres qui se ressemblent, qu'ils soient d'une même famille ou non, ainsi je me sens si proche de toi et d'Augustino, le serai toujours, ma chère Mai, car comme me l'écrivait Augustino, une fois emmêlés dans la vie, les uns les autres, ne faut-il pas vivre et survivre ensemble avec le même élan combatif, la même passion, et peut-être Augustino aurait-il dû ajouter, avec les mêmes espoirs de se comprendre, sans cette distance des abîmes créés par l'âge, le temps, car il n'y a peut-être qu'un seul temps, qu'un seul âge, ce peu de temps qui nous est prêté pour mieux nous connaître les uns les autres, un temps d'emprunt sans rémission si nous n'en faisons rien, oui, ces lettres, dirait Mère, ces lettres à Augustino sont pour toi, ma chère Mai, dirait Mère à sa petite-fille, quand elle entendait encore les cris de protestation de Mai, lorsqu'elle découvrirait l'absence des bijoux, des médaillons dans le coffret, l'absence de ces inestimables cadeaux du cœur de Mélanie à sa mère, ne te l'avais-je pas dit, grand-mère, que c'était une femme méchante, hostile, une voleuse, oui, comme son frère Celui qui ne dort jamais, celui qui tue les animaux dans le cimetière, le frère vautour, charogne, ne te l'avais-je pas dit, grand-mère, mais à bien y penser, Mère ne soulignerait pas le vol des bijoux à Mai, ce serait injuste d'accuser la gouvernante, dans une telle incertitude, quand vacillait peut-être son esprit, ce serait trop injuste, oui, voici que Marie-Sylvie de la Toussaint avait soulevé les coussins du lit, sous le dos de Mère, en disant, comme pour alléger Mère, vous seriez mieux ainsi pour recevoir votre ami Adrien, il n'était pas sûr qu'Adrien fût là, mais Mère se souvenait de lui, dans son pantalon blanc, son blazer marine, comme s'il était encore près d'elle, lui avouant qu'il avait revu Charly au court de tennis, dans l'après-midi, et qu'il avait été charmé qu'elle l'invite à monter dans sa voiture de chauffeur, cette pensée d'Adrien marchant de son pas défaillant vers la voiture de

Charly torturait Mère, était-ce parce qu'Adrien, désormais sans Suzanne, se préparant à vendre sa maison pour aller vivre avec ses enfants à New York, était soudain la proie de cette traître séduction de Charly, ne sachant plus s'en défendre, vendre cette maison du couple d'or, Suzanne, Adrien, anéantir ainsi leur splendeur passée, jeter un dernier regard sur le paravent chinois, lequel avait servi de frêle abri pendant que Suzanne écrivait, lisait, pendant tant d'années, et surtout écrivait tous ces poèmes dont si peu seraient publiés, car telle était sa pudeur, disait Adrien à Mère, ma femme n'a jamais voulu accéder à cette voie de la publication de ses livres, sans doute était-ce ma faute, pourquoi ne l'ai-je pas poussée davantage à le faire, vendre leur maison, celle de leurs amours, des livres qu'ils avaient écrits ensemble, séparés l'un de l'autre par un paravent chinois, cette extirpation de toutes leurs racines arrachait l'âme d'Adrien, avait-il avoué à Mère, l'après-midi, bien sûr mes enfants vont me supporter quelque temps, quelques années, et puis je serai envoyé dans l'un de ces manoirs-mouroirs où meurent d'ennui les vieillards, moi qui ne suis pas un vieillard mais un poète, et je sais que ce signe me distingue de tous, et qu'il rehausse mes forces, en effet, mon ami, avait dit Mère, vous êtes encore superbe, comme l'était Suzanne lorsqu'elle est partie pour la Suisse, oui, mais Suzanne savait qu'avec cette leucémie galopante une rapide détérioration allait déformer tout ce qu'elle était, avait toujours été, cela, elle ne s'y résignait pas, et pourquoi s'y résigner, dites-moi, Esther, voilà ce que j'ai écrit dans mon poème *Rendre des comptes,* surtout ne pas se résigner, même si cela est une faute terrible, un péché, dont je devrai rendre compte, comme dans le poème, vaut-il mieux être conquis par la dangereuse et troublante Charly, belle et jeune, capable de vous détruire avec sa beauté, que de s'imposer à ses enfants qui éventuellement vous montreront la porte du manoir où l'on va mourir d'ennui, où s'étiolent les vies de tant de vieilles personnes, quand selon mon expérience de poète je serais si enrichi d'images en me regardant vivre et aimer avec Charly, ce serait là une histoire que je pourrais raconter, que la vie tient tant qu'elle rencontre autour d'elle la vie, voilà, ma chère Esther, telles sont mes pensées, ce n'est pas très noble, mais c'est ainsi, et Mère avait dit à Adrien, vous ne voulez donc pas, mon ami, que je cesse de me soucier de vous, que même en ces contrées étrangères où je vais, je cesse de me soucier de vous, quand j'ai pour mes enfants et petits-enfants déjà tant de soucis, et c'était là où Adrien, assis sur le lit, tout près de Mère, avait pris ses mains dans les siennes en disant, chère Esther, vous savez ce qu'est un poète comme moi, un être soudain d'une lâche inutilité, sans sa femme Suzanne, et qui, comme toujours, ne fait que rêver, ne connaissez-vous pas après toutes ces années le rêveur que je suis, folles nuits, disait Robbie à Petites Cendres, oui, mais ce sont ces folles nuits, les nuits de Noël et les autres qui ont emporté notre Fatalité, qui l'ont désabusée, l'ont vidée de son sang, et Petites Cendres vit que brillait une larme entre les cils noirs, pesante couronne sur ses grands yeux sombres, ces cils, pour la nuit, de Robbie, oui, elle se donnait trop à n'importe qui, c'était l'héritage de ce temps de prostitution avec sa mère, elle qui s'était vendue depuis qu'elle était enfant, vendue et achetée pour quelques sous, presque rien, puisqu'elle est morte si endettée, et elle fut déflorée ainsi jusqu'au jour de sa mort, notre Fatalité, chantant dans sa misérable gloire, sur les planches du cabaret pendant qu'elle se vidait de son sang, donnée à chacun, à tous, pour connaître un peu d'amitié, si peu, quand personne ne semblait savoir autour d'elle ce qui se passait, folles nuits, dit Robbie, folles nuits de ma Fatalité, disait Robbie, et Petites Cendres songea à cette nuit de Noël où il avait revu ses vieux parents vendant leurs bibles, rue Esmeralda, le père se levant soudain pour jouer de son lancinant violon, ne portait-il pas, par temps froid, une toque de fourrure élimée, Petites Cendres, passant devant lui, ne l'avait-il pas salué avec respect, le père, ne le reconnaissant pas dans son déguisement féminin, lui avait dit, bonsoir, bonsoir, découvrant des dents cariées, et Petites Cendres avait eu pitié de lui, et de sa mère, assise sur un banc, près de lui, car ils étaient tous deux ses pauvres à lui, ses destitués, en cette nuit de Noël, son peuple. Et Nora nageait vigoureusement dans sa piscine en pensant que si elle peignait encore toute la nuit, plutôt que de dormir, mais elle avait déjà tendance à si peu dormir comme le lui reprochaient ses enfants, comme si elle eût été redevable de cette palpitante nervosité qui était la sienne, elle achèverait le tableau avant l'arrivée de Christiensen, oui, tout serait fini à temps, pensait-elle, car tout en s'ébattant dans l'eau irisée de courants verts, sous les lampes du jardin, ses doigts, ses mains encore tachées des coloris et teintes de son tableau, car elle s'était vite dépouillée de sa blouse raide de peintre, de son ramassis de bavures sur la toile de la blouse, pour se précipiter nue dans la piscine, il y avait l'arbre gombo dont elle voyait pleuvoir les larges feuilles parmi les lianes qui s'entrelaçaient d'un arbre à l'autre, en Afrique elle eût mangé des fruits de cet arbre, elle les eût savourés, et n'était-ce pas un peu comme ces nuits africaines d'antan, ces senteurs, ces bruits, et pourquoi ce ténu brouillard sur ses orangers, bananiers, depuis quelques jours, ici elle semait, plantait tout, ce brouillard et ses moisissures, il fallait se lever tôt ou ne pas dormir du tout pour élaguer ces plaques de rosée sur ses plantes, ses arbres, quant aux parquets de la maison, en l'absence de son mari, elle avait décidé de les repeindre avec des motifs de sa création, si bien que les plantations du dehors ressemblaient à ces arbres et plantes, dont l'arbre gombo si élevé et si puissant, qu'elle avait dessiné dans le bureau de Christiensen, on pourrait donc désormais passer de la maison au jardin dans une quiète végétation, l'une reproduite par le pinceau de Nora et l'autre, l'extérieure, voluptueusement vibrante de tous les parfums et les odeurs, et de la piscine, tout en s'ébattant dans ses courants verts, fugaces mais toniques, Nora pouvait mieux voir son tableau, pensait-elle, de cette nouvelle installation contre le mur de la maison, il était bon de savoir tout faire seule, mais elle avait eu bien du mal à transporter le tableau, mais tant qu'elle aurait la force, elle ne demanderait aucune aide, pensait-elle, c'est que le tableau, et quoi penser du canevas si rêche, était trop vaste, on pouvait voir, maintenant, d'un peu plus loin, de la piscine, qu'il était trop vaste, si bien que la forme du visage de Nora, une forme qui était ample aussi, soudain dans le désert du tableau semblait s'éloigner ou s'évanouir comme si Nora eût propagé autour d'elle une hauteur suspendue, mais aussi un espace lunaire, cette tête, ce visage de Nora n'était-il pas retenu par le vide, cela était sans doute un grave défaut qu'elle n'avait pas pu percevoir lorsqu'elle peignait tout contre la surface du tableau, contre l'œil bleu, distendu qui la regardait, le sien, dans une dimension plus éclatée, quand c'est au regard des yeux agrandis qu'elle accordait toute son attention, afin que le regard soit vivant et non pas fixe, Nora pensait qu'elle n'avait pas ces ressources mystiques de Van Gogh se peignant lui-même dans un état de fièvre, comme s'il était habité d'un remous infernal qu'il avait apaisé par une couleur de verdure, l'habit vert ne laissant poindre que la chemise blanche au col décousu, une chemise, un habit râpés de pauvre homme, et un fouillis de flammes vertes, plutôt que noires ou rouges, un brouillon de verdure qui tranquillise tout de même celui qui a la position d'un damné dans le tableau, damnation de la démence quand la bouche sous la barbe rousse s'apprête à mordre, à hurler, bien qu'elle reste close, sous des dents serrées, Nora dans sa maladresse ne peignait sans doute, pensait-elle, que des effritements, des fragments de toutes ses pertes, Christiensen eût dit qu'elle se trompait en s'estimant si peu, elle eût aimé pourtant entendre un cri sortir de la bouche de cette Nora qu'elle avait peinte, comme ce cri derrière les dents serrées de Van Gogh, le cri d'une femme qui avait mis plusieurs enfants au monde, un cri, quelque chose qui ne fût pas inerte ni censuré, un cri qui ne fût pas nécessairement celui de la douleur, un chant de victoire, un cri, mais la bouche de cette Nora qu'elle avait peinte ne se délivrait d'aucun cri, ou voix, ou hurlement, cette bouche s'asséchait avec le pli des lèvres sur une perplexité réticente, on eût dit qu'elle hésitait entre la critique, la remontrance et quelque tardif émerveillement, ce n'était pas là ce qu'eût aimé peindre Nora, d'elle-même, n'eût-elle pas dû laisser les lèvres presque entrouvertes sur cet enchantement, ou le souhait de cet enchantement, plutôt que de les refermer sur ce pli de la férocité ambiguë d'où pouvaient sourdre la médisance, la calomnie, ou une frustration qui n'avait rien de légitime pour la femme comblée qu'elle était, pensait-elle, Van Gogh avait eu bien du courage dans cet autre autoportrait de se peindre aussi automutilé qu'il se voyait, tête bandée à l'oreille coupée, bonnet de fourrure et pipe, la pipe étant le seul réconfort dans cette flambée rouge d'où les gris et noirs, du manteau, de la fourrure, le blanc mortuaire du bandage, faisaient ressortir l'effrayante pâleur du visage, les yeux inconsolés du peintre, la rougeur de ses paupières, qui sait si les yeux du peintre n'avaient pas subi l'intoxication de sa peinture, plomb ou arsenic, l'arsenic, tous les poisons, déjà contenus dans la membrane créatrice du peintre, dans cette colérique, automutilatrice vision qu'il avait de lui-même, ne pouvant que griffer ce qu'il peignait, par des coups sans pitié, Gauguin peignant le portrait de son ami avait été tellement plus modéré, un primitif presque joyeux décelant un sourire dans cette bouche close de l'ami fou, oui, presque un sourire de mansuétude pendant que le peintre peignait des fleurs, et Nora fuyait son tableau en nageant vers l'autre côté de la piscine d'où elle verrait courir les ratons laveurs sur les pics de la clôture brune, car ils savaient que Nora les nourrirait tous dans quelques instants, pour la dernière fois, avant que ne revienne son mari, qui ne lui permettrait plus de le faire, ils bondissaient, par éclairs de fourrure, entre les arbres, sachant que pour quelques instants, encore, Nora parlerait leur langage, et bientôt elle les appellerait, leur tendant des plats à saisir de leurs pattes aussi habiles que des mains, des morceaux de pain, elle les appelait déjà dans la piscine, sachant parler leur langage, en disant qu'elle en avait assez de cet autoportrait, qu'il était temps de les nourrir, assez de cet autoportrait ou trop authentique ou pas assez, et qu'elle continuerait de les nourrir, demain, après-demain, mais en secret, afin que son mari ne la voie pas, c'était pendant l'une de ces nuits de brume que son frère, quand ils étaient enfants, avait perdu son petit singe dans la brousse, pourtant le petit singe, un bébé, était avec lui sous la moustiquaire, et soudain le lendemain n'y était plus, n'avait-on pas entendu le cri d'une hyène cette nuit-là, c'était par une nuit comme celle-ci, et cela sentait l'huile, le plomb, ce tableau, jusqu'au bout des doigts de Nora, encore tachetés de couleurs, en sortant de la piscine, rafraîchie, un peu agitée, car Christiensen serait près d'elle dans quelques heures, Nora n'oserait plus s'approcher de l'autoportrait de peur de le détruire, de tout défaire, comme elle l'avait fait tant de fois, briser, détruire, à mesure, son œuvre, non, elle serait raisonnable, se préparerait à aller quérir son mari à l'aéroport, quelle robe et quel chapeau de paille irrésistibles, elle serait exquise et fraîche, sous ses colliers africains, mais ses cheveux n'étaient-ils pas trop courts, une mèche touchant à peine l'oreille, il eût fallu choisir une teinture entre le blond et le roux, celle-ci convenait moins, et pourquoi ces pensées, soudain, pourquoi fallait-il qu'elle eût ces pensées-là, oui, que tous les samedis, lorsque Christiensen était au foyer, il déjeunait avec Valérie, seuls tous les deux, dans cet hôtel près de la mer, pourquoi ces incessantes amitiés féminines de Christiensen, ne pouvait-il donc se satisfaire de ce qu'elle lui offrait dans la perfection de ce foyer, où déjà il passait si peu de temps, toujours à ses missions à l'étranger, au Niger ou ailleurs, pourquoi Valérie, tant d'amitiés féminines, à déjeuner près de la mer tous les samedis, sauf lorsque leurs enfants étaient là, pourquoi cette dévotion à Valérie, certes, c'était une femme exceptionnelle, bien que Nora ne comprît rien à ses écrits philosophiques, lisait peu ses livres, Christiensen disait qu'il admirait Valérie d'avoir su surmonter un passé difficile, entravant, et Nora, elle, n'avait-elle pas surmonté le sien, ne surmontait-elle pas bien souvent la solitude loin de son mari, aujourd'hui, Valérie était résiliente, mais Nora l'était aussi, alors ces déjeuners le samedi, pourquoi, cette saveur romantique de leur relation, pourquoi, pensait Nora, Valérie avait un mari savant, aimant, un homme d'une rare érudition, pourquoi devait-elle rechercher l'amitié de son mari, cet homme très compétent aussi, mais enfin, n'était-il pas le mari de Nora, pensaient-ils tous les deux que Nora n'était toujours qu'une enfant, une gamine au cœur ardent, légèrement irresponsable, inconséquente, que pensaient-ils d'elle, tous les deux, comment la voyaient-ils, pendant ces conversations du samedi, il lui faut toujours une femme artiste ou une autre écrivain qui ne soit pas moi, pensait Nora, comme si je n'avais pas appris toutes ces langues pour lui plaire, pendant que nous allions de pays en pays avec les enfants encore petits, jamais Nora n'eût osé demander à son mari où il allait à midi le samedi, avec qui il déjeunait, il le disait lui-même dans une confiante sincérité à sa femme, tous les samedis, je déjeune avec Valérie, il y a toujours un problème à éclaircir, pas pour Valérie car elle est surtout préoccupée par les autres, ses amies, leurs enfants, Valérie est une femme très généreuse, disait Christiensen, comme si sa femme ne l'eût pas été assez, n'était-ce pas exécrable, c'est que Valérie connaît bien de l'intérieur les problèmes de notre temps, disait-il encore, il y aura toujours chez elle cette division entre l'Europe et les États-Unis, car ses enfants sont là-bas, son mari est ici, ou était-ce lui, Christiensen, le fin psychologue de l'âme de Valérie, quand elle était déjà si bien comprise de son mari, mais Nora se tairait, ne dirait rien, furieuse, elle ne dirait rien, il valait mieux qu'il en fût ainsi, la jalousie étant un sentiment, un sentiment confus, très vilain, n'était-ce pas ce qu'elle avait répété à Marianne, c'est si vilain d'être jalouse de ta sœur Greta, regarde ta maman, papa est toujours parti, ta maman est-elle jalouse de ce qui pourrait se passer ailleurs, non, elle ne l'est pas, ailleurs, avec papa toujours parti, car c'est très vilain d'éprouver ce sentiment confus, très vilain, eût dit Nora à sa fille Marianne, et sèche tes pleurs, ma chérie, car je t'aime autant que j'aime Greta, allons, il ne faut pas éprouver ce sentiment si vilain, la jalousie, non, mon ange, il ne faut pas, ou était-ce de l'envie qu'éprouvait Nora pour Valérie, l'affirmation de son intelligence analytique, c'était en plus une belle femme brune, il devait être agréable pour Christiensen de déjeuner en sa compagnie, toutefois n'était-ce pas vrai que Christiensen se sentait aussi proche de Bernard, le mari de Valérie, que de Valérie elle-même, et qu'il déjeunait souvent avec lui également, Valérie était une belle femme gourmande, ce que n'était pas Nora, dont la gourmandise était inexistante, tant elle accourait partout à la fois, ne prenait jamais le temps de s'asseoir longuement pour un repas, occupée aussi à nourrir les autres, quelle injustice ces déjeuners près de la mer entre Christiensen et Valérie, pensait Nora, quelle injustice envers Nora, et pourquoi n'exprimait-elle pas sa rancœur, oui, ainsi ce serait fini, elle n'y penserait plus, pourquoi ne l'exprimerait-elle pas à Christiensen, dès demain, dans la nuit, après l'amour dans leur chambre, dès demain, pourquoi ne le ferait-elle pas, mais dans son autoportrait, cette bouche de la Nora qu'elle avait peinte ne s'ouvrait sur aucune parole, aucun cri, ni chant de victoire pour son art ou la naissance de ses enfants, rien, on eût dit une bouche réticente, toute à sa perplexité maussade, entre la critique et la remontrance, elle ne le retoucherait pas, sinon elle le détruirait, Nora regardait maintenant son tableau avec amertume, toujours assombrie par cette pensée que Christiensen déjeunerait avec Valérie, samedi, que dans cette même autonomie, il irait rendre visite à la mère de Mélanie, qu'il accomplirait avec une paisible amabilité tout ce qu'elle n'avait pas la force d'accomplir, car lui ne verrait pas dans le visage de Mère, parmi les oreillers, une apparition de la mort toute proche, mais une femme, une mère exprimant encore sa volonté, ses désirs de voir les siens conciliants et réconciliés, Augustino n'avait-il pas écrit à sa grand-mère qu'il ne reviendrait pas dans la ville où le critique Adrien avait assassiné son premier livre, quand sa grand-mère l'incitait à revenir, à s'adoucir, Adrien ne pouvait s'empêcher d'assommer les jeunes écrivains, poètes et romanciers, mais ne radotait-il pas un peu, n'appréhendait-il pas dans des mots jaloux la lucidité d'Augustino, voilà pourquoi, pensait Nora, cette bouche réticente, toute à sa perplexité maussade, de l'autoportrait de Nora, cette haine de toute conspiration entre Christiensen et Valérie, Bernard, Esther, de tout lien dont elle n'aurait aucune maîtrise, aucun contrôle, même dans sa relation avec leurs enfants, il agissait indépendamment de sa femme, il avait pour chacun une façon d'écouter, de guider, c'était pour Valérie comme pour ses enfants un mentor, il recommandait, guidait, inspirait, n'était-ce pas irritant que Nora fût ainsi mise de côté, Christiensen disait que, parmi ses enfants, Nora était elle-même comme eux, une enfant, comme si elle fût la Nora d'Ibsen dans sa maison de poupée, n'était-ce pas insultant qu'il la vît ainsi, bien que cela parût un compliment sur la jeunesse de Nora, parfois, oui, par quelque invisible complot Christiensen en venait-il à ressembler au père de Nora, qu'elle puisse en souffrir au point de les confondre, le père arrogant et Christiensen, deux mentors qui lui faisaient violence, non, c'était là une pensée liée à la désorganisation mentale de Nora, lorsqu'elle peignait, il lui fallait toujours éprouver cette agitation qui n'avait aucun sens, sans doute était-ce celle de Van Gogh se peignant tout en griffant son image, oui, c'était bien cela, quant aux déjeuners de Christiensen avec Valérie, elle n'y pouvait rien, Christiensen conseillerait, guiderait Valérie s'inquiétant de ses amies qui écrivaient, l'une d'elles, si narcissique qu'elle en maltraitait ses deux enfants cadets, comment sauver ces adolescents aux prises avec la drogue, l'abandon de leurs parents, quand ils sortaient des nuits entières, jouaient au casino, ces parents épris d'eux-mêmes, de leurs succès, comment rescaper ces petits, demandait Valérie à Christiensen, et Christiensen parlerait de sa fille Marianne, travailleuse sociale dans des ghettos, affrontant de semblables délinquants, à Washington, mais ces adolescents ne vivent pas dans des ghettos, disait Valérie, mais parmi nous, dans des maisons bourgeoises, ici, parmi nous, dirait Valérie, car que pouvait donc comprendre Christiensen à la vocation sociale de sa fille Marianne, disait Valérie, lui qui n'avait jamais eu d'enfants délinquants, lui dont les enfants avaient étudié sous la protection des meilleurs collèges et universités, lui qui avait eu des enfants protégés, comme l'étaient les enfants de Valérie, en Europe, des enfants protégés, ainsi ils discuteraient longtemps, cherchant une solution pour les enfants rebelles de l'écrivain égotiste, il valait mieux qu'à Nora soient épargnées ces conversations entre Valérie et Christiensen, car elle n'aimait pas entendre parler de la délinquance des jeunes, toute violence la déséquilibrait, elle se mettait aussitôt à craindre que cette violence, partout dans l'air, se retourne contre elle, son foyer, là aussi, dans tous ces événements de la violence, celle des jeunes, en particulier, elle n'avait aucun contrôle, aucune maîtrise, elle éprouvait au moins la satisfaction que ses enfants soient normaux, même si son fils Hans était buté contre elle, bien souvent, disant à sa mère que ses grands-parents, arrière-grands-parents avaient colonisé l'Afrique, que tous les malheurs de l'Afrique venaient de la colonisation des Blancs, et cette pensée semblait infâme à Nora, lorsqu'elle pensait au dévouement de son père, de son grand-père, soignant les lépreux, les opérant de la gangrène, tout ce qu'elle avait vu en grandissant avec eux, que savait son fils Hans de la misère africaine, qu'en savait-il, c'était un mauvais passé sur la conscience des Blancs colonisateurs, disait Hans, et il peinait ainsi Nora, et ainsi découlaient tous les malheurs et guerres d'aujourd'hui, disait Hans, Nora eût aimé contrôler, maîtriser ces mots que prononçait son fils, elle ne savait pourquoi sa révolte, lui qui avait tout, Hans rappelait à Nora la petite fille esclave dormant au pied du lit de sa grand-mère, à même le sol, sans couverture, la petite servante au pied du lit, les boys, ou ceux que ses grands-parents avaient appelés ainsi, grands-parents et arrière-grands-parents avec des enfants noirs pour les servir, dans ces lieux bien cachés de la brousse, où ils menaient une vie européenne bien rangée, disait Hans, de quoi avoir honte pour des générations entières, disait Hans, et elle ne savait, elle, Nora, pourquoi il lui parlait ainsi, elle qui n'avait qu'un fils, c'était si éprouvant, et elle ne pouvait ni maîtriser, ni contrôler ces paroles si irritantes que prononçait son fils, comme s'il eût accusé sa mère, indirectement, mais l'eût accusée, eux qui se ressemblaient tant, la mère et le fils, d'une ressemblance physique frappante, oui, pourquoi en était-il ainsi, oui, il valait mieux oublier maintenant, quand elle était sur le point de s'habiller pour aller retrouver Christiensen à l'aéroport, il valait mieux oublier tous ces désagréments, ne penser qu'à lui, son mari, si beau, si compétent dans tout ce qu'il faisait, mais qu'allait-il dire de son autoportrait, dans cette nouvelle installation contre le mur, comment la jugerait-il encore cette fois, le chapeau de paille, la robe de mousseline blanche, les colliers africains, il valait mieux, oui, ne penser qu'à lui, Christiensen, son mari, le sien, oui, qu'elle posséderait pendant la nuit, cette nuit, demain, où aux côtés de son mari elle pourrait enfin dormir, se reposer, savoir que sa maison était enfin sous sa domination, la domination de Nora, qu'elle était sienne, quand personne ne viendrait les déranger, elle et lui, non, personne. Mai, en ouvrant le portail que son père n'avait pas encore fermé à clé, vit que toutes les lumières se rallumaient dans le jardin, jusqu'à ce sentier, vers le pavillon de sa grand-mère, que parfumaient les lauriers roses, il y avait aussi un bassin de pierre où venaient boire les oiseaux, le jour, dans des pépiements aigus, les chats de Mai y rôdaient souvent autour, mais trop repus pour chasser les oiseaux, tout était en ce lieu, pour Mai, d'une attrayante paresse, et sa balançoire, sous les arbres, l'attendait aussi, comme si elle fût encore petite, bercée par la somnolence des chauds après-midi d'été, une musique s'exhalait de la brume qui persistait sur l'île, car les volets, dans la chambre de sa grand-mère, s'ouvraient sur la nuit, c'était cette musique que Mai connaissait bien pour l'avoir souvent écoutée auprès de sa grand-mère, une sonate pour violon et piano de Schubert, ayant déposé ses patins sous la balançoire, Mai avançait lentement vers le pavillon, le message de Tammy clignotant toujours sur son portable, ne pouvant plus attendre, Mai le lut, que disait donc Tammy, un second message s'ajoutait au premier, pacte, mon frère et moi avons fait un pacte, tu portes le nom d'une fille disparue à onze ans, qui jamais n'a été retrouvée, Mai, le second message alarma Mai, accélérant les battements de son cœur comme si elle fût soudain essoufflée, que disait Tammy, nous voulons disparaître, lui et moi, nous avons fait un pacte, comme pour le Prince, si les flammes soudain montaient dans nos chevelures, disparaître, oui, fondre comme la cire, mon frère et moi, disparaître, mon frère et moi, sans perdre contenance, un gant blanc à la main, en lisant ces mots, Mai se hâtant de répondre à Tammy, non, aucun pacte avec ton frère, Tammy, non, te verrai demain, mais demain serait-il trop tard, pensait Mai, pendant que ses doigts tremblaient sur le portable, m'attendre, Tammy, car ma grand-mère, ma grand-mère, non, aucun pacte, Tammy, ton amie, ton amie Mai, quelle étrangeté que Mai eût écrit ces mots, ton amie, ton amie Mai, ces mots qu'elle dispensait si peu autour d'elle, ton amie Mai, surtout aucun pacte jusqu'à ce que je te voie, car ma grand-mère, ma grand-mère est, sera, je ne puis la quitter cette nuit, ma grand-mère est, mais les mots ne semblaient plus être, sous les doigts de Mai, que ferait-elle, vers qui irait-elle en premier, sa grand-mère ou Tammy, et recommençait la sonate pour violon et piano de Schubert, dans la chambre de sa grand-mère, il faudrait passer par la véranda où se tiendrait contre la porte du salon Marie-Sylvie de la Toussaint qui fumerait dehors, d'un air rancunier, faudrait-il que Mai l'écarte, car elle se tiendrait fermement contre la porte, telle une trouble vestale, une méchante prêtresse, pensait Mai, eh bien, Mai l'écarterait, elle était aussi grande que son frère Vincent maintenant, ce n'était plus l'enfant fluette que pouvait gifler Marie-Sylvie de la Toussaint lorsque Mai ne l'écoutait pas, fini ce temps où elle avait été la victime de la gouvernante sadique, oui, pensait Mai, aussi sportive que Vincent, mais on eût dit qu'il était la fille, et elle le garçon, tant il demeurait fragile, malgré tout, et pas un être de chair, comme l'était Mai, avec ses cuisses fermes et ses épaules carrées, tiens, c'est toi, dit Marie-Sylvie de la Toussaint, comme si elle avait dissimulé son visage derrière la fumée de sa cigarette, tes parents ont pris la voiture pour aller te chercher, tes parents, puis sur la véranda où se tenait debout la méchante prêtresse, Mai sentit retentir sur sa joue une gifle, c'était bien ce qu'elle éprouvait, oui, Marie-Sylvie de la Toussaint l'avait giflée, et pourquoi, qu'avait fait Mai, il n'était pas encore minuit, cette femme sadique l'avait giflée, elle, Mai, aussi grande que son frère Vincent, Mai qui portait le prénom d'une enfant disparue à onze ans, Mai qui savait que son amie Tammy, le mot amie n'était-il pas étrange, son amie Tammy, puisqu'il fallait le penser ainsi, Tammy avait fait un pacte avec son frère, un pacte de flammes, un pacte, non, cela, Mai ne le permettrait pas, vers qui accourir d'abord, sa grand-mère ou Tammy, ou les deux à la fois, mais ce qu'elle ressentait le plus, c'était cette insulte de la gifle, sur sa joue, Marie-Sylvie de la Toussaint l'avait giflée le jour où sa grand-mère était, la nuit où sa grand-mère, peut-être, Marie-Sylvie de la Toussaint, sa gouvernante haïtienne, l'avait giflée, bien que Mai revînt en même temps au message de Tammy, se demandant ce qui la heurtait le plus, Marie-Sylvie de la Toussaint et sa gifle, ou Tammy et son pacte avec son frère, pendant qu'elle entendait, répétitive, la sonate pour violon et piano de Schubert, car les volets, dans la chambre de sa grand-mère, s'ouvraient sur la nuit brumeuse, ce qui signifiait, et c'était une bénédiction, que la grand-mère de Mai vivait, vivait toujours, écou-

278

tait encore sa musique, quand pour Tammy on ne pouvait savoir, ni prévoir, même si Mai avait texté ces quelques mots, ton amie, ton amie Mai, attends, aucun pacte, non, attends, ton amie Mai, on ne pouvait savoir ce qu'il adviendrait de Tammy, de Tammy et son frère. Et chacun tirait vers la rue en fête le blanc cheval en papier mâché, Robbie d'un côté et Herman de l'autre, Herman dans sa robe à franges et chaussé de ses bottes beiges dont il faisait claquer les talons, au bar, comme sur le trottoir, et Robbie, amusé et déluré, pensait Petites Cendres, même s'il regrettait tant que Fatalité ne fût pas là ce soir, cette nuit, c'était l'heure sans doute où mon Capitaine avait élu, pour elle, le sable marin de son repos, parmi les poissons fauves, quand il avait consenti que se déchire le petit sac et ses quelques grains de vie, mais peut-être avait-il longtemps attendu, assis au soleil couchant, sur le pont de son bateau, le petit sac sur les genoux, n'y avait-il pas trop de brume, trop de vent, sous sa blanche casquette à la visière dorée, longtemps mon Capitaine avait attendu avant d'enfiler ses habits de caoutchouc, puis de plonger dans les profondeurs de l'océan, oui, longtemps attendu, le petit sac sur ses genoux, pensait Petites Cendres, et Yinn pensait-il lui aussi aux cendres de Fatalité, à la désobéissance de mon Capitaine s'emparant d'une partie des cendres de Fatalité, pour son hymne personnel, au fond des eaux, ou ne percevait-il, dans son amitié pour mon Capitaine, que le danger auquel se soumettait mon Capitaine, dans cet enterrement des cendres de Fatalité dans ce versant océanique du récif de coraux où les courants étaient les plus forts, maintenant le regard de Yinn se posait sur le fauteuil roulant que reprendrait Herman pour rentrer chez lui à la fin de la nuit, ce qu'Herman appelait en riant sa poussette, pendant

279

quelques jours encore, car l'opération avait été réussie, et Herman, de nouveau, dansait, chantait toute la nuit au cabaret, mais pourquoi ces joues creuses, ce teint un peu livide sous le rouge des joues, la nuque d'Herman n'était-elle pas amaigrie, pas que les joues, mais la nuque aussi, pensait Yinn, Herman étant d'une intransigeance si grande envers lui-même, Yinn n'eût-il pas dû l'exhorter à se reposer les jours de traitement, comment parler à Herman qui était si irascible, qui niait même être traité, soigné, qui niait tout, comme s'il eût lu cette inquiétude dans les yeux de Yinn, Herman cria, viens te joindre à nous, Yinn, quelle raison as-tu d'être aussi mélancolique ce soir quand la limousine parcourt la ville, avec les filles, et qu'elles sont applaudies et admirées, dis-moi, Yinn, quelle raison sérieuse, Yinn avait tourné la tête vers l'entrée du bar, l'escalier du cabaret où déjà se rassemblait la clientèle de la nuit, car c'est vers lui qu'ils venaient tous, Yinn, quand il eût aimé se mêler aux fêtes de la rue, saluer gracieusement sur le trottoir les filles passant en limousine, passant et repassant par les rues principales de la ville, dans une lente procession nimbée de ce brouillard de l'hiver aux odeurs d'eau salée, lorsque s'arrêtait la limousine devant le bar, Yinn en ouvrait la portière, se penchant, haute princesse vers l'une des filles dont il ornait le cou de colliers, tels ces colliers miroitants que l'on offrait aux passants dans la rue, avant les représentations, Yinn songeait-il que les colliers, comme les cartes d'accueil où Yinn avait été photographiée dans une pose osée, dévoilant ses longues jambes sous une robe à volants, bien qu'il parût singulièrement chaste, dans cette position, que ces colliers et cartes d'accueil seraient foulés par les pieds des passants, à l'aube, que le spectacle achevé, avant que ne s'éteignent les pourpres lumières au-dessus de l'escalier menant au cabaret, et que Petites Cendres ne reprenne sa place, sur le sofa rouge, ces affiches où régnait la beauté de Yinn, le mystère de son impénétrable lassitude, ne seraient plus que du papier froissé dans la rue, des cartons écrasés par tant de pas, que disperserait le vent, les mots VENEZ VOIR YINN NOTRE ARTISTE SPECTACULAIRE ne seraient-ils soudain que ce papier froissé, avili dans cette indifférence d'une foule qui, soudain, ne ressentait plus rien, qui s'était assouvie devant cette image de Yinn, sans voir ni comprendre qui elle était, sous la licencieuse pose, ni quel était son vrai visage, sous le mascara bleu couvrant les paupières et leurs yeux bridés aux milliers de cils, ou bien, pensait Petites Cendres, s'attardant peu à cette passagère image d'elle-même, celle qui n'appartenait qu'à la nuit, Yinn, ses cheveux noirs sur les épaules, dans un jeans moulant sa minceur ou un short relâché comme en portait Jason, n'éprouverait-il de joie qu'auprès de Jason, dans les stables rayons de cet amour où fleurissait son art, de cet atelier de couture d'où naissaient des merveilles chaque jour, ou observait-il comme Petites Cendres qu'il n'y avait pas que cette foule se sevrant de ses poses érotiques, au cabaret, il y avait ces couples d'hommes ou de femmes recherchant avec lui les fruits de leur incondi-tionnelle libération, et eux ne venaient-ils pas de partout pour voir Yinn, l'entendre, l'approcher, ne se souvenait-il pas de ce couple de garçons musulmans marchant vers lui, main dans la main, se présentant ainsi, à ses représentations, tout en soutenant le regard de Yinn, comme s'ils eussent dit, avec toi, Yinn, nous savons que nous ne serons pas persécutés, défends-nous, Yinn, car si nous retournions dans nos pays d'origine, nous serions lui et moi lapidés, ou pendus, ou torturés dans les prisons jusqu'à la mort, tu le sais, Yinn, ce que l'on fait avec nous en Iran, tu le sais, Yinn, défends-nous, Yinn, tu es notre espoir dans ce massacre de notre jeunesse, ils ne font que cela bien souvent, se tenir par la main, s'embrasser fraternellement, et on les tue, on les lapide, tu dois nous défendre contre de telles barbaries, Yinn, ne jamais nous oublier, l'âme de Yinn ne débordait-elle pas chaque nuit de ces douloureuses plaintes des opprimés dont il ne pouvait s'apaiser que dans ses étreintes avec Jason, dont, pensait Petites Cendres, il portait seul le fardeau, bien que Jason fût là, bienveillant, constant, oui, dont il portait seul le fardeau, pensait Petites Cendres, de cela il était sûr, le fardeau, avec les joues creuses d'Herman, la nuque amaigrie d'Herman, le déni d'Herman, et la toux de Petites Cendres, bien qu'à peine audible dans la procession de la nuit, la toux de Petites Cendres, Yinn, Petites Cendres en était sûr, tout cela si disparate, dans sa lourdeur, de trop humain, dans sa démesure, Yinn, le portait seul. Vous ne l'avez donc pas reconnu, c'était lui, Lazaro, l'assassin d'une étudiante pendant une manifestation à Chicago, c'était lui, je l'ai reconnu, à la télévision, dans le journal, disait Olivier à sa femme Tchouan qu'il avait réveillée, n'avez-vous pas entendu cette détonation de son revolver, pendant la manifestation, toi et Jermaine, même s'il était plus de minuit, Jermaine était encore avec ses amis, il vaudrait mieux dormir, Olivier, dit Tchouan en posant tendrement la main sur le front de son mari, car elle savait maintenant combien ses paroles ne le réconfortaient plus, tant était désormais implacable le mal qui tourmentait Olivier, c'était un mal sourd qu'elle ne pouvait définir ni nommer, mais n'avait-elle pas l'impression de ne plus reconnaître en lui l'homme qu'elle avait aimé, pas plus que Jermaine ne reconnaissait en Olivier son père, bien qu'il leur revînt parfois, citant un passage de l'un de ses articles qu'il avait écrit il y avait longtemps, en ce temps où il avait été un jeune combattant noir, luttant pour ses droits, dans les rues, ne se référait-il pas à cette époque d'héroïsme lorsqu'il se réveillait ainsi au milieu de la nuit, parlant de ceux qui manifestaient encore quand lui n'en avait plus la force, ne te souviens-tu pas de lui, Lazaro, le fils de Caridad, demandait Olivier à Tchouan, l'enfant fanatique est devenu un homme, ne te souviens-tu pas de lui, Tchouan, demandait Olivier, et Tchouan regardait cet homme, le sien, qui soudain avait tant vieilli, dont les cheveux blanchissaient si vite, quand elle se sentait encore jeune, plus près de son fils Jermaine que d'Olivier, cet homme touchant mais inaccessible désormais, accablé de toutes ces pressions sociales, intérieures qu'il avait subies toute sa vie, jeune militant noir qui deviendrait sénateur, puis journaliste révolté, qui sait quelles pressions, répressions son mari n'avait-il pas traversées sans le dire à sa famille, tout ce qu'il avait gardé pour lui, pendant toutes ces années, pensait Tchouan, sans cela, ces excès de la mémoire dont souffrait son mari, n'eussent-ils pas été très heureux dans cette maison dont elle était le designer, à quelques pas de la mer, sa maison dont l'architecture était cubaine, les murs ocre et jaunes, les tuiles rouges du toit souvent surchauffées par le soleil, leur maison, leurs chiens au poil lustré, ils eussent été si heureux, leur fils Jermaine, le fils bien-aimé, le seul enfant, Jermaine ne retournerait à son tournage de film, en Californie, que lorsque son père irait mieux, avait-il dit à sa mère, et elle avait demandé, mais quand, Jermaine, ton père ira-t-il mieux, quand donc retrouverons-nous notre paix et notre bonheur, on dit que c'est irréversible, mais qui sait si, cette fois, Olivier n'avait pas raison, pourquoi Lazaro n'eût-il pas été l'auteur de ce crime, à Chicago, ou bien son mari confondait-il le visage de Lazaro, aperçu sur un écran de télévision ou la photographie d'un journal, avec celui d'un autre, tout autre visage qui ne fût pas le sien, c'était une manifestation d'étudiantes à Chicago, protestant contre le châtiment infligé à une jeune fille musulmane par ses frères, son père, et soudain cette irruption de Lazaro, dans ses vêtements noirs, comme lorsque Tchouan le voyait sur sa moto, à l'affût, tout près de sa maison, qu'il encerclait de sa course ferrailleuse, véhémente, le fils dont se plaignait tant sa mère Caridad, car celui-ci était mauvais, disait-elle, avait hérité de la violence de son père, de ses oncles encore en Égypte, cette irruption de Lazaro, parmi les étudiantes, la détonation d'un revolver, la jeune étudiante s'écroulant dans les bras de ses camarades, qui sait si, cette fois, Olivier, bien que délirant la nuit, qui sait si, cette fois, au sujet de Lazaro, s'il n'avait pas raison, elle sortirait avec les chiens, sur le patio, attendrait là son fils Jermaine, lui parlerait, on ne savait pourquoi durait si longtemps cette brume sur la mer, environnant la maison, les jardins, le patio, oui, Tchouan attendrait son fils, lui parlerait, avec les chiens, sur le patio, car cette fois Olivier avait peut-être raison, au sujet de Lazaro, qui sait si, cette fois, son mari n'avait pas raison. Et quelle douceur ce serait, pensait Mère, de l'entendre, lui, Franz, parler à Yehudi, à Wolfgang, sous la fenêtre, sur ce banc, parmi les frangipaniers, de son passé, autant que de leur avenir, Wolfgang se balançant sur la balançoire de Mai, car bien qu'il fût très doué pour le piano, il préférait encore les jeux à cette discipline que lui imposait Franz, en étirant ses doigts sur le clavier, eux aussi seraient des virtuoses magiciens du piano, de la direction d'orchestre, disait Franz, car papa Franz, même lorsqu'il serait très vieux, un jour, pas ce soir, ni demain, dirait-il, où qu'il soit, verrait Yehudi et Wolfgang à leurs exercices, au conservatoire, oui, il verrait tout, il y aurait une fenêtre bien découpée dans les nuages d'où il verrait tout, et ce serait le même papa Franz, ou grand-père au front à peine dégarni, à la crinière gris et noir, comme vous le voyez maintenant, ou au pupitre, lorsque je dirige l'orchestre, disait-il à ses enfants, où il faut évoluer parmi les musiciens avec souplesse et grâce, oui, ce serait ainsi, et à leur tour, Yehudi et Wolfgang, ils étaient encore petits, mais cela irait en se développant, seraient dotés d'une mémoire musicale immense, ils dirigeraient par cœur des œuvres complexes, comme l'avait fait Franz, mais même doté d'une mémoire phénoménale, il faut aussi travailler, travailler, si aujourd'hui je peux former des jeunes musiciens comme vous, dirait Franz, demain ce seront d'autres musiciens qui le feront pour moi, mais d'abord des cours de solfège, mes amis, d'abord le solfège, je sais combien vous détestez cela, tous les deux, quelle douceur ce serait d'entendre Franz, pensait Mère sous les fleurs jaunes des frangipaniers, pendant que se balancerait Wolfgang sur la balançoire de Mai, on entendrait ce crissement de la corde de la balançoire et ces cris joyeux du petit Wolfgang, mais où était l'excentrique ami Franz, où étaient Yehudi et Wolfgang, ses beautés et ses prodiges, comme les appelait Franz, étaient-ils tous repartis dans la branlante décapotable de Franz, pensait Mère, sous la pluie ou dans une brume compacte, pourquoi ne les revoyait-elle plus, eux tous si charmants, et qui savaient la délasser, ou pendant que Mère était alitée, Franz ne poursuivait-il pas sa vie professionnelle, ne présenterait-il pas en première mondiale l'œuvre d'un jeune compositeur, au Japon, qui ne verrait pas avec émotion le visage aux traits chiffonnés du compositeur à la crinière, du vieux musicien toujours aussi alerte et bondissant sur la scène d'une salle de concert, qu'il fût au Japon ou au Brésil, Mère ne les voyait plus dans la balançoire ou sous les fleurs jaunes des frangipaniers, Franz et ses enfants, les tout derniers, car il avait une grande famille, Franz, Yehudi et Wolfgang, elle n'entendait plus que la rumeur de ces voix contre la porte, sur la véranda, sans doute Mélanie et Daniel avaient-ils ramené Mai, comment savoir ce que font nos enfants, Mère l'avait-elle jamais su, rien n'est plus refermé qu'une existence qui ne dépend plus de nous, ainsi allait Mai, bien qu'elle fût surveillée par ses parents, à quelles strictes contraintes se fût-elle pliée et pourquoi, Mère voyait du lit l'ombre de Marie-Sylvie de la Toussaint contre la moustiquaire, cette ombre qui narguait Mère, sur la véranda, avec ses dissimulations, ses vols et son hostilité, Mère entendait-elle bien la voix de Mai, ou celle de Mélanie, de Daniel, sur le seuil, la contredire, l'affronter, elle m'a interdit de fumer dans la maison, dirait Marie-Sylvie de la Toussaint, même aussi dépérissante, votre mère commande toujours, votre grand-mère s'acharne sur moi avec ses ordres, ses directives, se prenant toujours pour la châtelaine des lieux, croyez-vous que je puisse supporter cela, moi, Marie-Sylvie de la Toussaint, veut-elle donc me rappeler que je gardais les chèvres avec mon frère sur les coteaux, toujours m'humilier, nous humilier, mon frère et moi, et eux, Daniel et Mélanie, diraient, non, il faut vous calmer, Marie-Sylvie, rien de tout cela n'est vrai, notre mère éprouve pour vous et votre frère beaucoup de déférence, de respect, Esther ne vous a-t-elle pas témoigné ce respect en vous accueillant chez nous, peu importe ce que diraient Mélanie et Daniel, ce ne serait jamais assez, car Marie-Sylvie serait toujours insatiable, aussi insatiable que le serait toujours la douleur de son humiliation, celle de sa caste, Marie-Sylvie ne le disait-elle pas elle-même, Jenny était d'une autre classe, elle avait déjà étudié chez les prêtres, elle a pu devenir médecin sans frontières, grandir, se séparer de vous, quand moi je n'étais qu'une servante, je ne pouvais être rien d'autre, quel vil rôle a été le mien, quant à mon frère, il a été plus bas encore, rejeté, une larve, insatiable comme le furent leurs humiliations, mortifications, pensait Mère, mâchant et remâchant leur fiel, Marie-Sylvie de la Toussaint et son frère Celui qui ne dort jamais, et c'est cette ombre chargée d'une meurtrière agression qui montait la garde, pensait Mère, oui, là, sur la véranda, et que voyait Mère de son lit, pendant que coassaient les crapauds, que bruissait la nuit, dans les feuillages, cette ombre de Marie-Sylvie de la Toussaint, et dans cet îlot voisin, à leur réveil, Rosie et Lou iraient voir les dauphins, avait promis Ari, le père de Lou, les aigrettes et les hérons bleus, ce serait une plage inhabitée au sable blanc, et papa dirait à Lou, ne pouvons-nous pas nous réconcilier maintenant, toi et moi, Lou, ici, dans ce paradis, ne pourrions-nous pas nous réconcilier, toi et moi, as-tu pensé à mes suggestions, propositions, Lou, à venir vivre avec nous, Noémie et moi, à New York, Lou, ou es-tu encore là pour me réprimander, telle une rivale hargneuse, es-tu ma gentille enfant ou mon adversaire, Lou, dirait Ari, pensait Lou qui, dans la cabine du bateau, ne dormait pas, il était invraisemblable qu'une enfant fût aussi entêtée avec son père, avait dit Ari à Noémie sur son portable, et qu'avait-elle répondu, sans égard pour les sentiments blessés de Lou, elle avait dit, ne serait-ce pas le temps pour toi et moi, Ari, de ne plus penser à elle, Lou, ni à sa mère Ingrid, mais seulement à nous, voilà vraiment ce que nous devrions faire, ne plus jamais penser à Lou, n'avons-nous pas une histoire à vivre, sans elle, Lou, ce n'est qu'une enfant après tout, les enfants se remettent vite de leurs déceptions, te voici un homme en pleine maturité, Ari, avait dit Noémie, la séductrice qui n'aimait pas les enfants, ou du moins qui n'aimait pas assez Lou pour concevoir qui elle était, qu'attends-tu, Ari, pour vivre dans la plénitude de ta vie, car comme tous les hommes, tu vieilliras et regretteras tous ces scrupules envers Ingrid, et ta fille Lou, car ce ne sont que des scrupules attardés, quand auprès de moi, Noémie, tu aurais toutes les satisfactions promises ou rêvées, combien de femmes auras-tu encore, de maîtresses s'offrant ainsi à toi, combien encore, très peu, car avec le temps, le temps, ils seraient là sur la plage, et afin de montrer à son père son indifférence à ses propositions, suggestions, lui qui n'était qu'un amadoueur, un menteur avec son enfant, Lou dirait à Rosie, qu'elle prendrait par la main, allons sur ce rocher, sous le palmier, j'ai apporté mon lecteur de DVD dans mon sac à dos, nous allons voir un film, toi et moi, et cette petite Rosie, un bébé, elle dirait sans doute, non, je ne veux pas voir de film, je suis ici avec toi et ton papa, sur cette plage où nous sommes venus de si loin en bateau pour voir les dauphins, leur entraîneur, les dauphins, les aigrettes, les hérons bleus, il faudrait sans doute pincer Rosie, lui faire un peu mal, afin qu'elle soit plus obéissante avec Lou, non, tu viens avec moi, dirait Lou, elle serait capable de punir Rosie, oui, Rosie pleurnicherait, c'était là le plan de Lou, qu'elle résisterait à son père demain, car ne savait-elle pas que pendant cette démonstration de l'entraîneur avec les dauphins, lui, Ari, continuerait ses messages, appels, sur son portable, à Noémie, elle ne devait lui laisser aucune paix, aucune paix avec Noémie, tel était le plan de Lou, elle en élaborait les détails, c'est un film sur les alligators que j'ai apporté pour toi, dirait Lou d'une voix suave à Rosie, un cartoon, comme tu es encore petite, et Rosie ne dirait-elle pas, approuvée par Ari, qu'elle préférait voir les crocodiles vivants, les alligators, les hérons bleus, vivants, tel était le plan de Lou, bien qu'elle ne fût pas encore tout à fait sûre de sa réussite, tant son père, l'amadoueur, était habile, convaincant, mais tel était le plan de Lou, une résistance sans pitié à ses propositions, suggestions, oui, sans pitié, pensait Lou. Quel petit-fils blâmable, imparfait, pensait Samuel de lui-même, dans l'avion sur le point d'atterrir sur la piste de l'île dans la nuit, sa chorégraphie *Venise en une nuit* ne l'avait-elle pas trop consumé, ainsi en était-il de tant d'artistes lui ressemblant, qui ne voyaient plus rien autour d'eux, ne se rivaient qu'à leurs projets et passions, quand les nouvelles étaient fracassantes, ces nouvelles sur la santé de sa grand-mère qui le terrassaient, et pourtant il pensait encore à sa chorégraphie, il téléphonerait à son concepteur d'images, car deux écrans circulaires, pendant le naufrage de Venise sous les eaux, le démembrement des édifices et maisons dans la mer, sous le vol effaré des colombes, des pigeons blancs, ces deux écrans reproduiraient le film des glaciers et banquises dans une même atone conflagration, ainsi on part avec cette sensation d'embrasser le chaos, le chagrin qui sera bientôt là, refermant derrière soi dans la nuit la porte de l'appartement dans lequel dorment encore sa femme, son enfant, pour savoir que l'on dédaignera de souffrir, quand on voudrait continuer à se blottir dans cette chaleur de la mère et de son enfant, ce dédain de souffrir, n'était-il pas que Samuel connaissait encore peu la douleur, pensait-il, et qu'il avait cru dans ce confort que sa grand-mère était éternelle, mais l'étudiant pakistanais, Tanjou, le jeune ami de sa famille, Samuel ne l'avait-il pas cru éternel, aussi, même lorsqu'il avait fait sa chute parmi les décombres d'une tour de New York par un frais matin automnal, Samuel avait-il seulement compris qu'il ne le reverrait plus, tant cette pensée que Tanjou était éternellement jeune, et toujours l'ami de la famille, était ancrée en lui, n'en était-il pas de même de sa grand-mère qui, pas plus que Tanjou, n'avait le droit de le quitter, sa grand-mère si profondément sienne qu'aucun malheur, non, n'avait le droit de disséquer des tissus de son être, car cela ne serait pas, ne devait pas être, non, et inclinant son front sur le hublot, Samuel pensait, faudrait-il avertir le commandant de bord, le steward, oui, faudrait-il les avertir, car voici que descendaient en même temps, vers la piste à peine visible dans la brume, deux avions volant trop près comme on en voit, pensait Samuel, au-dessus de la ville de Moscou pendant des exercices de guerre, feinte mobilisation des forces aériennes mais qui effraient toujours, avec ses bolides qui semblent effleurer les toits des maisons, celui de l'Académie des sciences, comme les toits des universités, des musées, les tanks, la cavalerie des mitrailleuses lourdes, tous les régiments, chars d'assaut, ne sont-ils pas déjà dans les rues, vers quelles cibles descendent ces avions, l'Académie des sciences, les universités, les musées, les théâtres où ont dansé les Ballets russes, vers quelles cibles, ne faudrait-il pas avertir le steward, le commandant de bord, car ne dirait-on pas des avions de guerre au-dessus de la ville précédant notre atterrissage, puis s'étant assoupi contre le hublot, Samuel s'éveillait brusquement, car la voix calme du pilote déclarait qu'ils atterriraient dans quelques minutes, oui, dans quelques minutes, car ne fallait-il pas survoler un peu jusqu'à ce que la brume se dissipe sur la piste, quand Samuel se répétait à lui-même, quel petit-fils blâmable je suis, quel homme imparfait, ressortant de son étui de cuir le portable, car bien qu'il fût terrassé, anéanti à l'idée que sa grand-mère était si indisposée, peut-être très malade, il devrait, dès l'atterrissage, téléphoner à son concepteur d'images, à ses danseurs, afin que dans sa chorégraphie rien ne soit oublié, le film sur les glaciers, les banquises s'effritant, le vol effaré des oiseaux, que rien ne soit oublié, dans sa chorégraphie, mosaïque chantée, dansée, des temps de la fonte de ces sommets neigeux de la terre, non, que rien ne soit oublié, et Ari, se promenant de long en large sur la passerelle de son voilier, avait éteint le cellulaire, il ne l'ouvrirait que plus tard, le lendemain peut-être, n'avait-il plus de volonté pour vivre dans cette attente de Noémie, une attente éperdue de sa voix, de ses paroles souvent contradictoires, animées d'une virulence contre sa fille qui lui déplaisait, pourquoi choisirait-il l'une ou l'autre, quand il les aimait toutes les deux, était-il désormais incapable de réfléchir comme un homme, était-il ensorcelé par ses désirs d'une femme ou négligent de ses devoirs de père, ce téléphone portable était maudit qui lui tendait délibérément toutes ces tentations, mais voilà, tout changerait dès demain, il naviguerait avec les filles, les petites, jusqu'à l'îlot voisin, Rosie qui était encore une enfant authentique, pas une presque adolescente s'endurcissant comme sa fille, Rosie s'émerveillerait devant les dauphins, leur entraîneur, car c'était le privilège d'Ari toujours sur l'eau, il avait pu réserver l'entraîneur et les dauphins, pour leurs jeux, dans un parc aquatique, cela dans le seul but d'amuser, de distraire surtout de ses moroses songeries, Lou, et à quoi cela servait-il quand elle n'avait pas pu aller vers son lit pliant dans la cabine, avec Rosie, sans se renfrogner contre lui, toujours aussi mécontente de son père, à quoi cela servait-il, mais voici, cela était fait, le cellulaire étant fermé, il se consacrerait entièrement à son enfant, il n'était pas trop tard, peut-être, pour rebrousser chemin, s'éloigner un peu de Noémie, bien qu'il ne comprît pas, lui qui était un adulte, pourquoi il aurait dû céder aux caprices de sa fille, quand l'aimait une femme d'exception, qui sait, il n'en rencontrerait peut-être plus de comparable, telle Noémie, critique d'art qui avait saisi au premier regard toute la teneur de ses sculptures, leur contemporaine complexité d'avant-garde, dommage que Lou, qui semblait si mal élevée, selon Noémie, l'irrite tant, et puis Ari avait eu cette idée de surprendre Lou, elle qui aimait tant les animaux, il couvrirait les murs de sa chambre de photographies vénérant la nature, de ses lithographies *La Danse de la paix des oies sauvages* de Tom Mangelsen, pendant leur migration dans un ciel gris et brumeux, cette danse des oies serait le symbole d'une réconciliation entre Ari et sa fille, un lien, pour des jours meilleurs, à moins qu'elle ne préfère la photographie de l'ourse et l'ourson, ou de la renarde avec ses renardeaux, du même artiste, la renarde et l'ourse, rigoureuses mères de leurs petits, la mère renarde pointant son museau, ses yeux inquiets sous les oreilles levées, vers les champs verts où elle ferait courir ses petits, comme si, ses enfants encore contre elle et sa fourrure hospitalière, elle s'interrogeait, se demandant si la terre serait pour eux un lieu assez sûr, et que ce doute s'inscrivait dans la sagesse prévenante de son regard, sous les oreilles dressées, Ari dirait à Lou, tu vois ici, comme l'a photographié l'artiste qui a su capter les plus belles scènes dans la nature, ce que l'on peut encore voir et photographier, ici s'envolent à chaque mois de mars au Nebraska dans un rituel qu'on appelle une danse de la paix, s'envolent par milliers les grues, les oies sauvages des champs où elles se sont nourries, dans un ciel gris et brumeux, elles s'envolent par milliers vers l'Alaska, la Sibérie, regarde car ces photographies sont le signe d'une espérance de durée pour les oiseaux, les animaux de notre monde, regarde bien ces images candides que je t'offre, Lou, la mère renarde et ses renardeaux, l'ourse paisible humant l'air avec son ourson, car en notre ère de disparition, combien de fois encore verras-tu ces images, mais Lou écouterait-elle son père, elle se distancierait de lui aussitôt au moyen d'une bande vidéo qu'elle glisserait dans son ordinateur, ou un DVD dans son lecteur de DVD, non, Lou n'était déjà plus à cet âge où il pouvait lui parler comme à une enfant éducable, récupérable, cette danse de la paix des majestueux oiseaux ne la séduirait pas, car elle ne voulait aucune paix entre elle et son père, c'était bien cela, pensait Ari, aucune paix, il couvrirait quand même les murs de la chambre de Lou, ne serait-ce que pour s'apaiser lui-même, de ces photographies de la danse de la paix, de l'ourse, de la renarde, car il était, bien qu'elle n'en fût nullement consciente, pensait-il, l'ourse et la renarde maternelles auprès de Lou, la gardant encore quelque temps, très peu de temps, dans ce nid, cette forteresse, telle l'ourse dans sa fourrure, ses petits, avant que, dans ce monde où chacun avait peu de certitudes, vers un champ fleuri ou une route défectueuse, Lou ne s'échappe, voilà, oui, avant qu'elle ne s'échappe, pensait Ari, vers cette route de tous les dangers qui guettent nos enfants, aujourd'hui, ne serait-ce pas urgent d'écrire à Asoka, le parrain de Lou, quémandant son aide pour l'éducation de Lou, sa formation spirituelle, mais que répondrait le parrain de Lou, dans sa sainte austérité de moine tout à ses prières et méditations dans un temple en Inde, qu'Ari devait renoncer à ses plaisirs, renoncer, et ne penser qu'à son enfant, n'était-il pas un homme, un père avant tout, il faut renoncer, mon ami, dirait-il, en ce temps de révolution, les temples étaient brûlés, les moines combattaient dans la rue pour les droits des pauvres, et Ari soudain se mettait à craindre pour la vie du moine pèlerin, dans sa robe orange, celui qui en ce temps de révolution combattait dans les rues, quand s'enflammaient les temples, n'était-ce pas honteux que le combat d'Ari ne soit que pour son art, son art et Lou, quand dans peu d'années s'échapperait Lou, quand son art était peu rentable, pas assez encore pour assurer l'avenir de son enfant, n'était-ce pas déshonorant qu'il en soit ainsi pour Ari, pensait-il, et dans cette nuit de brouillard sur la mer, Tchouan disait à son fils Jermaine qui venait d'apparaître sur le patio de sa maison, cette fois, ton père ne s'est pas trompé, ne parlons pas trop fort car il s'est enfin endormi, Caridad est la mère d'un assassin, comment peut réagir une mère aux crimes de son fils, Tchouan passait sa main sur le visage, les cheveux de son fils, comment pourrais-je réagir si c'était toi, Caridad ne m'a-t-elle pas dit, en secret, quand j'achetais des pièces artisanales dans son magasin, comme si elle eût compris combien serait terrifiant cet avenir de son fils, que cet abcès de la haine, dans l'âme de Lazaro, avait commencé à croître quand elle le portait et que son père l'avait battue, battue, maltraitée, elle avait porté son enfant, avec cet abcès de la haine, de la vengeance, croissant en lui, disait Caridad, même avant sa naissance, et soudain cet abcès éclatait dans une furie sanglante, d'abord contre Carlos que Lazaro avait juré de tuer, après une querelle d'enfants, pour une paire de chaussures Adidas, Carlos répliquant à l'attaque de Lazaro par l'intimidation d'un coup d'une carabine qu'il ne croyait pas chargée, quand un cuisinier cubain l'avait chargée la veille, cette carabine que Carlos avait volée, Carlos se retrouvant en prison depuis quelques années, accusé d'homicide involontaire, Lazaro ne pensait qu'à cela, sa vengeance contre Carlos lorsqu'il sortirait de prison, quand croissait, croissait l'abcès de la haine, avait confié Caridad à Tchouan, son fils s'appropriant des armes, devenant peu à peu un solitaire bandit armé, obsédé par la tuerie, le meurtre, celui de Carlos, ou d'une autre personne, ou de tous, tant le gouvernait sa haine, celle du fœtus qui avait été torturé dans le ventre de sa mère par un père lui-même sanguinaire, haineux des femmes, et que faire, avait dit Caridad à Tchouan, quand soudain nous, mères, nous ne voyons plus ces fils réprouvés, qu'ils partent ailleurs, au Pakistan, bien qu'on ne sache jamais où ils vont ainsi se perdre, dans quelle ville, quel village frontalier où ils sont endoctrinés pour cette haine, les manifestations d'une haine qui est déjà un poison dans leurs cœurs, ces fils réprouvés, où sont-ils, dans le sud de l'Asie, on ne sait où, feront-ils exploser demain une gare, des trains, au nom de leurs extrémistes principes religieux, tueront-ils des centaines, des milliers de gens, dans cette vague de leur haine, dans cette furie sanglante de l'abcès de la haine qui a éclaté, que faire quand ils ne sont plus nos fils, mais d'infâmes barbares dans une guérilla, quand ils tueraient leur propre mère, que faire pour ces fils réprouvés, avait dit Caridad à Tchouan, et passant sa main sur le visage, les cheveux de Jermaine, Tchouan disait à son fils dans la nuit, assise près de lui sur le patio, que ferais-je si c'était toi, que ferais-je, mon cher fils, si c'était toi? Et Robbie disait à tous d'écouter cette musique dans le bar, c'était la voix d'Eartha Kitt chantant *Santa Baby*, une voix langoureuse, quels cris de rebelle sous les ronronnements d'une chatte, car on eût bien aimé qu'elle ne fût que ce chaton chantant dont elle avait revêtu l'apparence, afin que fût écoutée sa voix noire, sa rage noire, celle des plantations rurales de la Caroline du Sud où elle avait été violée par un planteur blanc, Robbie chanterait cette nuit *Santa Baby*, sur la scène du cabaret, il serait Eartha Kitt, épousant cette colère, cette rage, même si, avec ces langueurs félines qu'il savait depuis longtemps imitées, il émergerait avec l'artiste, de ces années cinquante de la ségrégation, il en émergerait comme elle, triomphant des bigoteries de ces clients gravissant chaque soir les marches de l'escalier vers le cabaret, disait Robbie, tirant la bride du cheval blanc en papier mâché vers la rue, quand Jamie sous sa casquette disait qu'il n'avait jamais fait aussi froid en février, qu'une seconde limousine avait été commandée afin que les filles puissent être plus à l'aise sous leurs épais manteaux, ces limousines roulant dans la nuit, avec les filles somptueuses, rien ne pouvait être plus beau, disait Jamie, électrisé, courant partout pour être efficace, malgré le froid, et voyez-moi la qualité de ces voitures que j'ai louées pour vous, les banquettes d'un cuir fin, une carrosserie aux flancs effilés, on dirait les ailes lisses d'un oiseau, embarquez, les filles, vous voici parties pour la nuit, et toi, Geisha, prends le haut-parleur et annonce les représentations de la nuit, car il faut les réveiller tous, disait Jamie, il faut les réveiller tous, crierait Herman à l'unisson, dans cette robe aux transparentes franges d'où il semblait supporter le froid, la bride du cheval en papier mâché à la main, tout est-il enfin en ordre comme tu le veux, Yinn, demandait ironiquement Herman à Yinn, n'es-tu pas content de notre

défilé, ou est-ce pour toi une fête pittoresque, telle une nuit
de carnaval, et Yinn dit, oui, que c'était magnifique, mais de
ne pas faire autant de bruit afin que les policiers ne se ramas-
sent pas autour d'eux tous, Herman remarqua que le regard
de Yinn était ailleurs, comme s'il eût contemplé l'ensemble
de son royaume, notant la présence du fauteuil roulant
d'Herman dans une zone d'ombre du bar où, sous tout autre
regard, ce fauteuil eût passé inaperçu, ou pensait-il aux
cendres de Fatalité, à la descente de mon Capitaine au fond
des mers, pensa Herman, quand l'heure était à l'amusement,
au rire, car on entendait le rire des filles dans les limousines,
pourtant, lorsqu'une de ces limousines s'était arrêtée près du
trottoir, que Yinn en avait ouvert la portière pour y laisser
entrer Cobra, Cobra qui soudain était l'envers de Fatalité,
une fille saine, affublée de son seul visage rose et sain, sous
une rayonnante patine de couleurs, qu'on eût dit les couleurs
du froid, de la santé en hiver, comme si elle fût sur le point de
s'élancer sur une patinoire, ses cheveux de sirène au vent,
toute rose et mordante, comme le disait Robbie, ou à mordre
comme si elle était une pomme juteuse, Cobra prenant place
parmi les filles squelettiques, les poussant, les remuant
comme si elles étaient aussi en santé, quand leurs petits os
auraient pu se casser, pensait Yinn à ce contact trop viril, cette
scène n'avait-elle pas fait frémir Yinn, qui avait vu là soudain
l'un de ces défilés carnavalesques comme les peignait le
peintre belge James Ensor, Yinn s'étant souvent inspiré des
œuvres du peintre pour ses décors de théâtre, le flou du cauchemar des têtes, des visages n'était-il pas celui du peintre,
dans son tableau *Masques raillant la mort*, peut-être ce carnaval du peintre se déroulait-il sur une plage, car aux têtes
de morts étaient agrafées des lunettes, les personnages

n'étaient-ils pas vêtus comme s'ils allaient s'étendre au soleil, ou était-ce ce que voyait, percevait Yinn sous les masques blancs et crayeux, une lumière qui se crevassait, et ces morts masqués ou ces vivants transis dans leur ivresse, celle d'une gigue sous une lumière descendante, avant de s'étendre sur la grève, ou ces personnages qui n'étaient peut-être que des diables en feu, en qui le peintre avait logé une mort réfrigérante, pendant une danse ou une procession valsée mais dantesque qui serait leur dernière, était-ce ce que voyait, percevait Yinn, pendant que la saine, dynastique Cobra se joignait aux autres, dans la limousine, qu'avec la santé de Cobra, son impatiente vitalité, les jolis masques des filles, ces masques nés des doigts de Yinn, se défaisaient, en ce même flou qui était le flou cadavérique du peintre, et que soudain, comme dans ce tableau *Masques raillant la mort*, la mort n'en était que plus sidérante, flagrante, sous les crânes dénudés des filles, pendant cette ultime procession dans les rues, puis Herman avait distrait Yinn en criant, des stars, toutes des stars, comme l'était Fatalité, elle serait bien fière de nous, on les applaudit, on les admire, n'était-ce pas l'hommage que tu voulais pour elles, Yinn, n'était-ce pas ce que tu voulais, la foule est avec elles, avec nous, as-tu raccommodé ma cape à dentelles, Yinn, que je puisse bientôt ressortir mon tricycle, les paroles d'Herman se fondaient dans la musique du bar, Yinn saluait de la main les filles à leur passage dans les limousines, comme pour le détourner de ses pensées, le saisir de sa bonne humeur, lorsqu'il fut devant le trottoir où se tenait Yinn, Cobra lâcha sur Yinn tout un essaim de colliers, bonne nuit à toi, Yinn, dit Cobra, bonne nuit à toi, Prince Thaï. Il est temps que tu apprennes à compatir, avait dit la grand-mère de Mai à sa petite-fille, aux souffrances de Marie-Sylvie de la

Toussaint, il est temps que tu apprennes à compatir, avait dit la grand-mère de Mai, et bien que Mai sentît encore l'injure de la gifle de Marie-Sylvie de la Toussaint sur sa joue, elle avait longuement regardé la gouvernante en pensant, non, je ne compatirai pas, non, et comment serait-ce dans quelques heures, avait pensé Mai, quand Marie-Sylvie reverrait Vincent, toute sa rancœur, sa méchanceté ne s'en irait-elle pas, rejoignant celui qu'elle appelait toujours son enfant, Marie-Sylvie de la Toussaint, soudain, serait aimable, doucereuse, évanouie serait toute son aigreur auprès de Mai, petite dévergondée, avait dit la gouvernante en giflant Mai, tu n'es qu'une petite dévergondée, et sous le choc, ébranlée, Mai avait pensé à Tammy, Tammy que ses parents giflaient peut-être tous les jours, Tammy et son pacte, Tammy et son frère, la mortification était cuisante, même si Mai pensait à Tammy, à son frère, à leur pacte qui serait interrompu, non, il n'y aurait pas de pacte, Mai serait près de Tammy en quelques heures, mais la catastrophe, c'était que Marie-Sylvie de la Toussaint avait giflé Mai, quand sa grand-mère, qui gisait dans son lit de l'autre côté de la porte, ne pouvait plus défendre Mai, dire à Marie-Sylvie que c'était trop injustifié, qui lui permettait donc de gifler ainsi sa petite-fille, la catastrophe, c'était d'avoir été giflée par cette femme méchante, même si ce n'était peut-être pas une femme méchante, comme l'eût dit la grand-mère de Mai, mais une femme humiliée, Mai ne compatirait pas, non, pas cette fois ni une autre, elle dirait à son père, cette femme m'a giflée, elle le dirait à son père, de qui prendrait-il la défense, Mai ne l'avait jamais vu répudier quelqu'un de la maison, jamais, sans doute son père dirait-il, pense, Mai, à toutes ces années où Marie-Sylvie a veillé sur ton frère si chétif alors, quand nous allions avec lui d'un séjour d'hospitalisation à l'autre, ton frère souffrant d'asthme aigu, et plus encore, ton frère qui, mais Mai ne compatirait pas, mais quelle bénédiction que Mai entendît encore cette musique de Schubert, que les volets, dans la chambre de sa grand-mère, fussent encore ouverts, et que Mai, quand l'humiliation de la gifle était si cuisante encore, entendît cette musique, qui semblait exprimer pour elle seule ces mots, tu vois, ma petite-fille, tout n'est-il pas simple et familier ici, ici dans cette chambre où en écoutant cette musique de Schubert, comme hier et demain, je vis et je respire, n'es-tu pas un peu rassurée, maintenant, bien que l'on t'ait fait mal, et que je ne puisse me lever pour te protéger, te défendre contre de pareils coups, bien injustifiés, mon enfant, bien injustifiés, car c'est bien ainsi que la grand-mère de Mai eût consolé sa petite-fille, pensait Mai, par ces mots de bienveillance, et Mai se souvint du garçon se souillant le visage de sauce chili, pendant le party de la nuit, où était-il, errait-il à travers la ville, dans la brume, tanguant sur un pied et sur l'autre, dans un désespoir ivrogne, ou criant qu'il était du premier bataillon, allait-il creuser sur la plage, dans le sable, ce qu'il appelait sa tombe pour la nuit, ou, comme dans la province d'Helmand en Afghanistan, il forerait pour son sommeil abruti ce fossé, vite, avec ses mains il se creuserait cette sépulture de nuit, regrettant que ses compagnons d'armes ne soient pas tous disséminés autour de lui, dans leurs trous, leurs tanières, sur un matelas de terre dure, de cailloux, et un peu de paille, car ces caveaux, ces trous, où chacun dormirait d'un sommeil hasardeux, seraient aussi les postes de position de tir, au réveil, ce repos dans sa propre tombe, son propre lit, ne serait-il pas acquis, dirait le garçon, après une marche de six jours, six nuits, sous le port des sacs à dos et fusils, sous une température brûlante, pourtant avec quelle ferveur on y dormirait, sa mitrailleuse contre la poitrine, ses bouteilles d'eau rangées avec les bottes, les chaussettes fangeuses, craquantes d'une boue asséchée, sur les bords de terre battue du tombeau, ces tombeaux sans couvercles improvisés pour une halte dans la terreur, dans lesquels chacun dormirait, comme enfoncé dans le sol, la tête contre son casque d'acier, ou sans casque, et pieds nus, dormant, ronflant, à quelques instants du sifflement des balles à leurs oreilles, eux, comme le garçon au visage souillé de sauce chili, creusant pour la nuit sa tombe sur la plage, quand montait la brume sur la mer, avaient encore tous leurs membres, oui, eût dit le garçon hurlant, pleurant, à Mai, ils avaient encore tous leurs membres, chacun ayant creusé sa tombe pour la nuit, mais tous leurs membres, aux autres la clinique orthopédique, où, une main sur un genou tronqué, ils attendraient la prothèse de la jambe manquante, oui, avait dit le garçon à Mai, c'est ainsi que dans des fermes nous creusions chaque nuit notre lit qui était une tombe, et sans doute le garçon dormait-il ainsi, dans un trou, sur la plage, son visage souillé de sauce chili, quand tous l'avaient déjà oublié, les fêtards de la nuit, comme ceux qui l'avaient vu errer dans la ville, et la gouvernante Marie-Sylvie de la Toussaint avait dit que Mai n'était qu'une petite dévergondée, c'est bien ce qu'elle avait dit à Mai, quand cuisait encore sur la joue de Mai la mortification de la gifle, mais quelle bénédiction que Mai entendît encore cette musique, dans la chambre de sa grand-mère, quelle bénédiction, et Yinn se souvint de Fatalité, qui, pendant que le baignait, le lavait Yinn, quand Fatalité se rebiffait, disant qu'il serait là bientôt, au cabaret, pour sa représentation du soir, oui, il serait là, fût-ce pour la dernière fois, il serait là, se rebiffait-il, c'était dans l'appartement de Fatalité réverbérant nuit et jour une lumière crue, quand Yinn lavait, baignait Fatalité, lui ayant savonné le dos avec des mains gantées, Fatalité avait dit à Yinn, voilà que tu prends soin de couvrir tes mains d'artiste, vas-y, mon ami, je suis l'enfant infecté des contrées africaines, nous sommes des milliers comme moi, mon nom est Rosinah Motshewwa, telle cette femme de vingt-neuf ans, vois ces lésions sous mes yeux, Rosinah que j'ai vue dans un journal, n'est-elle pas moi, et moi, ne suis-je pas elle, ne sommes-nous pas des milliers, Yinn, qui eût cru que Fatalité serait si dépossédé, que Yinn eût à faire une collecte pour ses funérailles, qui eût cru cela, et Yinn entendait la voix de Fatalité, pendant que le lavait, le baignait Yinn, nous sommes des milliers, des milliers, as-tu pensé à cela, Yinn, et soudain Yinn vit à la suite du défilé des limousines blanches, dans les rues, ce défilé qui repassait devant lui, ces femmes, ces hommes, ces enfants, tous semblables à l'Africaine Rosinah, eux n'étaient pas en limousine, mais dans des charrettes ou à pied, et la procession, le défilé était si peuplé, resserré, qu'ils en débordaient les limites de la ville, assez pour y occuper la mer, l'océan, Fatalité en tête du défilé, et ces autres Fatalité, dans leurs limousines, mais qui avaient encore la force de chanter et de sourire, quand tous ceux qui marchaient péniblement derrière elles, ou ceux qui étaient trop faibles pour marcher, et que l'on avait mis en rangs, debout dans des charrettes, quand ces autres, ces milliers d'autres, ne chantaient, ne souriaient plus, et Herman dit, qu'y a-t-il, Yinn, te voilà tout pris dans les colliers de Cobra, attends que je te libère, Yinn, ne crois-tu pas que c'est bien, ce que nous avons fait, cette nuit, et Yinn, bien que son regard fût très fermé soudain, dit, oui, c'est bien, pendant qu'Herman délestait ses épaules, ses bras, des colliers de Cobra, et qu'il secouait les plis de sa robe bleue, mais je m'attriste, dit Yinn, que Fatalité ait été si dépossédée, qu'il ait fallu cela, oui, une collecte pour payer ses funérailles, cela ne finit pas de m'attrister lorsque j'y pense, dit Yinn, et Yinn se souvint qu'il avait rêvé d'Herman, Herman qui était maintenant devant lui, tirant la bride de son lourd cheval de papier mâché, Yinn n'avait-il pas rêvé que s'animait le cheval, debout sur sa croupe, aussi blanc dans ses blanches franges que le blanc cheval, Herman le conquérant traversait la ville, ce n'est plus un tricycle qu'il te faut, dit Yinn, abordable soudain, presque tendre, il te faut un cheval blanc, dit Yinn, oui, un cheval, mais j'ai le mien en attendant de retrouver l'usage de mes jambes, pour rentrer chez moi la nuit, car les représentations de la nuit me vident, dit Herman, n'as-tu pas remarqué, dit Herman qui indiquait du doigt en maugréant le fauteuil roulant dans l'ombre, je l'ai, ma poussette, te moques-tu de moi, Yinn, je l'ai, mon cheval, mon cheval rampant, dit Herman, ce n'est pas ce que je veux dire, dit Yinn, j'ai fait un rêve où tu sortais victorieux de tous ces tracas, oui, dit Yinn, victorieux, que crois-tu, victorieux, je le suis déjà, dit Herman d'un ton revêche, se rebiffant comme l'eût fait Fatalité, toujours je sortirai victorieux, répéta Herman, à toi de ne pas en douter, Yinn, et ces roses rouges, encore enrubannées dans leur housse diaphane, Nora les offrirait à Christiensen, à l'aéroport, pressant le bouquet contre son cœur, n'était-elle pas indécise soudain, cédant à quelque folle impulsion, elle les jetait à ses pieds, les foulait jusqu'à détruire leurs pétales de ses bottillons de cuir, puis elle s'éveillait dans la nuit noire, au-delà de son jardin illuminé, n'était-ce pas encore la nuit bruineuse, elle avait dû s'allonger sur un transatlantique, près de la piscine, sous l'arbre gombo, et ses fleurs embaumant l'air un peu glacé cette nuit, avant le lever du jour, s'endormir ainsi, toute prête à partir pour l'aéroport dans sa voiture, son chapeau de paille sur la tête, pour une brève sieste, et soudain, ce cauchemar, elle avait piétiné les roses rouges dans leur papier diaphane, ces roses qu'elle avait eu l'intention d'offrir à son mari, et ce rêve adhérait bien à son corps en sueur comme s'il était vrai, pensait-elle, nos rêves ne sont-ils pas plus astucieux que nous, eût dit Christiensen, mais Nora n'en croyait rien, il fallait se méfier de ces friches du subconscient, de tout ce lamentable désordre, dont les roses rouges piétinées, foulées, feraient désormais partie, et que cela passe et que l'on n'y pense plus, et comment était son tableau dans cette lumière plus tamisée par les lampes du jardin dans la nuit, toujours cet espace lunaire autour du visage de Nora, et cette pâleur bleutée sous les yeux, comme si la réelle Nora était en fuite, et ce pli de la bouche qu'elle n'aimait pas, était-ce un pli d'avarice ou de cupidité, Nora n'eût-elle pas mieux fait de déchirer cette toile avant l'arrivée de son mari, d'anéantir tout ce qu'elle n'aimait pas dans cet autoportrait, le visage porté par une absence lunaire, le pli de la bouche, la réticence des lèvres ou du regard, il lui fallait vite penser à autre chose, à téléphoner à ses enfants en Europe, que faisaient-ils à cette heure, où étaient-ils, pourquoi lui racontaient-ils si peu de leur vie, et même ceux qui étaient plus proches, la caméra de son ordinateur lui permettait seule de les approcher, de voir de plus près leurs visages trop mobiles, bien que sur leur existence ils soient tous si silencieux, même si elle leur parlait à tous plusieurs heures chaque jour, elle ne savait toujours rien d'eux, rien qui lui donne l'assurance qu'ils étaient polarisés autour d'elle, qu'ils étaient encore là avec elle, et cette maison rénovée pour eux à grands frais par leurs parents, quand y viendraient-ils séjourner, quand, non, il n'y avait en Nora ni avarice ni cupidité, c'est donc que l'autoportrait n'était pas nuancé, ni bien équilibré, c'est donc, O'Keeffe n'aurait jamais commis une telle erreur, de créer à travers un autoportrait le juge du modèle à peindre plus que le modèle lui-même, elle aurait infusé à ces formes trop précises, raides, ces formes du visage ou du corps, un souffle de liberté, une largeur indéfinie, tout un lyrisme que ne possédait pas Nora, trop rigide, il aurait fallu, oui, piétiner, fouler cette toile en même temps que les roses rouges, dans le rêve, oui, pensait Nora, et quelles viandes préparerait-elle pour ce dîner d'anniversaire de Valérie, ce rassemblement de ses amis autour des tables du jardin, dans quelques jours, lui ferait bien oublier ce détestable tableau qu'elle ne voulait plus voir, Bernard, Valérie étant des gourmets, ils apprécieraient la finesse de ses mets, du lapin peut-être, ce soir-là, ce ne serait pas comme auprès de ses enfants végétariens lui faisant tous les reproches, Marianne surtout qui ne tolérait pas que sa mère accepte la tuerie de ces bêtes, as-tu pensé, maman, que des petits agneaux, des petits lapins, c'étaient des bébés, que tu tuais des bébés, ou consentais à ce que quelqu'un d'autre le fasse pour toi, as-tu pensé à ces usines où sont torturés les lapins, les poulets, maman, Bernard et Valérie étant des gourmets, ils apprécieraient sa cuisine, ne disaient-ils pas que tout ce que faisait Nora était fait à la perfection, mais lorsqu'ils verraient ce tableau, la suspension lunaire du visage, l'insatisfaction des plis de la bouche de cette Nora qu'elle avait peinte, le diraient-ils encore, que diraient-ils, c'est étonnant, ils diraient que Nora était toujours aussi étonnante, comme s'ils avaient dit, insolite, bizarre, non, peut-être seraient-ils sincèrement étonnés, ou bouleversés, c'est le père de Nora, le père acariâtre de Nora, le père jaloux de sa fille, qui aurait dit, insolite, non, bizarre, non, cette Nora, ou bien il aurait dit, c'est un échec, oui, un échec complet, et je me demande bien pourquoi tu peins, ma fille, c'est comme lorsque tu voulais devenir chirurgien, ne vois-tu pas que tu n'en as ni le talent ni les capacités, et Nora pleurerait des jours entiers, même en pension avec son frère dans des couvents, en Afrique, elle pleurerait des jours entiers, et maintenant c'est Marianne qui éprouvait de la jalousie, de l'envie pour sa sœur aînée, il faudrait la débarrasser de cette chose vilaine, pauvre enfant, mais, travailleuse sociale, Marianne n'était-elle pas exagérément sensible aux autres, c'était bien sa seule enfant qui eût ce déséquilibre, car n'était-ce pas un peu caractériel qu'elle fût ainsi, une éponge à toutes les injustices, à tous les maux, trop affectée par les crises des jeunes marginaux qui lui étaient confiés, justement c'est cette charité, ses exagérations qui en Marianne gênaient sa mère, quand ses autres enfants étaient plus réalistes, moins compatissants mais plus réalistes, qu'ils étaient tous mariés, et même Marianne qui n'avait jamais cru que le mariage soit pour elle le véritable choix, car elle préférait sans doute à la compagnie d'un homme son travail, ses marginaux, pensait Nora, mais sa mère, avec le temps, avait pu la convaincre que vraiment, dans le mariage, elle serait plus en sécurité, moins fragile, et puis était-ce vraiment ce qu'elle voulait être, travailleuse sociale, pourquoi ne serait-elle pas, Marianne, comme Nora, une femme à la maison, non, maman, non, je ne le serai pas, eût dit Marianne, qu'y avait-il d'enviable, eût dit Marianne, au fait d'être une femme à la maison, comme toi, maman, tu as appris toutes ces langues, tu pouvais lire Ibsen dans le texte, pour ne faire rien d'autre que nous élever, être une femme au foyer, cela me peine pour toi, maman, oui, cela me peine, eût dit Marianne si influençable, si influencée par les théories féministes à la mode, voilà ce qu'elle aurait dit, ma fille Marianne, comme si je n'avais pas tout donné à mes enfants, comme s'ils n'avaient pas tout reçu de moi, quelle ingratitude, mais ce qui me fortifiait, c'était Greta, mon aînée, celle qui m'approuvait, qui pensait un peu comme moi, même s'il y avait bien des dissidences aussi entre Greta et moi, qui a exprimé plus d'attachement souvent à sa vie professionnelle qu'à sa vie familiale, mais j'ai toujours été là, pour les enfants, les petits-enfants, ne suis-je pas toujours là, leur parlant tous les jours, devant cette mobilité frémissante d'un écran d'ordinateur, leur parlant, leur parlant jusqu'à ce qu'enfin ils m'écoutent, puis ils me quittent, me disant qu'ils ont tant à faire, mais quoi, pourquoi ne me disent-ils pas tous ce qu'ils font quand j'aimerais tant le savoir, pourquoi semblent-ils m'abandonner tous un à un, et même Stéphanie pour qui Nora avait peint ce tableau, pourquoi sa petite-fille, encore hier, lui disait, grand-mère, j'ai mes cours, je dois partir, je n'ai pas le temps de te parler, te parlerai demain ou plus tard, pourquoi, oui, pensait Nora, en était-il ainsi de la vie des femmes, qu'elle éprouve soudain ces sentiments de futilité, d'inutilité, dans tous les accomplissements de sa vie, que tout ne soit que ce néant, mais qu'elle chasse les scories de ces pensées dévorantes, accaparantes, c'était sans doute la fatigue de Nora, ses nuits sans sommeil qui en étaient la cause, rien de plus, pensait-elle, elle serait bientôt à l'aéroport, Christiensen la soulèverait dans ses bras vigoureux, l'embrasserait en disant, chérie, ma chérie, elle serait comblée, déjà elle était prête à partir, pourquoi toujours ces pensées obsédantes, dévorantes, pensait Nora, c'est qu'à l'exception de Marianne, dont l'humanité était profonde, et de son mari, qui avait légué cette qualité à sa cadette plus qu'à ses autres enfants, aucun autour d'elle n'avait saisi la gratuité de son bénévolat en Afrique, comme si ses enfants étaient incompatibles avec elle, dans ses mouvements les plus généreux, à part Marianne et Christiensen, non, aucun de ses autres enfants n'avait su ce que ces quelques mois d'endurance et de service avaient signifié pour elle, Nora, Nora qui pendant quelques mois n'était plus une femme à la maison, ni la Nora dans sa maison de poupée, ni la Nora de son mari, non, une femme dans toute sa digne autonomie, soignant les enfants sidéens comme l'eût fait son père, les soignant mieux qu'il l'eût fait sans doute, car elle était pour chacun une mère, la mère, plus qu'elle ne l'avait été pour ses propres enfants, peut-être, la mère du petit Amos, six mois, du petit N'suzi, c'était elle, Nora, qui avait cherché une veine pour une perfusion, quand se fermaient déjà leurs yeux, se glaçaient leurs paupières, une veine pour une perfusion du liquide de la vie, quand il était trop tard, beaucoup trop tard, pensait-elle, car il y avait bien quelques jours déjà que ces petits ne mangeaient plus, et lorsqu'elle pensait à sa famille, Nora ne les voyait-elle pas, eux, eux surtout, Amos, N'suzi, Nora qui les lavait, tentait de les nourrir quand ils ne mangeaient plus depuis quelques jours, Nora qui décollait les mouches des biberons, eux ses enfants ougandais, rwandais, Amos, N'suzi et tant d'autres qui connaîtraient le même sort, dans ces pays d'où, elle le savait, Nora n'aurait jamais dû revenir, non, ne jamais revenir, et qu'était-ce que cette rumeur des voix, sur le seuil de son pavillon, pensait Mère, quand, Marie-Sylvie de la Toussaint ayant négligé de refermer les volets, entraient dans la chambre l'humidité et la brume, il valait donc mieux qu'ils restent tous sur le seuil, car l'augmentation de cette brume bien circonscrite autour du lit de Mère n'eût-elle pas fait suffoquer Vincent, provoqué chez lui une crise, quand rien n'était plus précieux pour Mère que la santé de son petit-fils, et avec sa santé, son avenir, que disaient-ils, que le père de Manuel avait été arrêté pendant la nuit, pour délits auprès de mineurs, devant un attroupement de policiers dans l'enclave de son domaine, Manuel avait vu partir son père, menottes aux poignets, non, la fille de Mélanie et Daniel n'était pas parmi eux, ces enfants dormant d'un sommeil givré, sur la plage, non, avec quel soulagement avaient-ils appris qu'elle n'était pas parmi eux, avec son amie Tammy peut-être, oui, et soudain elle était là, Mai, sur la véranda, rentrée avant minuit pour embrasser sa grand-mère, elle était là et ses parents l'embrassaient, en d'autres circonstances Mai savait qu'ils l'auraient réprimandée, mais cette nuit, non, ils ne le feraient pas, soulagés, rassurés, ils l'embrassaient, ils avaient pleuré, pleureraient encore pendant la nuit, et s'avançaient eux aussi vers la chambre, doucement, ils s'avançaient, le père de Mai tenant la main de Mélanie, t'attendrai demain, avait texté Tammy à Mai, non, il n'y aurait aucun pacte, pensait Mai, entre Tammy et son frère, les deux princes et leurs chevelures ne flamberaient pas cette nuit, ils ne fondraient pas comme de la cire, tout en ne perdant pas contenance, leur gant blanc intact, ne flamberaient pas, non, pouvait-on imaginer un tableau plus terrible que ce pacte de Tammy avec son frère, pensait Mai, quand leurs parents, les parents de Tammy, de son frère, ne savaient rien de leurs enfants, les ignoraient, sans prévoir qu'un tel pacte

eût pu se réaliser, enflammant avec leurs enfants leurs biblio-
thèques, leurs livres, toute leur maison, et peut-être eux-
mêmes, ces cruels parents, pouvait-on imaginer tableau plus
terrible, pensait Mai, quand elle entendait encore, répétitive,
cette musique, dans la chambre de sa grand-mère, quand
tout autour, dans les arbres, se répandait la brume, mais
n'entendrait-on pas aussi bientôt le chant des coqs, ainsi on
saurait que ce serait le début d'une journée comme une
autre, dans la ville, pensait Mai, et qu'avec le lever du soleil
s'égrènerait la brume dans cette tiédeur de février où l'on
frissonnait quand même de froid, en attendant que revienne
le printemps tropical et ses débordantes végétations, oui, il
valait mieux, pensait Mère, que Vincent ne s'approche pas
trop d'elle dans cette brume de la chambre, ce brouillard si
intense dans lequel Mère ne l'aurait pas reconnu peut-être,
ni lui, Vincent, ni Samuel, ni leurs parents, ni sa fille Mélanie,
n'aurait reconnu personne, dans cette densité atmosphé-
rique elle-même peu reconnaissable pour Mère, quand donc
cela se diluerait-il, quand reverrait-elle le jour, pensait Esther,
afin qu'elle puisse dire à ses enfants, petits-enfants, d'une
voix qui leur soit reconnaissable, et non plus éteinte, combien elle les aimait, combien elle les aimait, et voici notre
moujik Robbie, s'écriait Herman lorsqu'il vit descendre,
après sa représentation au cabaret, Robbie, qui semblait
crouler sous ses fourrures synthétiques, ce qu'il faudrait
encore, disait Herman, c'est que Jamie produise de la neige
qui jaillirait du toit par gros flocons comme seul il sait le faire
avec sa machine à neige, bien que cela tourne vite en flaques
d'eau sur le trottoir et qu'en peu de temps nous barbotions
avec nos souliers et nos bottes dans de l'eau sale, pendant
qu'Herman se plaignait du froid persistant, et des brumes

contournant les rivages de la mer, dans ce froid brumeux, un événement si rare que nul n'y croyait, disait Herman, peu à peu les limousines et leurs passagères revenaient vers le bar, la salle du bar enfumé où il ferait plus chaud, ses yeux noirs brillant sous sa toque de fourrure, sous les cils fournis, Robbie tendait la main à chacune des filles, les menant vers le comptoir du bar avec précaution, allez, les filles, disait-il, Yinn vous offre à boire avant la fin de la nuit, c'était pour Petites Cendres une heure relaxante, pensait-il, quand, peu de temps avant l'aube, il pouvait sentir contre lui la compression de corps aussi solidaires que le sien dans l'épreuve, la résistance aux invasions de microbes de toutes sortes, peu lui importait qui se dérobait sous ces visages voilés des maquillages de Yinn, qui penchait la tête sous son col de fourrure, qui respirait avec peine dans un manteau trop ample ne recouvrant qu'une peau marquée de lésions, comme était la peau de Petites Cendres sous ses vêtements, peu lui importaient leur précarité et la sienne, en cet instant, tous vivaient, exultaient d'une joie commune, la joie de Petites Cendres, ou celle de Yinn qui avait eu la délicatesse de les réunir tous, avant que Jamie, lorsqu'on entendrait les chants des coqs chamailleurs, dans la brume, ne reconduise chacune des filles à son port de résidence, à la clinique du médecin Dieudonné, ou à leur appartement où continuerait une existence en apparence normale, mensongère, mais normale, comme l'avait fait Fatalité, dans son appartement réverbérant nuit et jour sa lumière crue, pensait Petites Cendres, Herman ne sachant toujours rien de la présence de Flavian dans le groupe, Flavian, dirait Jamie plus tard, qui, dans sa débilité, sa faiblesse avait eu du mal à gravir les marches d'un escalier, au point que Jamie eût voulu le prendre dans ses bras pour aller le déposer dans son lit, ce qu'il n'avait pu faire, tant Flavian s'était obstiné à gravir seul ces marches, se tenant à la rampe de l'escalier, puis étreignant autant qu'il l'avait pu Jamie contre lui, il avait soupiré, adieu, adieu, frère, pas un mot à mon cher Herman, n'est-ce pas, adieu, frère, adieu, et Jamie s'était enfui dans sa limousine, secoué par les larmes, mais cela, c'était la fin de la nuit, pensait Petites Cendres, et il fallait qu'il en soit ainsi, avec Flavian, ça ne pouvait être que très triste, les autres filles s'attardant au bar, la fête avait continué jusqu'à l'aube, dans les rires exténués, mais des rires, et le plus comique sous ses fourrures était toujours Robbie, son frère de Porto Rico étant en ville, il lui céderait sa chambre, un frère qui chantait dans les clubs lui aussi, et où dormirait Robbie, lui demandait Herman, sur le canapé dans le corridor, la maison de Yinn, de Jason, n'accueillait-elle pas toutes les familles, Herman dit que c'était l'utopie de Yinn, cette famille universelle, ce rêve que tous viennent habiter chez lui, entre les murs de sa maison de bois peinte en jaune, tel un soleil attirant à lui les déshérités de la nuit, disait Herman en riant, non seulement il aime Jason, mais il éprouve quelque touchante nostalgie que la femme, les filles de Jason ne vivent pas avec eux tous, pourquoi pas, disait-il, pourquoi pas, si la mère de Yinn n'avait pas protesté, il les aurait tous accueillis sans doute, mais la mère de Yinn ayant dit que, s'il en était ainsi, elle se retirerait dans un couvent, l'idée du couvent chez cette mère agnostique avait surpris Yinn, mais, maman, tu n'es pas même bouddhiste comme je le suis, que ferais-tu dans un couvent, avait-il dit à sa mère, et n'est-ce pas dans nos traditions que les parents ne soient pas seuls et vieillissent avec leurs enfants, n'est-ce pas dans nos traditions, maman, ou bien j'irai cohabiter avec tes frères, avait dit la mère de Yinn, ajoutant que ce fils, Yinn, avait besoin d'elle pour tempérer ses idées modernes, ses idées folles d'amitié universelle, d'amour dépassant les frontières de l'amour, qu'il lui fallait sa mère, tout près, d'autant plus qu'elle était experte en travaux de couture, et que sans elle il ne terminerait jamais ses costumes à temps, vous vous imaginez, trois cent cinquante costumes par an, ce garçon va s'user les yeux, mais plus que les yeux elle craignait qu'il ne s'use le cœur, qu'il en vienne à se tarir à trop aimer Jason et les autres, tous les autres, il était donc indispensable qu'elle soit là, auprès de ce fils que déréglaient ces sentiments d'amour, d'empathie, de sympathie universelle, et maintenant le frère de Robbie s'installant dans sa maison, et pour combien de temps, le laisser dormir dans le corridor sur un canapé, non, ce pauvre Robbie, non, elle n'oserait tout de même pas lui offrir sa chambre, non, elle ne le ferait pas, mais Robbie dormirait si mal sur ce canapé, dans le corridor où circulait une brise froide, et Robbie disait aux filles, au bar, qu'avec la mère de Yinn, Yinn, Jason, Geisha, Cobra, il avait une vraie famille, n'était-ce pas tout ce qui comptait dans la vie, depuis la disparition de Fatalité, une vraie famille, disait Robbie, et Petites Cendres regardait Robbie en craignant qu'il lui demande où il finirait la nuit, ou que, comme pour son frère, il lui offre l'hospitalité dans la maison de Yinn, si près de Yinn que ce serait le malheur d'être privé de Yinn, mais Robbie devait remonter vers le cabaret pour la représentation finale de la nuit, bien qu'il eût plus froid encore en songeant qu'il devrait enlever sa fourrure enveloppante pour chanter, danser, déjà dans l'escalier Robbie chantait, j'aime le bleu, le doré, le vert et le tendre, l'air s'enfumait dans la salle du bar, Petites Cendres pensa que lorsque tous partiraient, tant avait été longue la nuit, impressionnante cette procession des filles dans les rues de la ville, dans les limousines que Jamie avait louées pour la nuit, il n'hésiterait plus à s'allonger sur le sofa rouge, à y tisser de nouveau sa toile de rêves, ce serait plus tard, quand Andrés refermerait les panneaux du bar, rangerait avec Yinn la recette de la billetterie, quand, de star au cabaret, Yinn, luttant elle aussi contre le froid, serait vêtue d'un pantalon gris, d'un veston, Yinn, jeune homme d'une simple élégance, soudain, avec ses cheveux noirs sur les épaules, de star à garçon à tout faire dans l'établissement, avant de fermer les portes, à l'aube, pensait Petites Cendres, Yinn à ces occupations soudain plus humbles, comme lorsque Petites Cendres l'avait aperçu courbé sous le sac noir de la lessive, n'en était-il pas pour Petites Cendres que plus émouvant, émouvant et tentateur, pensait Petites Cendres, car que Yinn fût dans ses extravagantes robes du soir, celles de sa confection, ou vêtu, dans une simple élégance dénuée de toute prétention, d'un pantalon gris, d'un veston en lainage ou en cuir, pour se protéger du froid, Petites Cendres ne s'imprégnait-il pas de sa douceur, que celle-ci soit impersonnelle ou désintéressée, ne s'en imprégnait-il pas, pensait-il, et Petites Cendres revoyait Yinn, par les nuits chaudes, quand bouillonnait dans le bar, au sauna de la Porte du Baiser, l'excitation sexuelle des clients, sa montée à un degré frénétique, était-ce pour cette clientèle si peu raffinée que chaque soir il chantait et dansait sur la scène, ressortant de ces représentations de la nuit, vers le matin, avec ce calme blasé, ce dédain de toute promiscuité que Petites Cendres pouvait lire sur son visage, avec l'épuisement de la nuit, c'était là où, fumant ses cigarettes, buvant ses cocktails avec une paille, sa chevelure noire déroulée sur ses épaules, Yinn, apparaissant à Petites Cendres telle cette langoureuse femme eurasienne dont Jason s'était épris en la voyant, annonçait à tous, mais était-ce l'effet de la rumba de la nuit, qu'à trente-trois ans il se retirerait, les quitterait tous, et ces paroles de Yinn, Petites Cendres pouvait les entendre maintenant, Yinn ne les chuchotait-il pas à Andrés, ou, ces paroles, Yinn les prononcerait-il demain, prophétisant qu'il était fait pour toujours changer, se modifier, que l'artiste était avant tout un être de métamorphoses, ou, dirait-il, un être de révolution, que dirait-il demain à Petites Cendres qui fût impitoyable pour lui, qui le laissât si seul, mais absorbé par la recette de la billetterie, Yinn, aux côtés d'Andrés dans sa tunique hindoue, ses écharpes de soie qui le réchauffaient, n'avait rien dit, même après la rumba de la nuit, pensait Petites Cendres, rien dit, ni prédit, ni prophétisé qui fût pour Petites Cendres une sentence, rien encore. Qu'on me laisse tranquille, n'étaient-ce pas les derniers mots de Marie Curie, pensait Mère, oui, qu'on la laissât tranquille, que nul ne fût à son chevet, n'étaient-ce pas ses derniers mots, et surtout que ne revînt pas près d'elle Marie-Sylvie de la Toussaint, cette ombre contre la moustiquaire de la porte, n'avait-elle pas demandé plusieurs fois à Mère si elle devait le laisser entrer, oui, est-ce votre ami Justin, ce monsieur en costume de lin, au chapeau blanc, et Mère n'avait-elle toujours pas dit, non, ce n'est pas Justin, je ne l'ai jamais vu dans ce costume ni avec ce chapeau, ni le visage si hâlé sous le chapeau, mais il se peut bien qu'il soit méconnaissable, avait dit la gouvernante Marie-Sylvie de la Toussaint, ou que vous soyez incapable de le reconnaître, ce monsieur dit qu'il tient beaucoup à vous voir, il était dans la procession de la rue que vous avez pu voir de votre fenêtre, dans cet orchestre noir plein de lamentations jazzées, si lent, si lent à aller jusqu'au cimetière, souve - nez-vous du son des tambours que vous n'aimiez pas, ce monsieur dit qu'il veut beaucoup vous voir, que vous vous connaissez depuis de nombreuses années, dois-je le laisser entrer de même que toute votre famille, et Mère dit, non, dans cette brume et cette humidité personne ne doit entrer, elle avait oublié Justin pour ne penser qu'à Augustino, vien-drait-il, de quelles humaines misères avait-il été témoin à Calcutta, où il avait commencé l'écriture de son second livre, quand le père d'Augustino n'avait pas approuvé que son fils s'en aille seul si loin, personne n'avait su ce que faisait Augus-tino dans la ville populeuse et surmenée, bien que Mère n'eût cessé de lui écrire, jamais il ne lui répondait, où se terrait-il, quelle révélation recherchait-il là-bas, pensait Mère, lumière ou révélation, que recherchait Augustino, ou peut-être l'ef- facement du coup asséné par Adrien, pour son premier livre, Mère n'avait-elle pas écrit à Augustino que c'est ainsi que se desséchait l'esprit, la pensée de bien des hommes, c'était la réaction d'Adrien à la perte de sa femme, à trop de solitude, oui, qu'Augustino n'y voie rien contre lui, contre son livre, Adrien, désenchanté, haineux de l'approche de la vieillesse, cela, disait-il à ses amis, jamais il ne l'accepterait, Adrien assé- nait ce coup de la critique laconique à des jeunes écrivains en éprouvant quelque légèreté de ses peines à le faire, Augustino ou un autre, tous étaient ses victimes, les victimes de ses sar- casmes, de son laconisme, tous l'étaient depuis quelque temps, avait écrit Mère à Augustino, et pourquoi son petit-fils ne savait-il pas que les hommes, en vieillissant, ne deve- naient pas meilleurs, pires sans doute, mais pas toujours, ce qui arrivait à Adrien, c'était plutôt une vague méchanceté sur le tard, une déception de se retrouver sans la femme qu'il aimait, comme il se portait bien et était encore bel homme, les jeunes femmes l'attiraient beaucoup, ne serait-ce pas un piège pour lui, on le voyait tous les jours au court de tennis, s'amusant, riant, se souvenait-il d'avoir blessé Augustino, non, avait écrit Mère à son petit-fils, lui-même dans ses nouveaux amusements et distractions ne se souvenait même plus de ces mots acerbes qu'il avait écrits, et c'était ainsi quand se desséchait la pensée, l'esprit, avait écrit Mère à Augustino, c'était ainsi, quant à Justin, mais Mère avait la certitude que ce n'était pas lui, son ami Justin, pas cet ami, l'écrivain si prolifique, fils de pasteur, qui avait grandi en Chine, l'ami pacifique ne l'eût jamais ainsi dérangée, quand elle ne voulait voir personne, quant à cet homme étranger, celui dont parlait Marie-Sylvie de la Toussaint, dans son costume en lin, le teint hâlé sous son chapeau blanc à larges bords, Mère finirait sans doute par lui dire d'entrer, car dans toute cette brume de la chambre percerait bientôt la première lueur du jour, et quel espoir ce serait de sentir que s'atténuait la brume et qu'enfin de la fenêtre Mère verrait les premiers rayons du soleil dans les palmiers, sur ses frangipaniers aux fleurs jaunes, sur ses citronniers, et Nora voyait cette barre rouge, pourpre à l'horizon, sur la mer, sans doute conduisait-elle trop vite, mais qui pouvait la voir, quand il était si tôt, des contraventions, elle en avait déjà reçu plusieurs à conduire aussi vite, mais qui la verrait, ce matin, lorsqu'une jeune Cubaine l'avait arrêtée, l'une de ces fois, Christiensen étant de passage à la maison, elle avait dit, je n'ai aucun papier sur moi, rien, j'ai tout confié à mon mari, et elle avait eu un peu honte d'avoir laissé ainsi toute son identité à son mari, à la maison, sans doute parce que la jeune Cubaine l'avait regardée sévèrement, c'était un sentiment confus de honte, comme si Nora eût avoué qu'elle était la propriété d'un homme, confus, ce sentiment, car Nora n'eût-elle pas refusé aussi un chéquier personnel, pour les comptes de la maison, ce n'était pas là son rôle, eût-elle dit avec détachement à son mari, avec comme rançon la liberté de sa femme, Christiensen ne devait-il pas se charger de tout ce qui l'ennuyait, lui pesait, car elle ne voulait rien savoir des choses matérielles, les femmes aimaient savoir combien gagnaient leurs maris, Nora, elle, repoussait cette pensée d'un calcul qui l'eût dégoûtée, confus, ce sentiment de honte, pensait Nora, conduisant de plus en plus vite sur l'autoroute déserte, dans l'envol des pélicans, des ibis, au-dessus de l'océan brumeux, avec tout au bout, à l'horizon, une ligne pourpre, rouge, celle du soleil levant sur la mer, car Nora éprouvait le désir de le retrouver vite, de retrouver Christiensen, qu'il la soulève bientôt dans ses bras vigoureux en disant, enfin, nous voici ensemble, ma chérie, ma chérie. Et tenant le gouvernail de son embarcation, Ari naviguait en pensant que sur l'îlot voisin, oui, parmi les aigrettes, les hérons bleus, adoucie, soudain, Lou se rapprocherait de lui, elle lui dirait peut-être, papa, aime bien qui tu veux, je suis assez grande, n'as-tu pas remarqué mes longues jambes, comme celles de maman, dépassant de mon short rose, n'as-tu pas remarqué, Ari, que je peux maintenant me débrouiller seule, Ari eût-il étiré le bras qu'il eût effleuré d'une caresse les deux petites têtes devant lui, Rosie et Lou s'étant assises encore endormies sur une chaise de toile, près du gouvernail, quand se distillait la brume sur l'eau, humectant les cheveux des enfants de gouttelettes comme si elles étaient à peine sorties d'un bain, ah, qu'il en soit toujours ainsi, pensait Ari, que Lou soit toujours ma petite fille, celle qui ne tourmente pas son père, qu'il en

318

soit toujours ainsi, ne serait-ce pas bientôt l'heure de la danse de la paix, entre le père et la fille, quand s'envoleraient vers le ciel les hérons bleus, sur l'îlot voisin, la danse des hérons bleus, des pélicans, ne serait-ce pas l'heure de la danse de la paix entre le père et la fille, et ouvrant à peine les yeux sous ses cheveux emmêlés par la brume, Lou pensait, papa nous emmène peut-être si loin, et si tôt le matin, si loin sur une plage inconnue pour nous abandonner là, Rosie et moi, nous abandonner sur la grève afin de repartir plus vite vers elle, Noémie, et qu'allons-nous devenir, Rosie et moi, abandonnées sur une plage, puis Lou se rendormait, les vagues berçant l'embarcation, elle pensait qu'il valait mieux dormir, ne plus penser à lui, Ari, pas jusqu'à demain, lorsqu'elle pourrait mieux sonder ses intentions, avant qu'il ne fasse pour les filles le récit des oies sauvages, avant cette histoire de danse de la paix des oiseaux, qu'il avait tant de fois répétée, quand il voulait se faire pardonner ses erreurs, oui, il valait mieux dormir, pensait Lou, Ari tenait le gouvernail, et ils ne se perdraient pas, car Ari connaissait bien la mer, voilà qui était sûr, le père de Lou savait naviguer, pensait Lou, et il aimait peut-être encore trop son enfant pour l'abandonner sur une plage inconnue, qui sait si Ari ne l'aimait pas encore un peu, assez pour ne pas l'abandonner sur le sable blanc d'une île inhabitée, sauf par les dauphins, les hérons bleus et les pélicans, qui sait si Ari, pensait Lou en se rendormant, et Mère revit la maison de Charles et Frédéric qui brillait dans la nuit, du porche on pouvait voir le scintillement des chandeliers, entendre tous les bruits de la fête, venez, ma chère amie, disait Caroline de sa voix perchée, cette maison ne vous est-elle pas familière, venez, prenez mon bras, suivez-moi car tous vous attendent, Mère allait céder à la proposition de Caroline, quand elle sentit la main sèche de Marie-Sylvie de la Toussaint qui touchait la sienne, toute brûlante, dois-je laisser entrer l'homme étranger qui dit s'appeler Justin et être votre ami, demandait Marie-Sylvie de la Toussaint, dois-je le laisser venir, celui qui est vêtu d'un costume en lin et d'un chapeau blanc, bien que je ne le reconnaisse pas à son teint trop hâlé, dit Mère, comme le jour se lève, que je vois enfin la lumière dans mes arbres, mon jardin, je vous en prie, Marie-Sylvie, laissez-le entrer, laissez-le venir, je suis prête à le recevoir, puisque se lève maintenant le jour, se disperse la brume, laissez-le entrer, dit Mère, car après tout l'homme étranger était peut-être Justin, dans un costume en lin, même avec ce teint excessivement hâlé, sous un chapeau blanc. Et que Yinn fût dehors à grelotter, dans un manteau de fourrure bleu cintré à la taille, pensait Petites Cendres, appuyée contre la devanture du bar dans une attitude où se percevait son ennui, car ce n'était pas son désir d'être ainsi exposée à tous les passants, dévisagée, palpée par toutes les mains, comme s'il eût été saisissable, ce qu'il n'était pas, ne serait pas même sur la scène du cabaret où il paraîtrait si offert quelques instants plus tard, pendant une danse dans un bikini d'un jaune éclatant, qu'il fût là à annoncer les représentations de la nuit, ou dans le flamboiement de ses jeux sur scène, Yinn ne serait-il pas toujours aussi seul, pensait Petites Cendres, mais touché que vienne vers lui la jeunesse, il lui semblait parfois qu'elle venait du monde entier, surgissant par bandes joyeuses au bas de l'escalier qui menait au cabaret, ne venaient-ils pas, ces filles et ces garçons, pour partager avec Yinn son don le plus grand, cette harmonieuse compréhension dans la détente, la tendresse, et cette tendresse n'était pas feinte, de tout ce qui était différent, en eux, quand dans bien des parties du monde, ces différences sexuelles n'auraient jamais été tolérées ni acceptées et auraient provoqué la condamnation sociale et d'infamants jugements, parfois même des sentences de mort, tout cela, Yinn ne le savait-il pas, pensait Petites Cendres, quand son âme soudain s'éclairait de joie, quand, par bandes joyeuses, filles et garçons gravissaient les marches en courant vers lui, Yinn, celui qui les attendait en souriant, dans sa céleste androgynie, sa parfaite ambiguïté, distribuant à tous, bien que d'une façon qui pouvait sembler lointaine, la même affection, le même amour, oui, mais dans cette vaste entreprise de conciliation de Yinn, y aurait-il encore une place pour Petites Cendres, pourrait-il s'implanter quelque part, tel le disciple Jean contre l'épaule de Jésus, comme on le voyait dans les tableaux, Jean dont la place la plus proche était pourtant celle de l'amour délaissé, car ce n'est pas vers lui que son maître levait les yeux, le sang de la rédemption suintant déjà de son linge, comme de sa face courroucée, sous une couronne d'épines dont il sentait qu'elle lui briserait bientôt le crâne, avec les clous des bourreaux dans toute sa chair, comment eût-il pris le temps de penser à lui, Jean, énamouré tel Petites Cendres, Jean toujours contre son épaule, presque couché dans les plis de sa tunique, même lors du dernier repas, Jean qui, dans sa candeur, ne savait pas combien il souffrirait ce soir, demain, lorsque s'arracheraient de lui cette épaule, les plis d'une tunique, trop candide pour savoir, pensait Petites Cendres, bien qu'il eût la place de l'amour délaissé, et Petites Cendres vit que, pendant que les uns quittaient le bar, d'autres y entraient, c'étaient le Suivant, Robert le Martiniquais après leur nuit au Vendredi Décadent, dans leurs habillages de nuit, écartant les pans d'une veste en peau de mouton sur le caleçon de Robert, Yinn dit, comme si cela eût été l'avis d'un spécialiste, la nature t'a bien pourvu, mais n'as-tu pas un peu froid, puis sa main frôla la joue du Suivant, les épis verts de ses cheveux, Yinn dessina d'un doigt sur l'arcade des sourcils, observant toujours en spécialiste le visage du jeune Asiatique, il faut que l'arc des sourcils soit plus hautain, disait Yinn, je te montrerai comment faire demain, car cette hauteur des sourcils, c'est un peu notre expression de fierté à nous, Asiatiques, disait Yinn au fervent jeune disciple à qui il apprendrait bientôt à chanter, danser sur scène, puis Yinn embrassait avec une neutre distraction Robert et le Suivant, sur le front, comme s'ils étaient ses enfants, en leur disant, bonne nuit, le regard de Yinn se dirigeant vers Jason qui allait tout éteindre, dans la salle du bar, tous les spots de la nuit colorée et encore éclatante, pensait Petites Cendres, Jason dans un blouson sans manches, découvrant la rondeur de ses épaules, et ses bras tatoués, et que Yinn suivait d'un regard attentif, pas encore attendri comme il le serait lorsque Yinn et Jason seraient seuls, quand l'image de Greta Garbo, sur un écran géant, dans leur chambre, se fixerait dans leur enlacement comme dans leur sommeil, pensait Petites Cendres, quand sur l'écran géant dans la chambre de Robbie danserait toute la nuit Fatalité, une infatigable Fatalité, celle de Robbie qui jamais ne mourrait, comme elle était morte seule dans son appartement, lequel réverbérait encore une lumière crue, jour et nuit, non, qui jamais ne mourrait plus, avait dit Robbie, mais même en éteignant tout, Jason laisserait allumée la veilleuse rouge, au-dessus du sofa, et bientôt Petites Cendres s'allongerait là, dans la pénombre d'une alcôve où nul ne le verrait, Yinn ne partirait-il pas le dernier, quand Jason l'attendrait sous le lampadaire de la rue, avec à ses pieds une valise contenant ses instruments de musique électronique, sous cet éclairage du lampadaire, Petites Cendres verrait le sourire de Jason sur ses dents blanches, l'ourlet de ses lèvres, s'étirant sur le sofa rouge, Petites Cendres, lui, n'attendrait plus rien, sinon que, en passant trop près de lui, Yinn, ce jeune homme dans la simple élégance de ses vêtements d'hiver, pantalon gris et veston gris dont il se délesterait bientôt pour dix mois d'été, dans un débardeur rouge et un bermuda à quatre poches, comme celui de Jason, que Yinn soudain se penche vers lui, le prenne dans ses bras, oh, ce ne serait qu'une accolade d'homme à homme, de frère à frère, Yinn dirait à Petites Cendres, mais tu es fou, mon ami, de dormir sur ce sofa quand il y a tant de chambres dans ma maison, oui, tu es fou, vraiment, et Petites Cendres, à cet instant, fermerait les yeux, feindrait le sommeil, tant il serait heureux, mais sous la veilleuse rouge, la pénombre s'assombrissait, Yinn fit quelques pas vers la porte du bar, il s'arrêta quelques instants pour regarder autour de lui, puis apercevant Petites Cendres qui glissait vers le sofa rouge, il lui fit un tendre signe de la main et disparut.

CRÉDITS ET REMERCIEMENTS

Les Éditions du Boréal reconnaissent l'aide financière du gouvernement
du Canada par l'entremise du Programme d'aide au développement
de l'industrie de l'édition (PADIÉ) pour ses activités d'édition
et remercient le Conseil des Arts du Canada pour son soutien financier.

Les Éditions du Boréal sont inscrites au Programme d'aide
aux entreprises du livre et de l'édition spécialisée de la SODEC
et bénéficient du Programme de crédit d'impôt pour l'édition
de livres du gouvernement du Québec.

Ce livre a été imprimé sur du papier 100 % postconsommation,
traité sans chlore, certifié ÉcoLogo
et fabriqué dans une usine fonctionnant au biogaz.

MISE EN PAGES ET TYPOGRAPHIE :
LES ÉDITIONS DU BORÉAL

ACHEVÉ D'IMPRIMER EN MAI 2010
SUR LES PRESSES DE MARQUIS IMPRIMEUR
À CAP-SAINT-IGNACE (QUÉBEC).